위대한 나라

위대한 국민입니다.

대통령 문재인

위대한 국민의 나라

문재인정부 5년의 기록

위대한 국민의 나라

문재인정부 5년의 기록

문재인 대통령 비서실 지음

한스미디어

사진으로 보는 문재인정부 5년

❶ 제19대 대통령 취임식(2017. 5. 10.)

❷ 홍은동 주민들의 청와대 첫 출근 환송(2017. 5. 10.)

"국민과 눈높이를 맞추는 대통령이 되겠습니다"

2018 평창 동계 올림픽

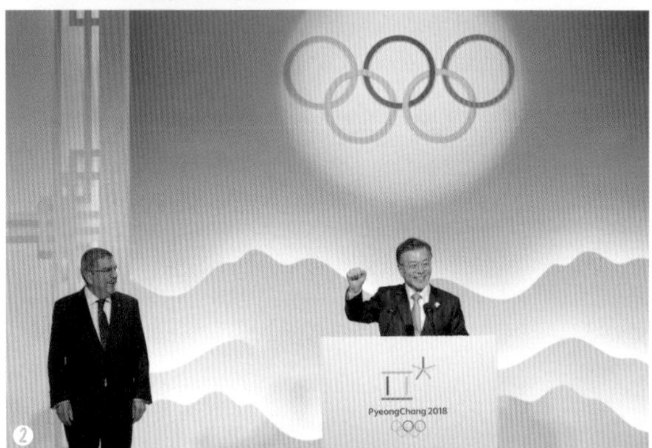

❶ 2018 평창 동계 올림픽 개막식 (2018. 2. 9.)

❷ 2018 평창 동계 올림픽 IOC위원 소개 행사(2018. 2. 5.)

❸ 뉴욕 동포들과 평창 동계 올림픽 홍보(2017. 9. 18.)

평화를 향한 치열한 전진

❶ 4·27 남북 정상 회담. 군사 분계선상에서 만난 남북 정상(2018. 4. 27.)
❷ 판문점 옆 도보다리 산책(2018. 4. 27.)
❸ 백두산 천지에서 함께(2018. 9. 20.)
❹ 평양 5·1 체육관에서 연설(2018. 9. 19.)
❺ 남북미 판문점 정상 회담(2019. 6. 30.)

국가의 역할, 국민이 만든 K방역

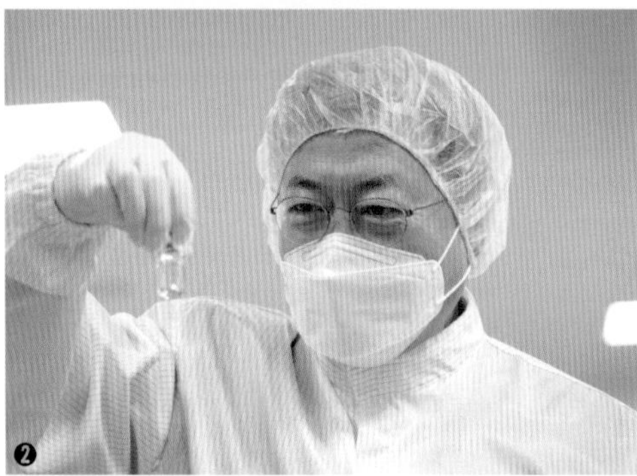

❶ 정은경 초대 질병관리청장 임명장 수여식(2020. 9. 11.)

❷ 코로나19 백신 생산 현장 방문 (2021. 1. 20.)

❸ 한미 백신 협력 협약 체결식 (2021. 9. 21.)

❶ 수석보좌관 회의에서 '덕분에 챌린지'(2020. 4. 27.)
❷ '덕분에' 캠페인을 통해 의료진의 노고를 응원하는 질병관리청 직원들

선진국으로 격상된 유일한 나라

❶ G7 정상 회담(2021. 6. 12.)
❷ 바이든 미국 대통령 초청 한국전쟁 참전용사 명예훈장 수여식 (2021. 5. 21.)
❸ 프란치스코 교황 예방 (2021. 10. 29.)
❹ UN 총회 연설(2017. 9. 21.)
❺ 2019 한-아세안 특별 정상 회의 (2019. 11. 26.)

6대 군사강국, 국민을 지킵니다

❶ 도산 안창호함 진수식 (2018. 9. 14.)
❷ 서울 국제항공우주 및 방위산업 전시회 2017 개막식(2017. 10. 17.)
❸ 국제 해군 관함식(2018. 10. 11.)

포용적 복지, 국민의 권리입니다

❶ '치매국가책임제' 발표를 위한 서울요양원 방문(2017. 6. 2.)

❷❸ 건강보험 보장성 강화 대책 2주년 성과 보고 대회(2019. 7. 2.)

추격형 경제에서 선도형 경제로

❶ 시스템 반도체 비전 선포식(2019. 4. 30.)
❷ 자율 주행차 시승 및 간담회(2018. 2. 2.)
❸ 바이오 헬스 국가 비전 행사(2019. 5. 22.)

조선·해운 재건 그리고 제2벤처붐

❶ 알헤시라스호 명명식 (2020. 4. 23.)
❷ 제2벤처붐 K-벤처 행사 (2021. 8. 26.)
❸ 제2벤처붐 확산 전략 보고회에서(2019. 3. 6.)

새로운 100년의 설계, 한국판 뉴딜·탄소 중립

❶ 제7차 비상경제회의에서 한국판 뉴딜 발표(2020. 7. 14.)
❷ 한국판 뉴딜 서남권 해상 풍력 실증 단지 방문(2020. 7. 17.)
❸ 대한민국 탄소 중립 선언(2020. 12. 10.)

헌신에 대한 예의, 평범한 사람들의 민주공화국

❶ 충칭 임시정부 마지막 청사 방문(2017. 12. 16.)
❷ 충칭 임시정부 요인 환국 기념 사진(1945. 11. 3.)
❸ 독립 유공자 후손 초청(2019. 3. 4.)

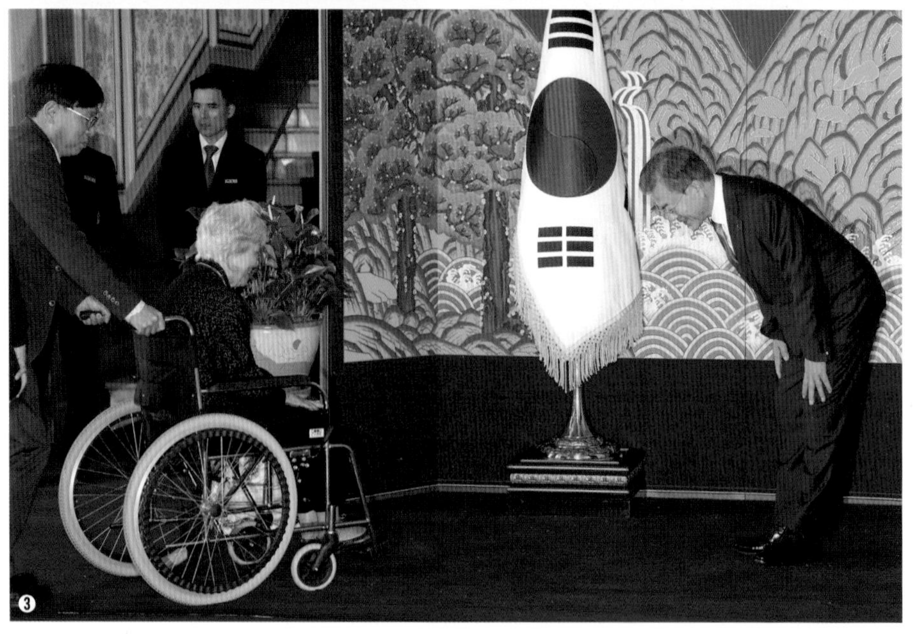

❶ 효창원 김구, 삼의사 묘역 참배(2017. 8. 15. 광복절)
❷ 70년 만에 귀환하는 국군 전사자 유해 봉환(2020. 6. 25.)

❶ 홍범도 장군 유해 안장식(2021. 8. 18.)
❷ 국립 대한민국 임시정부 기념관 개관과 함께 열린 제103주년 3·1절 기념식(2022. 3. 1.)

❶ 옛 남영동 대공분실 방문 및 고 박종철 열사 추모 (2020. 6. 10.)

❷ 처음으로 옛 전남도청 광장에서 거행된 5·18 광주 민주화운동 기념식 (2020. 5. 18.)

❸ 제73주년 제주 4·3 희생자 추념식(2021. 4. 3.)

위대한 국민과 울고 웃었습니다

❶❷ 2019 국민과의 대화 (2019. 11. 19.)

❸ 2021 국민과의 대화 (2021. 11. 21.)

❶ 퇴근길 국민과의 대화
(2018. 7. 26.)

❷ 소재부품장비 현장 방문
(2020. 7. 9.)

❸ 구로디지털단지 구내
식당에서 직장인들과 점심
식사(2019. 12. 17.)

❶ 중앙경찰학교 신임 경찰 제 196기 졸업식(2019. 8. 23.)
❷ 건강보험 보장 강화 관련 서울성모병원 방문(2017. 8. 9.)

❶ 해군사관학교 생도들과(2017. 8. 3.)
❷ 제55주년 소방의 날 기념식(2017. 11. 3.)

❶ 오스트리아 국빈 방문 중 교민들과 인사(2021. 6. 14.)
❷ BTS와 ABC 방송 인터뷰 녹화 (2021. 9. 21.)

❶ 환영하는 자원봉사자들과
(2017. 5. 18.)

❷ 탄도미사일 발사 성공에
감격하는 연구원 격려
(2017. 6. 23.)

❸ 건강보험 보장 강화 관련
서울성모병원 방문
(2017. 8. 9.)

❶ 추석을 앞두고 서대문구 전통시장 방문(2020. 9. 29.)
❷ 세월호 피해자 가족 간담회(2017. 8. 16.)
❸ 밀양 세종병원 화재 조문(2018. 1. 27.)

❶ 강원도 산불 피해 주민 이야기 경청(2019. 4. 26.)
❷ 제37주년 5·18 광주민주화운동 기념식(2017. 5. 18.)

청와대에서

❶ 청와대 참모들과 커피 산책(2017. 5. 11.)
❷ 지역 행사 후 집무실로 복귀 (2021. 9. 15.)

❶ 청와대 관람객 국민들과 조우(2019. 5. 15.)
❷ 여민관 집무실에서(2017. 8. 17.)

❶ 통일부, 문체부, 환경부 장관 오찬을 위한 경내 이동(2020. 1. 7.)
❷ 청와대 안 녹지원에서 보리 수확(2020. 6. 12.)

관저 앞마당에서
풍산개들과 함께
(2021. 8. 29.)

들어가며

겸허한 마음으로, 국민께 보고드립니다. 요란스럽게 잘한 일을 늘어놓거나, 반대로 느닷없이 반성문을 쓴다고 문재인정부에 대한 국민의 평가가 바뀌지 않을 것입니다. 권력을 위임받은 대리인에 대한 엄밀한 평가는 오롯이 주권자 국민의 몫입니다.

그럼에도 꼭 인사드리고 싶었습니다. 국민 여러분 '덕분에' 여기까지 올 수 있었다고, 험준한 능선의 고비마다 위대한 국민께 기대며 여기까지 왔다고 정중히 감사드리고 싶었습니다.

촛불시민의 준엄한 명령과 함께 시작한 정부였습니다. 큰 기대를 받음과 동시에 수많은 대내외 위기도 지나왔습니다. 임기 초 일촉즉발의 북핵 위기부터 일본의 수출규제, 전대미문의 코로나19 팬데믹, 그리고 전 세계적 자산 유동성 증가와 기술혁신에 따른 가파른 산업구조 재편까지.

그 어떤 위기에도 손쉬운 해법은 없었습니다. 논쟁이 첨예하고 갈등이 격화될수록 그랬습니다. 갈라진 길목마다 수십·수백 가지의 선택지가 뒤섞였습니다. 매 순간 칼날 위에 선 심정으로 길을 내었고, 그렇게 '가지 않을 수 없던 길'을 국민과 걸었습니다.

답은 언제나 국민이었습니다. 국민을 믿고 두려움 없이 걸었습니다. 흔히 정치인이나 공직자들이 '위대한 국민'을 버릇처럼 호명하지만 지난 5년만큼 그 말의 무게를 실감한 적이 없습니다.

그래서 이 책은 국민께 드리는 감사의 보고서이면서 위대한 국민과 함께한 생생한 체험 수기입니다. 2016년 겨울 광화문 거리에서, 각자의 자리에서 외쳤던 "대한민국의 모든 권력은 국민으로부터 나온다"는 헌법 제1조를 유감없이 확인했던 기록입니다.

국민과 울고 웃었던 시간을 담고자 애썼습니다. 문재인정부를 만든 주역인 국민들을 직접 만나 뵙고 애틋한 사의를 나누었습니다. 그때나 지금이나 생업의 최전선에서 분투하고 계신 분들입니다. 기꺼이 시간을 내어주시는 그 사려 깊은 선의의 마음이 곧 문재인정부 5년을 지탱해온 힘이었음을 깨닫습니다.

28명의 국민과 더불어 13명의 정부 담당자 인터뷰를 담았습니다. 주요 국면마다 실무를 담당했던 이들의 목소리를 통해 당시의 고민과 맥락을 소상히 전달해드리고자 했습니다. 있는 그대로 날것의 모습이야말로 가장 정직한 국정 보고서가 될 것이라 믿습니다.

지금 이 순간에도, 그리고 앞으로도 문재인정부에 대한 평가는 계속될 것입니다. 시대에 따라, 분야에 따라 인정받고 질책받으며, 때로 재조명되기를 반복할 것입니다. 5년간 권력을 위임받았던 대리인들은 역사의 평가 앞에 겸허한 마음으로 설 뿐입니다.

그러나 늘 국민의 뜻을 받들고자 했던 정부였음을, 시대정신을 피하지 않고 직시했던 정부였음을, 무엇보다 치열한 사명감으로 임했던 정부였음을 기억해주시길 감히 청합니다. 모쪼록 국민께서 '국민의 나라, 정의로운 대한민국'을 위해 함께 동분서주했던 시간을 자부심으로 기억하실 수 있다면 더할 나위 없을 것입니다.

그 간곡한 마음을 담아 주권자 국민께 이 책을 올립니다.

5년간 위대한 국민과 함께할 수 있어 영광이었습니다.

2022년 4월

문재인 대통령 비서실 올림

차례

2부 위기 극복

3부 포용국가

4부 나라다운 나라

1부

선도 국가

2017~2022

'선진국'으로 격상된 유일한 나라

57년 만에

때로 '선진국'이란 말은 사치였다. 너도나도 불굴의 목표처럼 외쳤지만, 우리의 것 같지 않았던 말이기도 했다. 1945년 광복의 기쁨도 잠시, 6·25 전쟁을 겪은 세계 최빈국에게는 '개발도상국'이라는 말이 익숙하기도 했다.

1964년 유엔 내 개발도상국 모임 창립 일원으로 함께한 지 58년, 2021년 7월 유엔무역개발회의(UNCTAD)는 대한민국을 개발도상국 그룹에서 선진국 그룹으로 변경했다. 개발도상국 그룹에 속해 있던 나라가 선진국 그룹으로 이동한 사례는 1964년 기구 설립 이후 67년 만에 처음 있는 일이었다.

국내총생산(GDP) 1조 6,383억 달러, 세계 10위 경제국, 글로벌 수출 6위·수입 9위의 무역국, 블룸버그 선정 혁신 지수 1위…. 최근 국제사회에서 대한민국을 수식하는 지표다. 2020년과 2021년 2년 연속으

영국 콘월에서 열린 G7 정상 회담에 참석한 문재인 대통령(2021. 6. 12.). 문 대통령은 2년 연속 G7 정상 회담에 초청받았다.

로 G7 정상 회의에 초대되는 위상도 확인했다.

어느덧 우리 국민께 선진국이란 말은 낯설지 않았다. 늘 선망의 눈으로 보고 배우며 참고해야 할 무언가였던 대상. 이제 우리가 그 '선진국' 대열에 함께하게 된 것이다.

세계 10위 경제 대국

대한민국은 2018년 국민총소득(GNI) 3만 1,349달러로 '30-50 클럽'에 가입했다. 1인당 국민총소득 3만 달러 이상, 인구 5,000만 명 이상의 조건을 만족하는 국가라는 뜻이다. 미국, 독일, 일본, 영국, 이탈리아, 프랑스에 이어 세계 7번째이고, 식민 지배를 경험한 나라로는 최초다.

최근에는 코로나19 위기 국면에서 주요 선진국보다 빠르고 강한 회복세를 보이며 1인당 국내총생산(GDP) 3만 1,638달러로 처음으로 G7 국가인 이탈리아(3만 1,604달러)를 추월했다. 경제 순위도 러시아와 브라질을 제치고 전 세계 톱10에 진입했다.

첨단 산업이 강한 나라

세계적인 첨단 산업 경쟁력은 누구도 흔들 수 없는 나라를 만든 첨병이다. 2021년 5월, 대한민국은 세계 10번째로 우주 탐사 국제 규범인 '아르테미스 약정'에 가입했다. 10월에는 우리 독자 기술로 만든 누리호를 발사하며, 세계 7번째로 1톤 이상의 물체를 우주로 보낼 수 있는 나라를 향해 값진 한 발을 내딛었다.

2021년에는 독일을 제치고 중국, 미국, 일본에 이어 세계지식재산기구(WIPO) 국제 특허 출원(PCT 출원)에서 세계 4위를 차지했다. PCT 출원은 사상 최초로 2만 건을 돌파해, 2011년 처음 1만 건을 돌파한 이래 9년 만에 2배로 증가했다. 창업과 벤처 생태계의 규모를 보여주는 국내 유니콘 기업의 수는 지난 2016년 2개에서 2021년 15개로 크게 늘었다.

글로벌 공급망에서의 역할도 공고하다. 지난 2018년 세계 7번째로 수출 6,000억 달러를 돌파한 이래, 2021년 10월 26일에는 사상 최단기 연간 무역액 1조 달러를 돌파했다. 이와 함께 사상 최대 수출액(6,445억 달러), 사상 최대 무역 규모액(1조 2,596억 달러)을 기록하며 2021년 무역 '트리플 크라운'을 달성했다.

블룸버그가 평가한 혁신 지수 1위 국가

2021년 6월 EU의 혁신 지수 평가에서 우리나라는 미국, 일본, 중국 및 유럽의 글로벌 경쟁국 10개국 중에서 9년 연속 1위를 차지했다. 유엔 산하 세계지식재산기구(WIPO)는 2021년 글로벌 혁신 지수에

코리안 5G 테크 콘서트 '세계 최초 5G 상용화, 대한민국이 시작합니다'에서 연설하는 문재인 대통령(2019. 4. 8.)

서 우리나라를 세계 5위, 아시아 1위로 평가했고, 블룸버그는 한국의 2021년 혁신 지수를 90.49점으로 세계 1위로 꼽았다.

국제사회의 높은 신뢰를 보여주는 지표는 이뿐만이 아니다. 지난 2019년 한국 혁신 성장의 인프라로 꼽히는 5G를 세계 최초로 상용화한 데에 이어, 같은 해 5G 스마트폰 세계 시장 점유율에서도 1위를 기록했다. 아울러 OECD에서 실시한 2020년 '디지털 정부 평가'에서 역시 종합 1위를 기록했다.

믿을 수 있는 나라

높아진 위상과 혁신의 성과는 각종 주요 경제 지표에서 고스란히 드러난다. 2021년 12월 말 기준 외환 보유액은 4,631억 달러로 세계

■ **주요국 신용도**

구분	등급	무디스	S&P	피치
투자금융	AAA (Aaa)	독일, 캐나다, 호주, 싱가포르, 네덜란드, 덴마크, 스웨덴, 스위스, 룩셈부르크, 노르웨이, 미국, 뉴질랜드(12개국)	독일, 캐나다, 호주(-), 싱가포르, 네덜란드, 덴마크, 스웨덴, 스위스, 룩셈부르크, 노르웨이, 리히텐슈타인(11개국)	독일, 캐니디, 호주, 싱가포르, 네덜란드, 덴마크, 스웨덴, 스위스, 룩셈부르크, 노르웨이, 미국(11개국)
	AA+ (Aa1)	핀란드, 오스트리아 (2개국)	핀란드, 오스트리아, 미국, 홍콩(4개국)	핀란드, 오스트리아(+) (2개국)
	AA (Aa2)	프랑스, 아부다비, 한국, 영국(-), 쿠웨이트(RUR)	프랑스, 아부다비, 한국, 영국(-), 뉴질랜드(+), 벨기에	프랑스, 아부다비, 쿠웨이트, 뉴질랜드, 마카오
	AA- (Aa3)	대만, 카타르, 홍콩, 벨기에, 마카오	대만, 카타르, 쿠웨이트, 아일랜드	대만, 카타르, 홍콩, 벨기에(-), 한국, 영국(-)

자료: 기획재정부, 2021. 5.

8위 수준을 기록하고 있으며, 우리나라의 대외 신인도는 2008년 리먼 브라더스 사태 이후 최고 수준이다. 대외 신인도의 대표적인 지표인 한국의 신용 부도 스와프(CDS) 프리미엄은 2021년 17.78bp를 기록해 2007년 7월 23일의 17.4bp 이후 14년 1개월 만에 최저치를 기록했다. 세계 3대 신용 평가 기관인 무디스에서는 세 번째로 높은 수준의 신용도를 인정받았다. 무디스는 물론 피치(AA-), S&P(AA) 등에서도 중국, 일본보다 높은 등급을 받고 있다. 이는 코로나19를 거치며 주요 22개 선진국의 신용 등급이 하향 조정되고 있는 상황에서 거둔 성과라 더욱 의미 있는 결과로 평가받고 있다.

한편 2021년 10월, 정부는 13억 달러 규모의 외국환 평형 기금 채권(외평채)을 역대 최저 금리로 발행했다. 코로나19 확산세 지속에 따른 글로벌 경제 불확실성 속에서도 한국 경제에 대한 해외 투자자의 굳건한 신뢰가 있었기에 가능한 일이었다.

향후 국가 신용 등급 평가 시 주요 요소로 부각될 가능성이 큰

ESG 평가에서도 대한민국은 유리한 위치를 선점하고 있다. 2021년 1월 무디스는 우리나라를 ESG 신용 영향 점수 1등급으로 평가했다. 미국·영국은 2등급, 일본·중국은 3등급 평가를 받은 가운데, 전 세계 단 11개 국가만 1등급을 받은 결과였다.

한류가 이끈 문화 국가

"오직 한없이 가지고 싶은 것은 높은 문화의 힘이다."

김구 선생의 소원은 선뜻 가능해 보이지 않았기에 더욱 간절했다. "내가 남의 침략에 가슴이 아팠으니, 내 나라가 남을 침략하는 것을 원치 아니"하고, 가장 부강한 나라가 되기보다 가장 아름다운 나라가 되기를 원했던 선생이었다. 그 간절함은 어쩌면 우리가 국제사회에서 살아남기 위해 갖춰야 할 희소한 활로가 문화라고 여겼기 때문일지 모른다.

그렇게 70여 년이 지난 지금, 이제는 세계가 먼저 대한민국의 문화적 역량과 영향력을 인정하고 있다. 지난 2021년 10월, 옥스퍼드 영어사전 측은 '한류(hallyu)'를 비롯한 한국어 단어 26개를 옥스퍼드 영어사전에 등재하면서, 한류가 세계적인 현상이며, "우리는 모두 한류의 정점을 타고 있다(We are all riding the crest of the Korean wave)"고 평가했다. 더는 '국뽕'이라며 스스로를 낮추지 않아도 될 만큼 명실상부한 위상이다.

'한류'라는 이름으로 시작된 우리 문화의 전 세계적 인기는, 최근 BTS·블랙핑크로 대표되는 K팝, 〈기생충〉으로 대표되는 영화, 그리

2020 문화예술인 신년 인사회(2020. 1. 8.)

고 전무후무한 흥행을 기록한 〈오징어게임〉과 같은 드라마에까지 전방위적으로 이어지고 있다. 그동안 음악, 영화에 국한되던 한류는 최근 OTT를 통해 전 세계 시청자를 사로잡은 데 더해, 이제 웹툰으로까지 확산하고 있다.

한류의 영향력 덕분에 최근에는 한국어는 물론, 한복, 한식 등 전통문화에 대한 관심도 높아졌다. 1억 명 이상으로 추정되는 한류 동호회원들에게 대한민국은 꼭 방문하고 싶은 나라이다. 코로나19 위기 직전인 2019년의 외국인 관광객 수는 1,750만 명으로 역대 최고치를 기록했다.

우리 대중문화의 성공 배경에는 단연 민간의 창의적 역량이 중심에 있다. 예리하고 기민한 관객의 반응 또한 우리 콘텐츠의 수준을 높인 요인으로 꼽힌다. 정부는 '지원하되 간섭하지 않는다'는 김대중정부의 문화 정책 철학을 계승 발전하여 전폭적 지원으로 뒷받침하고 있다.

정부는 문화체육관광부 산하에 한류 정책 전담 부서를 설치하고 관련 부처가 참여하는 '한류협력위원회'를 출범시켰다. 1조 원 이상의 콘텐츠 산업 특화 정책 금융을 마련하고, 실감 콘텐츠 등 차세대 콘텐츠 육성 기반도 갖춰왔다.

근본적으로는 불안정한 수입과 고용 탓에 예술 활동에 전념하지 못하는 창작자들을 위한 지원 제도를 마련했다. 예술인 창작 지원금을 확대하고, 예술인 고용보험 제도도 시행했다. 예술인 생활 안정 자금 융자 제도를 도입해 확대하고, 코로나19 피해 예술인 긴급 지원도 시행했다. 민간 공연 단체 연습 공간, 시각 예술 전시 공간, 콘텐츠코리아랩, 기업 육성 센터 등을 통해 문화예술인이 연습·전시할 장소를 확충한 것도 주요 성과로 남아 있다.

문화콘텐츠 창작자의 권익을 보호하고, 공정한 제작·유통 환경을 만들기 위한 장치도 강화했다. 게임·애니메이션 등 다양한 분야에 표준 계약서를 도입했고, 2018년부터는 콘텐츠 산업 내 불공정 피해를 신고·상담하는 콘텐츠 공정상생센터, 성평등 환경 조성을 위한 콘텐츠성평등센터·한국영화성평등센터를 운영하고 있다.

문화로 ODA 하는 나라

한류 덕에 해외에서 한국어 학습 열기가 뜨거워지면서 세종학당에 대한 투자를 크게 늘렸다. 세종학당은 한국어와 한국 문화를 보급하기 위해 세계 각국에 설치한 교육 기관이다. 그 결과 세종학당 수는 2016년 58개국 174개소에서 2021년 82개국 234개소로 확대되었다. 수강생 수는 2016년 4만 9,500여 명에서 2021년 7만 9,100여 명으로 크게 늘었다. 4개국(베트남·인도네시아·인도·터키)에서는 현지인을 한국어 선생님으로 육성하는 과정도 진행해 2020년에만 교원 88명을 배출하기도 했다.

국제사회로부터 공적 개발 원조(ODA)를 받던 수원국에서 도움을 주는 공여국으로 성장한 경험은 특히 문화 영역에서 값진 자산이었다. 문화 동반자 사업, 개발도상국 관광 지도자 벤치마킹 사업, 아시아 디지털 문화 역량 강화 사업 등 적극적인 문화협력의 장이 펼쳐지게 된 이유이다.

우리 콘텐츠 산업은 외형적으로도 질적으로도 도약했다. 콘텐츠 산업 매출액은 2016년 106조 1,000억 원에서 2020년 128조 3,000억 원으로 20.9% 증가했고, 해외 수출액은 같은 기간 60억 1,000만 달러에서 119억 3,000만 달러로 98% 증가해 세계 콘텐츠 시장 7위를 차지했다.

저작권 수출액은 2020년 약 110억 달러를 기록해 100억 달러를 처음으로 돌파했다. 특히 문화예술 저작권 무역 수지는 한류 콘텐츠 수출에 힘입어 2020년 상반기에 최초로 흑자 전환됐다. 2021년 상반기에는 흑자 규모가 전년 동기 대비 4배 증가한 3억 달러를 기록하는 등 대한민국의 소프트파워는 매해 달라진 위상을 확인하고 있다.

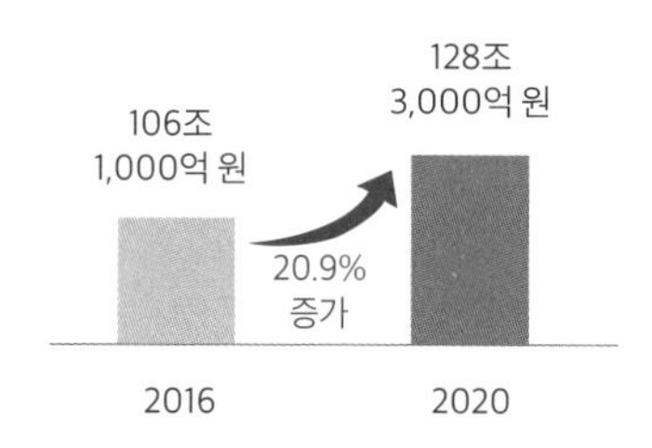

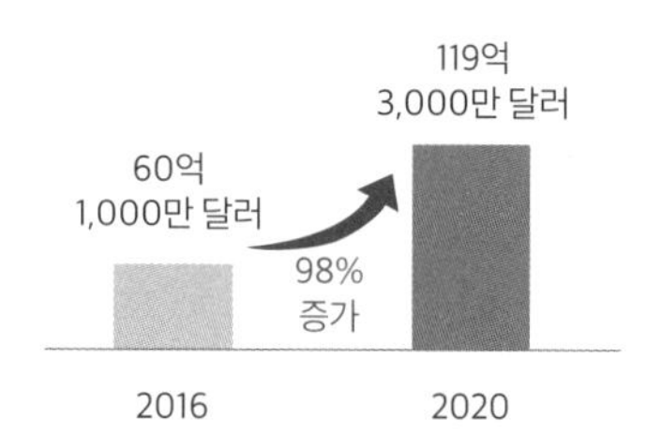

interview

“선진국의 위상, 성숙한 민주주의의 힘이죠”

박용만((재)같이 걷는 길 이사장, 전 대한상공회의소 회장)

박용만 이사장은 소문난 '자유주의자'다. 매 순간 구속받고 싶어 하지 않는, 요즘 말로 하면 '자유로운 영혼'이다. '자유주의자'의 미덕은 겸양의 말조차도 오만의 표현이라고 생각하는 자기 객관화다. 부자연스럽게 겸손한 모습을 보이는 것이야말로 곧 우월감의 발로라는 발상이다.

그는 시종일관 거침없이 명쾌했다. 구태여 꾸미지 않았고, 있는 그대로를 말하기 주저하지 않았다. 그가 말하는 '선한 영향력', '동료 시민에 대한 부채감'이 별수 없이 담백했던 이유는 그의 사고 회로가 늘 "우리는 다 같은 나무에서 열린 열매"라는 간명한 전제로부터 출발했기 때문이다.

그는 굴지의 기업인이기도 했다. 두산그룹의 회장이자 대한민국 기업들을 대표하는 대한상공회의소 회장을 7년간 역임했다. 우리나라 기업인 중 해외 순방에 가장 많이 동행한 기업인 중 한 명이었다. 역대 정부마다 대통령의 해외 순방에 함께했고, 문재인 대통령과 함께 간 순방만 13번에 달했다. 냉엄한 글로벌 시장에서의 경쟁을 이야기할 땐 눈매가 날렵해졌고, 공정한 경제 질서를 말하는 목소리에는 힘이 붙었다.

수십 년간 전 세계를 누빈 기업인의 눈에 비친 대한민국은 어떻게 변화했을까? 인간 박용만과 기업인 박용만, 둘 모두에게 동시에 묻고 싶었다.

▌ 39년간 몸담았던 기업을 떠나시고 찾아간 곳이 봉사 현장이었습니다.

예전부터 실무를 하지 않으면 떠나겠다는 생각을 해왔습니다. 특별한 역할도 없이 상징적인 자리에 앉아서 비용을 쓰는 게 좋아 보이지 않았거든요. 마침 아들 둘과도 뜻이 맞아서 함께 독립했습니다. 나와서는 뭘 할까 고민하다가 제가 해오던 소외 계층을 돕는 일을 계속하고 있는데요.

'우리는 다 같은 나무에서 열린 열매인데 어떤 분은 삶이 참 어렵고 저같이 성공한 사람은 안락하니, 그럼 나 같은 사람이 돕는 게 당연한 거 아닌가', '내가 가지고 있는 부채 의식 내에서 할 일을 하겠다' 그런 생각 안에서 살고 있습니다. 안타까운 건 우리 사회는 갈등과 대립이 너무 많은 거예요. 그래서 사회에 선한 영향을 줄 수 있는 프로젝트가 있으면 하고 싶다는 생각도 있고요.

"대한민국의 위상, 저는 완전히 체감하겠더라고요"

▌ '대한상의' 회장으로서 문재인 대통령의 해외 순방길에 거의 매번 동행하셨어요. 밖에서 경험한 대한민국 위상은 어땠던가요?

아주 간단하게 한 문장으로 정리하면 '대한민국은 선진국'이에요. 위상이라는 건 우리가 만든 것이 아니라 다른 사람들이 우리를 보고 인정해주는 위치잖아요. 그런 측면에서 선진국입니다. 저는 완전히 체감하겠더라고요. 그건 대통령을 모시고 순방을 가면 알 수 있어요. 예를 들어 개발도상국이나 신흥국에 가면 우리로부터 뭔가를 배우려고 하고, 우리의 투자를 끌어내려고 애씁니다. 반대로 우리보다 앞서가는 선진국에 가면 '대한민국도 이제 선진국이니 우리가 하는 역할에 동참해달라'는 요청을 받죠. 경제인들과 이야기를 해보면 그 나라 사람들이 우리 경제인에 대해 가지는 기대가 전달되는 거예요. 한편으로는 우리가 조금 더 빨리 가야겠다는 초조함도 들죠.

대통령이 기업인 끌고 다닌다?
"갈 만하니까 가는 것"

대통령이 바쁜 기업인들을 외국에 '끌고 다닌다'라는 폄훼가 안타깝다는 말씀을 하신 바 있는데요. 대통령의 세일즈 외교를 가까이서 지켜보면서 느낀 점이나 에피소드가 있다면 소개해주시죠.

'끌고 다닌다'라는 표현은 말이 안 되는 게 지금은 대통령이 오라고 하면 오고 가라고 하면 가는 그런 세상이 아니에요. 이제는 대기업 회장들이 마음대로 되지 않아요. 갈 만하니까 가는 겁니다. 대통령이 순방을 가시면 경제인들이 동행해 그 나라의 기회를 포착하고 사업을 넓히는 건 과거부터 해온 방식이잖아요. 특히 신흥국이나 개발도상국들은 대한민국에서 정상이 온다고 하면 당연히 기업인들이 같이 올 거라 기대해요. 선진국도 기업들이 개별로 가는 것보다는 여러 기회를 만들 수 있잖아요. 솔직히 기업인들이 상대국의 장관을 만나려고 해봐요. 이게 쉬워요? 제가 이전 정부에서도 대통령과 순방을 많이 다녀봤는데 관광 한번을 제대로 해본 적이 없습니다. 대통령이 바쁜 사

기업인들과 함께하고 있는 문재인 대통령

람들을 데리고 놀러 가는 게 아니에요.

이전 정부와 다른 변화라면 이번 정부 들어서는 조금 더 권위를 내려놨다고 할까요? 대통령하고 같이 간다고 해서 긴장하기보다는 편안해요. 예전엔 대통령께서 지나가시면 다 얼었거든요. 요즘은 그냥 편하게 사진도 찍고 자유스러워진 거죠. 얼마나 좋아요. 그리고 또 하나 좋은 건 해외 나가면 교민들이 그렇게 환영을 합니다. 문재인 대통령 팬덤이 말도 못 해요. 제가 문재인 대통령하고 47번 만났고 같이 순방 간 건 13번이었는데요. 대통령과는 통하는 것도 있고 안 통하는 것도 있지만 '배려하려고 노력하는 분'이자, '진심이라는 게 느껴지는 분'이라는 건 알죠.

"민주주의 정착한 대한민국, 참 부럽다"

"민주주의 헌법 절차에 따라 국민 다수의 결정에 의해 선택된 대통령은 그 존재 자체로 성숙한 민주 국가의 상징이다." 이런 말씀도 하신 바 있습니다. 어떤 의미입니까?

국민 다수의 결정에 의해 선택받은 대통령이라는 존재는 성숙한 민주주의를 가진 나라의 상징입니다. 그러니 나와 정치적 견해가 달라도 대통령을 존중하고 한 팀으로 보이려고 애를 쓰는 겁니다. 국민의 선택을 존중하지 않으면 후진국 시민이나 마찬가지인 거예요. 다시 말해 우리 대통령은 대한민국이 가지고 있는 민주주의의 성숙도를 증명하는 상징인 겁니다.

해외에 나가면 요즘도 우리나라는 경제 기적을 이룬 나라로 인정받습니다. 그런데 사실 그런 나라가 한둘이 아니잖아요. 중국, 베트남 등 많은데. 핵심은 '경제의 기적' 그게 다는 아니라는 거죠. 지금도 개발도상국에 가면 갈등이 눈에 보여요. 이미 빛이 바래버린 독재의 향수가 느껴지기도 하고요. 그들은 저한테 대놓고 이야기해요. "대한민국 참 부럽다. 민주주의가 정착한 것 같다. 우리는 먹고사는 게 그만큼 안 돼서 그렇게 못 한다."

기업인들 입장에서 '제도적 민주주의' 정착은 어떤 의미를 갖습니까?

공정하지 않은 거래 질서는 비민주적입니다. 모든 거래는 바게닝 파워(bargaining power)라는 게 있어요. 이걸 뛰어넘어서 누가 봐도 공정하지 못한 거래가 이뤄진다면 필연적으로 비효율이 올 수밖에 없습니다. 그런 거래는 결국 비용과 부채를 이연시키는 결과와 다름이 없죠. 사실 굉장히 힘든 일이에요. 특히 지금 같은 성장이 더뎌지기 시작한 시기에는 더더욱 그렇죠. 그래서 고통의 비명이 여기저기서 나오지만, 우리가 가야 하는 길이고 필연적으로 일어나야 하는 변화라면 고통 분담을 해가면서 지속 가능한 경제를 만들어야죠.

"서로 비난하거나 갑론을박할 시기가 아니다"

> 일본의 수출 규제 조치로, 소부장 기술 독립을 선택했을 당시에도 "지금은 서로 비난하거나 갑론을박할 시기가 아니다. 최선을 다해 대통령을 도와야 할 때"라고 하셨습니다. 기업인으로서 쉽지 않은 발화였을 것 같습니다.

대한상의 회장으로 일할 때인데, 그 일(수출 규제)이 발생하자마자 워싱턴 D.C.에 갔습니다. 그때 제가 충격을 받은 게 일본의 수출 규제가 2019년 7월에 단행됐잖아요. 그런데 한 해 전인 10월쯤에 이미 선 작업이 끝난 거예요. 이미 일본은 정부와 민간이 TF 만들어서 오랫동안 전략을 세웠더라고요. 워싱턴에서 대사관도 찾아갔고 의회 지도자도 만났지만, 일본 측의 주장에 동조하는 사람들이 많아서 참 답답했습니다. 그 상황에서도 대처해야 했는데, 국내에서는 수출 규제를 두고 "틀렸네, 맞았네" 비난을 하고 있으니 참 갈 길이 멀다 싶더라고요.

사실 일본의 수출 규제는 우리 경제의 취약점을 그대로 드러낸 겁니다. 한 군데 지나치게 의존도가 생기면 그 위험 부담이 커질 수밖에 없는데, 그걸 리스크라고 인식하지 못했던 거죠. '큰일 났다' 싶더라고요. 그래서 지금부터라도 정부와 만나서 해야 할 일이 태산인데 비난만 하고 있으니 그 얘길 한 겁니다. "지금은 서로 비난하거나 갑론을박할 시기가 아니다. 대통령이 최선을 다해서 대처할 수 있도록 우리가 도와야 할 때다." 내가 대통령과 뜻이 다르고 정치 철학이 반대라고 해도 나에게 돌아오는 손해를 막으려면 그렇게 해야 하는 거예요.

철조망 십자가 프로젝트 '갈등의 치유'

> 평양과 백두산도 다녀오셨고, 최근 DMZ 철조망을 십자가로 만든 프로젝트도 인상적이었습니다. 누군가는 "왜 기업인이 한반도 평화에 나서느냐?"라고 물으실 수도 있을 것 같습니다. 왜 적극적으로 나서게 되었나요?

DMZ 철조망 십자가는 세 번째 프로젝트였고요. 첫 번째는 '구르마 십자가'였어요. 몇 년 전에 사진 작업을 하느라 동대문 시장 뒷동네를 돌아다니다가, 어렸을 적 할머니 손 잡고 시장 다니며 본 '구르마'가 아직 남아 있을지 궁금하더라고요. 그래서 뒤지기 시작했죠. 그랬더니 세상에, 30대가 남아 있는 거예요. 100년 가까이 쓰인 나무 수레였는데 얼마나 반갑던지, 다 떨어진 수레를 300만 원인가 주고 샀죠. 그 수레를 분해해서 십자가를 만들어 하나는 교황님께 보내드렸고 하나는 대통령 드렸고 하나는 추기경님 드렸습니다. 두 번째 프로젝트는 평생을 기도와 봉사로 보내신 수녀님들의 낡은 수녀복으로 베개를 만들었어요. 40~50년씩 입은, 다 헤지고 기워 입은 그 옷으로 치유 베개를 만들어서 난치병 환자들 품에 안겨줬죠.

그리고 세 번째가 '철조망 십자가'인데요. 대한민국의 갈등을 따져보니까 남북 갈등보다 더 큰 갈등은 없더라고요. 그래서 갈등의 상징인 휴전선의 철조망을 거둬다가 십자가를 만드는 프로젝트를 시작한 거예요. 사실 무슨 남북 평화냐 할 수 있지만, 우리가 68년간 총을 겨

'평화의 십자가' 전시회로 교황청을 찾은 문재인 대통령과 박용만 이사장. 이 프로젝트는 박용만 이사장이 직접 기획한 것으로, DMZ 폐철조망 십자가로 한반도 모양을 만들고 프란치스코 교황과 함께 평화를 다짐했다(2021. 10. 29.).

누는 동안 더 잘된 게 있습니까? 서로에게 위협만 가하는 거라면 꼭 총을 겨누고 해야 하는 건 아니잖아요.

2018년 4·27 판문점 정상 회담 만찬을 했을 때 제가 경제인으로는 유일하게 갔습니다. 그날 분위기가 너무 좋아서 사실 충격을 받았어요. 오랫동안 대립해오다 협상에 의해서 만들어진 분위기가 어색하기는커녕 너무나 자연스러운 거예요. 북측과 남측 사람들이 서로 술도 권하고 그냥 옆 동네 마실 와서 이야기하는 것처럼 자연스럽더라고요. 그걸 보면서 '이렇게 쉬운 게 그동안은 왜 그렇게 어려웠을까, 우리 마음이 그렇게 만든 게 아닌가, 조금 내려놓을 필요가 있지 않을까' 생각했죠. 물론 개인적으로는 제 손자들이 컸을 때는 총 들고 GP에서 있는 건 안 했으면 좋겠다는 마음도 있었고요. 철조망 십자가도 그래서 시작한 일이었는데, 의외로 반응이 너무 좋아서 잘됐다 싶었죠.

재계를 대표하는 대한상의 회장을 지낸 분으로 평가했을 때, 문재인 정부는 어떤 정부였습니까?

불평등 사회에서 포용 사회로의 대전환은 아직은 이루어지지 않았다고 생각해요. 양극화를 바라보는 시선도 극명하게 둘로 나뉘어 있죠. (대통령께) 직접적으로 제가 여러 번 제안했습니다. "직접 분배를 더 늘려주십시오"라고요. 직접 분배를 늘려서 양극화 해소에 즉각적인 처방을 해야지 양극화가 이대로 심화되면 기업한테도 굉장한 부담이거든요.

그런데 그게 중요한 이슈가 되진 못했죠. 일본과 외교 마찰이 있었고 연이어서 코로나19가 터지면서 정책을 놓고 이러니저러니 이야기할 수 있는 환경이 안 됐으니까요. 그래서 한편으로는 안타깝고 조금 더 융통성 있었으면 좋았겠다 싶은 거죠. 하지만 그럼에도 불구하고 이 척박한 코로나19 환경에서 우리는 경제적인 충격을 덜 받은 편이라 잘한 거 같아요.

1시간여 인터뷰 중 가장 많이 등장한 단어 중 하나는 '민주주의'였다. '선진국'은 외형적 경제 발전만으로 가능하지 않다고, 그는 연신 강조했다.

> "사업도 거래도 민주주의의 바탕 위에 일어서지 않으면 시장의 비효율로 이어짐을 우리는 겪고 나서야 알았다. 공정한 거래 질서, 근로자와 사용자의 동반은 선택이 아니다. 우리는 이 진리를 아직도 배워가는 중이다."

생전 친분이 깊었던 고 김근태 전 의장의 10주기에 박용만 이사장이 언론사를 통해 기고한 글의 한 대목이다. 자유주의자는 그렇게 민주주의자를 추억하고 있었다.

그는 2021년 11월 한 언론 인터뷰를 통해 "하루하루 한 해 한 해 갈수록 더욱더 대한민국의 위상이 높아지고 있음을 체감할 수 있다"라고 밝히기도 했다. 그에게 대한민국은 이론의 여지 없는 '선진국'이었다. 그러면서도 인터뷰 내내 사회경제적 불평등, 공정한 경제 질서, 사회적 규범의 축적, 성숙한 민주주의 등 우리가 더 나아가야 할 길에 대한 고민도 빼놓지 않았다. 39년의 숨 가쁜 여정을 마치고 새로운 여행길에 나선 기업인의 머릿속은 여전히 분주했다.

6대 군사 강국

2021년 세계 군사력 지수를 평가하는 GFP(Global Firepower)는 대한민국을 세계 6위의 국방력을 가진 나라로 평가했다. 정부 출범 당시 11위 수준에서 4년 만에 5계단을 뛰어오른 것이다. 5위인 일본을 1~2년 내로 추월할 것이라는 분석도 나왔다. 소총 한 자루도 만들지 못했던 나라에서 6대 군사 강국까지. 불과 수십 년 사이 일어난 변화였다.

국방비 50조 원의 비밀

'민주 정부는 안보에 약하다'라는 통념은 어느덧 우리 정치에서 사라진 지 오래다. 2020년 50조 원을 돌파한 국방 예산은 그 증표 중 하나다. 정부가 출범한 2017년 40조 3,000억 원이었던 국방 예산은 4년간(2018~2021년) 연평균 7%씩 증액되었다. 지난 정부 9년간 연평균 증가율인 4.7%보다 약 1.5배 상승한 수치다.

■ 국방비 예산 증액 현황

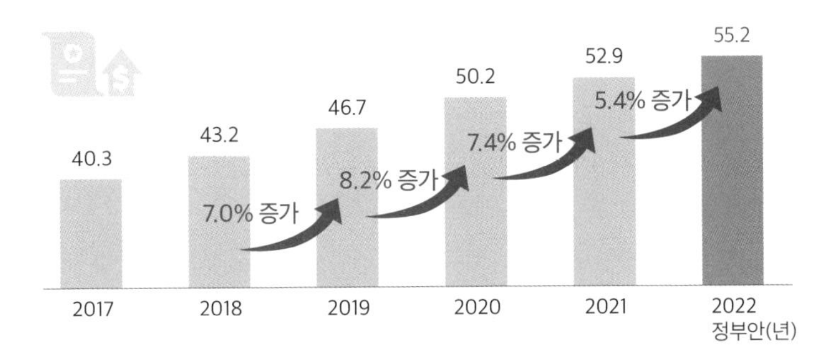

특히 국방비 중에서도 실질적인 전략 증강비, 즉 신규 전력 확보를 위한 무기 구입 및 개발 비용을 의미하는 '방위력 개선비' 증가는 역대 최고였다. 정부별로 살펴보면 노무현정부 7.06%, 이명박정부 5.86%, 박근혜정부 4.65%, 문재인정부 때 7.38% 증가했다.

예산만 늘어난 것은 아니다. '힘을 통한 평화'라는 기조 아래 강력한 국방력과 전방위 위협에 효과적으로 대응할 수 있는 능력을 갖추어 왔다. 전략 표적 타격 능력을 위해 백두 체계(신호 정보 수집 체계) 능력을 보강하고, 고고도 정찰용 무인 항공기(HUAV)와 F-35A 스텔스 전투기, 장거리 공대지 순항 미사일(TAURUS) 등 첨단 무기 체계도 도입했다. 미사일 방어 능력을 위해 패트리어트와 철매-II의 성능 개량, 탄도탄 조기 경보 레이더-II 도입도 추진했다. 압도적 대응 능력을 갖추고자 첨단 미사일 체계 전력 증강, 특수 작전용 무인기·무전기 전략화 등도 진행했다.

국내 기술로 만든 최초의 한국형 전투기 보라매(KF-21) 시제 1호기 출고식(2021. 4. 9.)

든든한 국방, 국내 독자 기술로

2021년 4월에는 국내 기술로 만든 최초의 전투기인 KF-21 시제 1호기가 출고됐다. 2026년까지 지상 및 비행 시험을 무사히 통과하면 세계에서 13번째로 전투기를 자체 개발하고 8번째로 첨단 초음속 전투기를 개발한 나라가 된다. 아울러 KF-21에 들어가는 3만여 개의 세부 부품 65%가 국산으로 제작되었다. 본격 양산에 돌입하면 10만 개의 일자리와 5조 9,000억 원의 부가가치 창출이 예상된다. 이미 국내 대·중소기업 700개 이상의 업체가 참여했으며 이 과정에서 1만 2,000개의 일자리가 만들어졌다.

2021년 9월에는 국내 개발 중인 KF-21용 장거리 공대지 미사일이 발사 시험에 성공했다. 바다에서는 8월 우리 기술로 독자 설계·건조한 해군의 첫 번째 3,000톤급 잠수함 '도산안창호함'이 취역했다. 이

우리 기술로 독자 설계 및 건조한 3,000톤급 도산안창호함 진수식(2018. 9. 14.)

또한 전 세계 8번째로 3,000톤급 이상 잠수함을 독자 개발한 국가로 이름을 올리게 되었다.

2021년 9월 15일, 도산안창호함에 탑재되어 수중에서 발사된 잠수함 발사 탄도 미사일(SLBM)이 목표 지점에 정확히 명중했다. 세계에서 7번째, SLBM 잠수함 발사에 성공한 국가가 되는 순간이었다. 미국, 러시아, 중국, 영국, 프랑스, 인도 등 6개 군사 강국에 이은 결과였다. 우리 국방이 끊임없이 독자 기술을 개발하며 앞으로 나아가고 있음을 상징적으로 보여준 장면이었다.

무기 수출도 '역대 최고'

전 세계 방위 산업 시장에서의 위치도 크게 상승했다. 2021년 대한민국의 방산 수출액은 총 72.5억 달러로 2020년 대비 2.4배 증가한 수준이며, 이는 수입 대비 29.5억 달러 초과한 금액으로 방산 수출 흑자 전환의 원년을 알리기도 했다. 스톡홀롬국제평화문제연구소(SOPRI)에 따르면 대한민국의 세계 방산 시장 점유 순위는 2016년 10위에서 2020년 기준 6위로 크게 높아졌고, 시장 점유율은 1.5%에서 3.6%로

2배 이상 상승했다.

K-9 자주포를 호주, 노르웨이, 에스토니아, 이집트에 수출했다. T-50 고등 훈련기를 인도네시아와 태국에, KT-1 훈련기를 인도네시아에 수출했다. 2021년 12월에는 지대공 요격 미사일인 천궁Ⅱ의 UAE 수출도 확정되었다. 35억 달러, 4조 원 규모의 계약으로 국내 방위 산업 단일 품목 사상 최대 규모 수출이었다.

국산 중거리 지대공 요격 미사일 천궁Ⅱ

"1981년에 제가 유학 갔을 적에 미국 사람들이 쓴 미국 해군 대학원 신문에 이렇게 나왔습니다. '한국이 일본의 메모리 분야에서 앞서는 것은 아마 다시 태어나도 못할 것이다.' 그 당시에 너무 충격적이고 기분이 나빠서 지금도 생생하게 기억합니다. 그런데 지금 어떻습니까? (…) 이번에 나온 KF-21 전투기는 명실공히 유럽에서 사용하는 유로파이터보다 나으면 낫지, 못하지 않다고 생각합니다. 특히 미국 같은 나라에서는 깜짝 놀랐을 겁니다. '한국이 자기들 실력으로 AESA 레이더나 항공 전자 장비를 계획대로 개발할 수 있을까?' 하는 의문들이 있었지만, 우리가 일정에 맞춰서 딱 출고를 했잖아요. 이제 우리도 진정한 자주국방의 능력을 구비했다고 할 수 있겠다, 싶었습니다."

신보현(무기체계연구원장)

"기쁜 마음으로 '미사일 지침 종료' 사실을 전합니다."

문재인 대통령(한미 정상 회담 직후 공동 기자 회견에서, 2021. 5. 21.)

42년 만에 찾은 '미사일 주권'

미사일 지침 종료는 우리가 개발할 수 있는 미사일의 최대 사거리와 탄두 중량의 제한이 해제된다는 뜻이었다. 1979년 미사일 자율 규제 선언 이후 42년 만에 되찾은 '미사일 주권'이었다.

정부는 변화하는 안보 환경에 대응하고자 지금껏 모두 4차례 미사일 지침을 부분 개정해왔다. 특히 문재인정부는 미국과 협의를 통해 2017년과 2020년 2차례에 걸쳐 제한 요건을 완화했다. 그리고 마침내 2021년 한미 정상 회담을 통해 미사일 지침을 완전히 종료시켰다. 미사일 주권을 회복하는 것은 앞으로 우리 위성을, 우리 땅에서, 우리가 만든 발사체에 실어 우주에 올려보낼 수 있게 됨을 의미하기도 했다. 높아진 국가적 역량과 위상, 굳건한 한미 동맹, 국제 비확산 모범국으로서의 역할과 신뢰가 공고했기에 가능한 일이었다.

전작권 전환, 한 발 더 가까이

문재인정부의 또 다른 국방 기조 중 하나로는 '국력과 군사력에 걸맞은 책임 국방 실현'이 있었다. 굳건한 한미 동맹을 기반으로 '조건에 기초한 전시 작전 통제권(전작권) 전환'을 추진해온 이유이다. 현재 전시 작전권은 한반도 유사시 지정된 한국군 작전 부대에 대해 일정 기간 한미연합사령관(미군)이 작전 통제할 수 있도록 부여되어 있다.

2017년 6월 한미 정상은 '조건에 기초한 전작권 전환의 조속한 추진'을 합의한 이후 공동의 노력을 지속해왔다. 2018년 '전작권 전환 이후 연합 방위 지침' 합의, 2019년 미래연합사의 기본 운용 능력

(IOC) 검증 평가 시행, 2020년 완전 운용 능력(FOC) 검증 평가를 위한 전략 문서 공동 초안 합의, 2021년 미래연합사의 완전 운용 능력(FOC) 검증 평가 예행 연습 시행 등 긴밀한 협의를 통해 전작권 전환을 진행했다.

최소한의 보상을 향한 길

나라를 위해 헌신하는 병역 이행자에 대한 합리적 보상은 군사 강국이 되기 위한 최소한의 밑바탕이다. 문재인정부는 2022년까지 병장 월급 67만 원(2017년 최저임금의 50% 수준)을 목표로 병 봉급의 연차적 인상을 추진했다. 2021년 기준 병장 월급은 60만 8,000원으로 2017년

■ 2022년까지 연차적으로 추진하는 '군 병사 봉급 인상' 현황

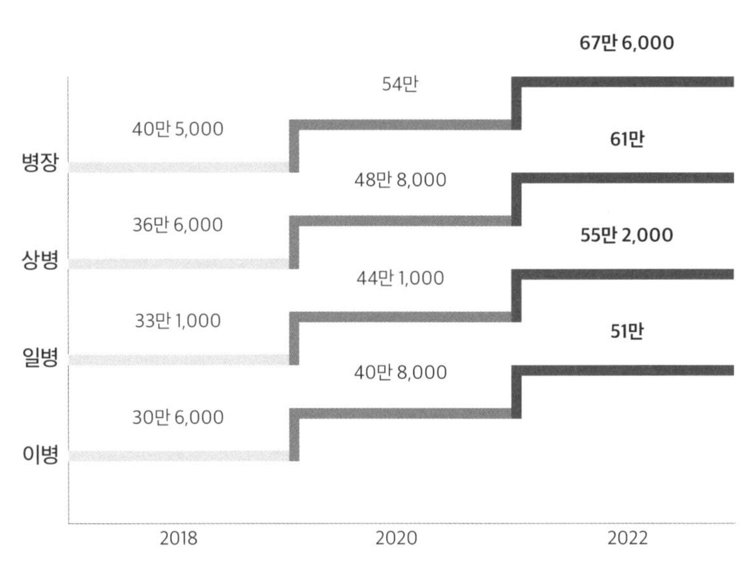

최저임금 기준의 약 45% 수준까지 인상되었다. 2021년 12월 통과된 예산안에 따르면 2022년 67만 원으로 마침내 정부 목표를 달성하게 되었다. 아직 충분하지 않은 수준이지만 앞으로 다음 정부에서도 이 인상의 기조는 흔들리지 않을 것이다.

군 복무 중 자기계발 기회도 확대해왔다. 2019년부터 시행 중인 '군 복무 경험 학점 인정' 제도는 복무 기간 동안 사회봉사, 인성 교육, 리더십 등을 대학의 자율적 판단에 따라 학점으로 인정하는 제도로, 2021년 1학기 기준, 61개 대학이 참여하고 있다.

장병들이 강좌, 독서, 자격증 취득 등 필요한 분야에서 자기계발을 할 수 있는 '병 자기계발 비용 지원' 제도도 2018년부터 운용하고 있다. 2020년까지 약 16만 5,000여 명이 비용 지원 혜택을 받았다. 2020년 80억 원이던 비용 지원 예산을 2021년 235억 원으로 대폭 늘리는 등 제도의 확대 정착을 위해서도 노력했다.

'휴대전화 허용'의 나비효과

작지만 매우 큰 변화였다. 2020년 7월 1일, 전 군에서 병사의 휴대전화 사용이 허용됐다. 그동안 사회적 논의, 정치적 찬반이 없었던 것은 아니지만 청춘을 헌신하는 병사들을 존중하고, 자기계발과 여가 선용에 보탬이 되기 위해 꼭 필요한 조치였다.

누군가는 군 기강 해이를 우려했지만 결과는 정반대였다. 2020년 기준 병사의 군 복무 부적응 사고 건수의 감소가 나타났다. 자살은 15건으로 전년(27건)과 비교해 44% 감소했고, 탈영은 같은 기간 78건에서 55건으로 30% 줄었다. 아울러 연이은 군부대 부실 급식 논란은

■ 휴대전화 전 군 사용 후 병사 군 복무 부적응 사고 건수 변화

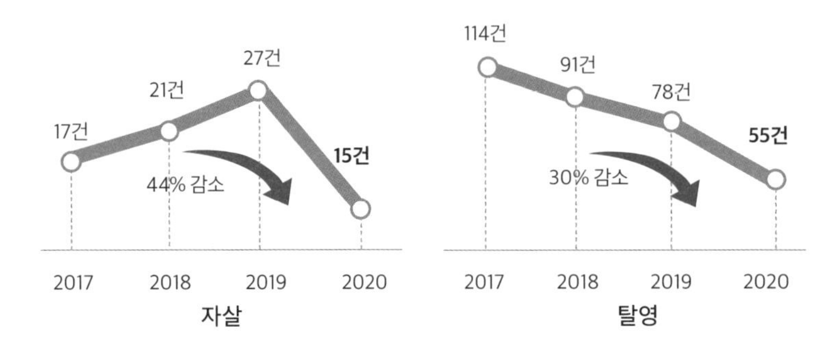

자료: 국방부

정부로서 무척 뼈아프고 송구한 일이었지만, 이 역시 휴대전화를 사용할 수 있게 된 병사들의 적극적인 제보를 통해 알려진 것이었다.

'군복 입은 시민'에 대한 예의

군 복무 중 부상 당할 경우 비용 걱정 없이 원하는 치료를 받도록 하는 것도 중요한 목표였다. 2018년 군 병원 진료 가능 여부와 상관없이 민간 병원을 이용하는 공상 군인에게 건강보험공단 부담금을 지급하도록 했고, 진료비 지원을 확대했다. 2019년부터는 현역병의 민간 병원 이용절차를 간소화했다. 2020년에는 공상 당한 병사가 원하면 완치 때까지 전역을 보류해 군에서 치료받게 했다. 2021년 8월부터는 병사들이 민간 병원 이용 시 건강보험 부담금뿐 아니라 본인 부담금도 최대 80%까지 지원받을 수 있게 해 진료비 부담을 더욱 낮췄다.

물론 청춘을 헌신하는 청년들에 대한 더 많은 존중과 예우는 앞으로도 확대되어야 할 것이다. 제복 입은 시민 한 명 한 명이 더욱 존중

받는 길이야말로 '힘을 통한 평화', 평화를 선도하는 강군으로의 지름길이기 때문이다.

선도하는 신외교, “자부심 가지셔도 좋습니다”

엄중한 대외 환경 속에 출범한 정부였다. 북한은 2017년 한 해 동안 3차례 ICMB급 탄도 미사일 시험 발사를 포함해 총 15차례 20발의 탄도 미사일을 발사했다. 한 차례의 핵실험도 진행했다. 한반도 평화의 위기와 함께 세계 질서는 보호 무역주의로 대표되는 자국 우선주의가 확산하며 국제적 협력 기반이 약화하고 있었다. 국내적으로는 대통령 탄핵 국면으로 수개월 간의 정상 외교 공백이 발생하던 중이었다.

정부는 5가지 주요 외교 기조를 세웠다. ① 주변 4국과의 긴밀한 정상 외교, ② 한반도 평화, ③ 신남방, 신북방 등 외교 다변화, ④ 국제사회 내 역할과 확대 및 위상 제고, 그리고 ⑤ 국민과 함께하는 외교가 그것이었다.

트럼프 전 대통령 방한(2019. 6. 30.)과 한미 정상 회담(2019. 9. 24.)

전례 없는 4강 외교 '뛰고 또 뛰었다'

탄핵 정국으로 생긴 정상 외교 공백부터 복원해야 했다. 2017년 정부 출범 후 약 7개월 동안에만 미국 3회, 일본 2회, 중국 3회, 러시아 2회 등 적극적인 정상 회담을 진행했다.

미국과는 정상 간 채널 외에도 외교 장관 회담, 확장억제전략협의체(EDSCG) 등 각종 고위급 협의체를 활발히 운용했고, 이는 이후 평창 동계 올림픽과 남북, 북미 정상 회담으로 이어지는 일련의 외교 일정의 밑거름이 됐다. 2018년 3차례의 남북 정상 회담과 최초의 북미 정상 회담 이후, 2019년 1월에는 한미 FTA 개정 의정서를 발효했다. 같은 해 3번의 한미 정상 회담을 개최해 공동의 대북 메시지와 한반도 평화 프로세스에 협력했다.

2021년 3월에는 한미 방위비 분담 특별 협정 협상을 타결했고, 특히 미국 바이든 대통령은 취임 후 외국 정상 중 두 번째로 문재인 대통령을 초청해 마스크 없는 정상 회담을 개최하며 굳건한 한미 동맹을 확인했다. 양국은 안보뿐 아니라 글로벌 백신 파트너십 구축, 반도체·전기차·배터리·의약품 등 첨단 제조업 분야의 안정적 공급망 구축

한·중·일 정상 회의(2019. 12. 24.)

을 위한 협력, 기후 위기 등 글로벌 이슈 해결을 위한 공조도 강화해왔다. 문재인 대통령은 취임 후 총 4번 미국을 양자 방문했고, 미국 정상과 총 27회 통화하는 등 우리 외교의 근간으로 불리는 한미 동맹을 더욱 포괄적이고 호혜적인 관계로 발전시키기 위해 노력했다.

중국과는 사드 배치를 둘러싼 논란 이후 관계 정상화를 위한 전방위 소통 노력을 지속했다. 그 결과 한중 수교 25주년을 맞아 2017년 12월 대통령의 국빈 방중이 성사되며 일시 중단됐던 정부 간 77개 경제 협의 채널이 재가동됐다. 2019년에는 우리 임시정부 수립 100주년을 계기로 광복군 총사령부를 복원하고 하얼빈 안중근 의사 기념관을 재개관하는 등 양국의 협력이 계속되었다. 2021년 1월에는 양국 정상이 함께 '한중 문화 교류의 해'를 선포하는 등 문화·역사 교류를 활성화하는 계기를 마련했고, 코로나19 상황에서도 기업인 입국 절차를 간소화하는 '신속 통로 제도'를 세계에서 가장 먼저 도입하기도 했다.

제22차 아세안+3 정상 회의(2019. 11. 4.)

일본과는 원칙에 입각한 역사 문제 해결과 미래 지향적 관계 발전을 동시에 추진했다. 투 트랙 기조를 바탕으로 셔틀 외교 복원, 북핵 관련 공조, 문화 교류 등 실질 협력을 강화해나갔다. 2018년 10월 '강제 징용 대법원 판결'에 대해 일본이 부당한 보복성 수출 규제 조치를 취하며 관계가 크게 악화되었으나, 2019년 12월 한·일·중 정상 회의를 계기로 한 한일 정상 회담, 그리고 2020년 9월 정상 통화를 계기로 한 특별 입국 절차 시행, 정·재계 교류 활성화 등 긍정적 흐름의 토대를 마련해왔다. 한편 위안부, 독도, 교과서 등 일본의 왜곡된 역사 인식에서 비롯된 문제에는 강력히 항의했고, 후쿠시마 원전 오염수 방류 결정에 대해서도 국제원자력기구(IAEA) 등 국제사회와의 협력과 법적 대응 검토 등 다각도의 방안을 강구했다.

러시아와는 2018년 6월 문재인 대통령이 국빈 방문하며 관계의 획기적인 격상 의지가 표명되었다. 1999년 김대중 전 대통령 이후 19년 만의 국빈 방문이었다. 우리 대통령으로서 최초로 러시아 하원에서 연설했으며 가스, 철도, 항만 등 '9개 다리(9-Bridge)' 분야의 협력을 강화하기로 했다. 양국은 2019년과 2020년에 걸쳐 본격적인 '9개 다리' 행

문재인 대통령은 19년 만에 러시아를 국빈 방문하고 최초로 러시아 하원에서 연설했다 (2018. 6.).

동 계획에 서명하고 한러 혁신 센터 개소, 서비스 투자, FTA 추진 등 신북방 정책의 핵심 파트너로서의 관계를 공고히 하고 있다. 2016년 134억 달러 규모였던 한러 교역은 2021년 273억 달러로 104% 증가했고, 인적 교류는 2019년 80만 명에 달해 사상 최고치를 기록했다.

'신남방, 신북방' 지평을 넓히는 외교 다변화

문재인 대통령은 취임 직후 역대 최초로 주변 4국 외에 EU, 아세안(ASEAN), 중남미, 교황청 등 다양한 지역에 특사를 파견했다. 여기에 중미 8개 나라의 정상 회의 SICA, 동유럽 4개 국가의 모임인 비세그라드, 중동 UAE 등 향후 잠재력이 큰 국가들과의 외교에도 심혈을 기울였다. 그중에서도 특히 9월 정상 방러를 계기로 신북방 정책을, 11월 정상 동남아 순방을 계기로 신남방 정책을 본격 천명했다.

> "아세안과 한국의 관계를 한반도 주변 4대국과 같은 수준으로 끌어올리는 것이 저의 목표입니다."

문재인 대통령, 한-인도네시아 비즈니스 포럼 기조연설 중에서(2017. 11. 9.)

15개국이 참여하는 세계 최대 규모의 다자 자유 무역 협정(FTA)인 역내 포괄적 경제 동반자 협정(RCEP)에 최종 서명한 문재인 대통령(2020. 11. 15.)

'신남방 정책'은 교역과 투자 중심이었던 신남방 지역과의 기존 관계를 포괄적 협력 관계로 강화하는 것을 비전으로 삼았다. 이런 의지를 반영해 사상 최초로 대통령이 임기 중 신남방 국가를 모두 방문하며 신남방 정책에 대한 강력한 의지를 입증했다.

비자 제도를 간소화하고 항공 자유화 협정을 체결하는 등 신남방 지역과 자유롭게 왕래할 수 있는 여건도 만들었다. 2018년 한-아세안 협력 기금을 700만 달러에서 1,400만 달러로 2배 증액했고, 2019년 11월 한-아세안 특별 정상 회의와 제1차 한-메콩 정상 회의를 성공적으로 개최했다.

그 결과 신남방 지역에 대한 수출 비중은 2019년에 처음 20%를 돌파했으며, 이제는 중국에 이어 우리의 2위 교역 상대국으로 자리 잡았다. 특히 베트남은 2017년 이후 중국과 미국에 이어 3위 수출국이 되었다. 신남방 지역과의 교역 증가세를 이어가고자 인도네시아와 포괄적 경제 동반자 협정(CEPA)을, 캄보디아·필리핀과도 FTA를 타결했다. 2020년 11월에는 우리나라, 아세안, 중국, 일본 등 역내 15개국

190개 수교국 중 '특별 전략적 동반자' 관계로 격상한 우즈베키스탄 순방. 공식 환영식에 참여한 문재인 대통령과 샤브카트 미르지요예프 대통령(2019. 4. 19.)

이 참여하는 세계 최대 규모의 자유 무역 협정인 역내 포괄적 경제 동반자 협정(RCEP)에 최종 서명하는 성과도 거뒀다.

'신북방 정책'은 유라시아 대륙의 북부와 중동부에 있는 러시아 등 구소련 12개국과 몽골, 중국 동북 3성(옛 만주) 지역을 대상으로 한 적극적인 협력 전략이었다.

문재인 대통령은 2019년 4월 투르크메니스탄, 우즈베키스탄, 카자흐스탄 등 중앙아시아 3개국을 순방하고 3개국 정상으로부터 우리의 신북방 정책에 대한 확고한 지지를 확보했다. 특히 우즈베키스탄과는 우리의 190개 수교국 중 4번째로 '특별 전략적 동반자' 관계로 격상했다. 투르크메니스탄 5개, 우즈베키스탄 15개, 카자흐스탄 4개, 총 130억 달러 규모 24개의 프로젝트 수주의 지원 활동을 전개하여 우리 기업의 현지 진출을 견인하기도 했다.

특히 카자흐스탄과는 순방을 계기로 계봉우·황운정 지사 유해 등 이역만리에 잠들어 있던 독립 유공자의 유해를 국내로 봉환하는 성과도 거뒀다. 이는 이후 2021년 8월 15일 봉오동 전투의 주역인 홍범도 장군의 유해 봉환으로까지 이어졌다. 신북방 지역과의 상호 방문객은 2019년 135만 명으로 2016년과 비교해 77% 증가했다. 2021년 신북방 국가와 교역은 2016년과 비교하면 106%, 수출은 96% 증가했다.

빗발치는 전 세계 정상들의 통화 요청,
K-방역의 위엄

전 세계가 인정하는 K-방역의 성과도 대한민국의 외교적 위상을 드높인 계기였다. 2020년 2월 말 코로나19가 본격 확산하기 시작한 이후부터 불과 두 달 동안 총 29개국과의 정상 통화가 이루어졌고, 2020년에만 총 60번의 비대면 정상 통화가 성사되었다. 마크롱 프랑스 대통령부터, 트뤼도 캐나다 총리, 프레데릭센 덴마크 총리 등 세계 각국 정상과 K-방역의 경험을 공유하고, 국내산 진단 키트 수출 및 지원을 논의했다. 결과적으로 총 127개국에 진단 키트, 마스크 등 코로나19 대응 방역 및 보건 물품을 지원했다. 전 지구적 코로나19 위기 속에 대한민국 K-방역의 위상이 얼마나 대단했는지 알 수 있는 대목이다.

"자부심 가지셔도 좋습니다"

2020년과 2021년, 대한민국은 2년 연속 G7 정상 회의에 초청됐다. 주요 국가들의 경제 협의체인 G20을 넘어 G7 국가들과 어깨를 나란히 한 것이다. 특히 2021년 7월 유엔무역개발회의(UNCTAD)가 대한민국을 개도국 그룹에서 선진국 그룹으로 변경하며 민주주의 국가이자 기술 선도국인 대한민국의 격상된 위상을 실감하게 했다. 대외 의존도가 높은 우리나라로서는 향후 국제 외교 무대에서 코로나19 회복과 기후 변화, 녹색 성장과 일자리 창출 등 책임과 기회가 동시에 부여된 것으로 평가받고 있다.

2021년 11월, 국민과의 대화에 나선 문재인 대통령은 "자화자찬한다는 비판을 감수한다"라면서도 마무리 발언에 긴 시간을 할애했다. 객관적 위상에 기반을 둔 자신감의 발현이었다.

"꼭 당부하고 싶은 것은 한국이 정말 자부심을 가질 만하다는 것입니다. 한국은 경제뿐만 아니라 민주주의, 국방, 문화, 보건 의료, 방역, 외교 모든 면에서 톱10의 나라가 되었습니다. G7 국가가 세계적 과제를 논의하는 데 부족하다 싶어 그 대상을 넓힌 G10을 구성할 때 가장 먼저 들어가는 나라가 한국입니다.

제가 이런 이야기를 하면 '자화자찬이다', '국민 삶이 어려운데 무슨 소리냐' 하는 비판이 있다는 것을 압니다. 그러나 이것은 우리의 주관적 평가가 아니라 세계가 하는 객관적 평가입니다. 우리가 자부심을 가져야 하는 이유는 그런 자부심이 우리 미래의 발전 원동력이 되기 때문입니다. 이 성취는 우리 정부만이 이룬 성취가 아니라 역대 모든 정부의 성취가 모인 것이고, 오랜 시간 우리 국민이 노력해 이룬 성취입니다.

제2차 세계대전 이후 70년 동안 가장 성공한 나라가 한국이라고 이야기합니다. 국민께서 이제는 대한민국이 가진 위상을 당당히 생각해줬으면 좋겠습니다. 정부도 국가 위상에 걸맞게 국민의 삶이 향상되도록 마지막까지 최선을 다하겠습니다. 감사합니다."

문재인 대통령(2021 국민과의 대화에서, 2021. 11. 21.)

interview

"전 세계의 면담 요청 쇄도, 그리고 G7까지… '때'가 된 것이라 생각했습니다"

강경화(전 외교부 장관)

'최초'라는 수식어가 많았다. 문재인정부 첫 외교부 장관이자 최초의 여성 외교부 장관. 당당한 태도와 유려한 말솜씨는 자주 화제의 중심이 되었고, 수차례 외신과의 인터뷰는 국내외 너른 호평을 받았다.
전인미답의 장관은 전례 없는 역사의 파도를 지나왔다. 평화와 긴장을 오가는 한반도의 정세는 자주 요동쳤고 칼날 위를 걷듯 매 순간이 고비이자 기회였다.
3년 7개월. 정부 출범 '원년 멤버'로서 가장 오랜 시간 자리를 지킨 장관은 대한민국의 높아진 위상을 자신 있게 이야기했다. 직접 글로벌 외교 무대 최전선을 누빈 이의 생생한 체험담이었다.

> 문재인정부의 시작을 함께했던 '원년 멤버' 중 가장 오랜 기간 자리를 지킨 장관이었습니다. 지난 3년 7개월의 소회가 어떠신지 궁금합니다.

하루하루가 힘겹지만 소중한 시간이었습니다. 위기로 시작해 평화의 길로 흔들림 없이 달려온 날들입니다. 대통령님의 신임을 받고 오랜 기간 자리를 지켰다는 점에서 참으로 감회가 깊고 영광스러운 시간이었습니다. 이임사에서도 밝혔지만 제가 육십 넘어, 수십 년간 일해본 직장 중에서도 두고두고 가장 보람된 시기로 기억될 것 같습니다.

하노이 회담 가장 아쉬워
국익 위한 직원들 헌신에 감격

마지막 업무 보고에서 대통령께서 "어려운 한반도 상황을 극복하고 헌신적으로 많은 역할과 기여를 해주셨다"라고 치하했는데요. 가장 힘들었던 순간, 보람 있었던 순간은 언제였습니까?

너무 많았죠. 가장 어려웠던 순간은 하노이 북미 정상 회담 직후였습니다. 결과에 대해 미 측으로부터 전화로 직접 설명을 듣고 대통령님께 전해드렸거든요. 그동안 진행해온 한반도 평화 프로세스의 결실을 비로소 얻을 수 있었던 기회여서 큰 기대가 있었던 터라 모두 너무 실망이 컸었습니다.

대한민국 외교부 장관으로서 보람 있는 순간들은 무척 많았습니다. 2018년 늦가을 유엔 안보리에서 한반도 평화 프로세스에 대해 연설하면서 감격스러웠던 기억도 나고요. 난관이 참 많았는데 현안을 하나하나 극복할 때마다 '우리 직원들이 정말 헌신적으로 국익을 위해 열심히 일하는구나' 감격스러울 때가 많았습니다. '우리 외교부가 한 팀으로 움직이고 있구나' 하고 느낄 때 참 기쁘고 보람찼습니다.

> 엄중한 안보 환경 속에 출범한 정부인데, 당시만 해도 한반도 평화 구상은 먼 얘기로 들렸습니다. 평화의 기점이 된 북한의 평창 동계 올림픽 참가를 성사시키기 위해 보이지 않는 곳에서 많은 노력을 기울이신 것으로 알려져 있습니다.

정부는 일찌감치 평창 동계 올림픽을 한반도 평화를 위한 전환의 기회로 전략적으로 활용한다는 목표를 갖고 외교적 노력을 기울였습니다. 북한의 지속적인 도발에 대해서는 강력하게 대응하면서도, 대통령님의 베를린 연설을 필두로 북한에 대화 제의를 끊임없이 했습니다. 당시 우리와 북한과의 대화가 이루어지지 않고 있는 상황에서, 모든 양자·다자 외교 계기에서 같은 기조의 메시지를 발신하면서 다른 나라들의 호응을 끌어냈죠.

8월 북한도 연례적으로 참석하는 ARF(ASEAN Regional Forum)에서는 북한 외상과의 만남의 기회를 모색했고, 별도의 면담은 이루어지지 않았지만, 리셉션에서 짧은 인사를 나누면서 북한이 우리의 대화 제의에 호응하고 평창 동계 올림픽에 참석해줄 것을 요청하기도 했습니다. 2017년 하반기에는 스웨덴 등 북한과 직접 소통의 채널을 유지하고 있는 상대국 외교 장관들과 수시로 소통하면서 북한을 독려해줄 것을 요청했습니다. 그 결과는 주지하다시피, 북한의 참석으로 가장 성공적인 평화의 올림픽이 개최되고 대화의 문이 활짝 열렸죠.

“사실대로 이야기했을 뿐”
별다른 준비 없이 인터뷰할 수 있었던 이유

영국 BBC의 〈앤드루 마 쇼〉 출연이 큰 화제가 됐습니다. 당시 "몇 달 만 한국 외교부 장관을 빌리면 안 되나", "이 장관이 미국 대선에 나오면 좋겠다", "전 세계가 한국을 배워야 한다" 등 호평 일색이었습니다. 왜 이런 반응이 나왔다고 보십니까?

사실 저는 그 반응이 좀 의외였습니다. 저는 그저 우리 정부와 국민이 실천하고 있는 코로나19 대응 노력에 대해 사실대로 이야기했을 뿐이었거든요. 제가 총리께서 주재하는 중대본 회의에 매일 참석하면서 우리의 코로나19 상황, 대응 방향과 고민거리에 대해 잘 알고 있었거든요. 그래서 별다른 준비 없이 인터뷰에 응할 수 있었고요. 제가 잘한 게 아니라 우리 방역, 보건, 행정 당국이 열심히 하고 있는 일을 이야기했을 뿐이었다고 생각합니다.

미중 긴장 심화에 긴밀히 대응
일본의 비외교적 처사, 진정한 자성 없이 반전 어렵다 생각

문재인정부의 4강 외교는 이전과 어떻게 달랐고 어떤 성과를 남겼을까요?

4강 외교에서 양자 관계 강화뿐 아니라 한반도 평화 정착과 완전한 비핵화를 위해 모든 레벨에서 적극적이고 선제적인 외교를 펼쳤다고 생각합니다.

미국과는 수출 적자를 줄이기 위한 트럼프 행정부의 공세적 규제 강화 노력 속에 한미 FTA 개정을 신속하게 이루었습니다. 어려운 협상 끝에 방위비 협정(SMA)을 2번 개정하기도 했습니다. 한미 연합 방

위 태세를 굳건히 유지하면서 북한을 대화의 테이블로 견인하기 위해 긴밀히 협의했습니다.

중국과는 사드 배치로 인한 중국의 경제 보복으로 한동안 관계가 악화되었지만 2017년 말 대통령님의 방중으로 어려운 시기를 극복하고 관계 회복 과정에 접어들었습니다. 2019년 여름에는 우리의 오랜 동맹인 미국과 우리의 최대 경제 파트너이자 전략적 동반자인 중국 사이의 긴장이 심화하면서 관계 부처와 민간 전문가가 참여하는 외교 전략 조정 회의를 출범시켰습니다. 1년여간 다양한 레벨에서의 조정과 협의를 통해 ① 확대 협력 외교, ② 일관성 있는 외교, ③ 전략적 경제 외교를 우리 외교의 3가지 기본 방향으로 설정했고 이를 기본으로 외교 현안에 사안별로 대응해왔습니다.

한일 관계가 위안부 합의, 강제 징용 판결 문제로 악화되고 돌파구가 없는 상황이 된 것은 매우 안타까웠습니다. 어려운 상황 속에도 해결 방안을 찾으려고 대통령님 이하 모든 관계자가 진정성을 가지고 무척 애를 썼다고 자평합니다만, 돌이켜 보면 2019년 6월 사전 협의는 커녕 최소한의 통보도 없이 일본 측이 일방적으로 취한 수출 규제 조치는 관계 개선에 대한 의지에 대한 회의를 갖게 했습니다. 난제가 쌓인 상황에서라도 우호적인 이웃 국가로서는 매우 비외교적이고 비우호적이 처사였죠. 결국 과거에 대한 일본의 진정한 자성과 사과 없이는 상황 반전이 어렵다는 생각입니다.

공들였던 외교 다변화
"국가 생존과 번영의 필수"

문재인정부가 공을 들였던 외교 전략 중 하나가 신남방, 신북방입니다. 그동안 해당 국가들과 미진했던 이유는 무엇이고 어떤 의의를 가지나요?

정부 출범 이후 3년간 신남방, 신북방 외교에 정말 많은 공을 들였죠. 2019년 11월 부산에서 성공리에 개최된 한·아세안 정상 회담에 아세안 정상들께서 한국의 'NSP(New Southern Policy)'라 환영하며 큰 기대를 표명하셨어요. 신북방 정책에서도 러시아와의 '9개 다리 협력 사업'이 착실히 추진되고 있었고, 중앙아시아 5개국에 대해서도 활발한 정상 외교를 통해 실질 협력을 확대해나갔습니다.

아쉽게도 2020년 코로나19 팬데믹으로 많은 외교 일정이 연기·중단되었습니다. 팬데믹이 극복되는 대로 지난 2년간 느려질 수밖에 없었던 협력 사업들이 다시 속도감 있게 추진되기를 기대합니다. 지난 2년간 팬데믹 대응에 있어 우리가 많은 나라와 이룬 협력과 지원의 조치가 좋은 양분이 되리라 믿습니다.

중앙아시아, 중남미, 동유럽, 중동 등의 나라들과도 이전과는 다른 외교 관계가 만들어졌습니다. 우리나라 국익 증진에 '외교 다변화'가 왜 중요한가요?

불확실성이 증대되고 있는 오늘날 4강은 물론 모든 국가가 다른 나라들과 다양한 형태와 강도의 협력 관계를 모색하고 있는 시대입니다. 우리도 당연히 다변화해야죠. 게다가 우리는 개방적 경제사회 정책으로 지금까지 역동적인 자유민주주의와 경제 발전을 이루었습니다. 우리의 협력 파트너를 지속적으로 확대하고 심화시켜나가는 것이 국가 생존과 번영에 필수적인 것이 당연합니다. 기술 혁신, 인구 구조 변화, 기후 변화 대응으로 인한 에너지 전환, 산업 구조 재편 등 전 세계 모두가 직면한 과제들도 그 넓은 폭 안에서 성공적으로 극복할 수 있을 것입니다. 대한민국의 협력 의지는 어디를 가나 환영받았고 앞으로도 크게 환영받을 것이라 생각합니다.

"높아진 위상, 역량에 따른 당연한 순리라는 생각도"

> 유엔무역개발회의(UNCTAD)에서 개발도상국에서 선진국으로 격상된 최초의 국가가 되었습니다. 외교 무대에서 대한민국의 달라진 위상을 체감하셨나요?

여러 가지 사례들이 있습니다만, 2020년 코로나19 팬데믹 첫해를 치르면서, 타국의 외교 장관들의 면담, 전화 요청이 쇄도했었습니다. 코로나19의 위기를 가장 먼저 겪으면서 우리가 보여준 대응 능력을 부러워하고 우리로부터 배우겠다는 내용이었습니다. 국제사회가 우리의 국력을 평가해주고 우리의 도움을 필요로 한다는 것을 여실히 느꼈습니다.

조금 더 거슬러 올라가면, 2018년 평창 동계 올림픽, 4월 판문점 정상 회담 등으로 우리의 평화 외교에 대한 국제사회의 관심이 고조되었던 7월에 EU 외교 장관 회의에 초대받아 기조연설을 하고 질의응답 세션을 가졌었는데, 한국의 외교부 장관으로서는 처음이었습니다. 루마니아 외교부 장관의 요청으로 그 나라 해외공관장 회의에서 기조연설을 하기도 했고요. 그 외에도 한국의 외교부 장관으로서 처음으로 초대받고 연설한 계기가 많이 있었습니다. 모두 우리의 국가적 위상이 그만큼 올라갔기에 제게 주어진 기회들이었다고 생각합니다.

무엇보다 G7 정상 회의에 두 번 연속 초대되어 대통령님께서 참석하신 모습도 감개무량했습니다. 어떻게 보면 당연한 순리라는 생각이 들었습니다. 우리의 역량과 국제사회에서의 위치에 따라 '때가 된 것'이라 생각했습니다.

모든 교류에 정성 기울인 대통령
'사람 존중의 평화, 공영의 외교' 함께했다는 자부심

마지막으로 외교 전문가로서 본 대통령의 외교 리더십은 어땠나요? 문재인 대통령의 외교 철학을 한마디로 정리해주신다면요?

매우 사려 깊으시죠. 한마디 한마디에 진정성과 전략적 사고를 담는 분이십니다. 상대국 정상과 대화를 하실 때나, 저를 포함해 외교안보팀 보고를 받고 지시를 하실 때나 한결같으십니다. 나라가 크고 작은 것을 넘어서 모든 상대국 정상, 국제사회 지도자들과의 대화와 교류에 모든 정성을 기울이셨습니다.

대의를 위해서는 본인의 불편함을 마다하지 않으셨습니다. 2019년 6월 판문점에서 미북 정상 회담이 성사되도록 모든 지원과 협조를 아끼지 않으셨고, 현장에서는 본인이 주인공이 아닌 순간들을 감내하셨습니다. 사소한 문제에서는 더더욱 불평하거나 화내지 않으셨어요. 예컨대 베트남 국빈이 방문했을 때 유명한 쌀국수집에 대통령님 내외분을 모시고 대표단 모두 아침을 먹으러 갔는데, 미리 주문해 두었던 소고기 쌀국수가 앞에 놓이자, "나는 해산물이 좋은데…" 조용히 한마디 하셔서 모두 긴장했는데, 잠시 물끄러미 국수를 보시더니 그냥 드시더라고요. 매우 죄송했던 기억이 납니다.

대통령님의 외교 철학을 한마디로 말씀드리면 사람 존중의 평화, 그리고 공영의 외교입니다. 지난 5년 외교 현장에서 대통령님이 매 순간 보여주셨던 철학입니다. 늘 사람을 앞에 둔 평화를 중시하셨고, 공동의 번영을 향해 묵묵히 나아가셨습니다. 그 여정에 함께했다는 큰 자부심이 있습니다.

인터뷰는 2022 베이징 동계 올림픽이 한창이던 때 이루어졌다. 매일같이 우리 선수들의 투혼이 전해지며 국민적 관심이 모였고, 최선을 다한 선수들에 대한 아낌없는 박수와 성원이 쏟아졌다.
더 이상 누구도 메달의 색깔이나 메달 수에 따른 순위에 연연하지 않았다. 과거 전체 대회 성적에 따라 선수단의 희비가 엇갈리던 때와는 다른 풍경이었다.
겸양과 여유는 견고한 이의 특권이다. 달라진 풍경은 달라진 위상의 결과였다. 전후 70여 년의 위대한 여정 끝에 이미 대한민국은 경제 강국, 문화 강국 대열에 선 자랑스러운 나라였다. "'때'가 된 것이라 생각했습니다." 강경화 전 장관의 담담한 소회가 '근거 있는 자신감'의 발현이었던 이유다.

추격형 경제에서 선도형 경제로

추격이 지상 과제이던 때도 있었다. 앞서간 선진국들의 길을 따라 쉼 없이 달리기만 하면 국민의 삶이 한 발짝씩 나아져왔다. 그렇게 수많은 좌충우돌을 지나며 빠르게 달려온 대한민국은 어느새 전 세계가 함께하는 마라톤의 선두권 그룹을 달리고 있었다.

스스로 일궈낸 성과에 자랑스러워하는 것도 잠시, 이제 완전히 새로운 국면이 펼쳐졌다. 맹렬히 추격하는 이와 선두 그룹에 선 이의 전략이 완전히 달라야 하듯, 이제 대한민국에도 '추격'이 아닌 '선도'의 전략이 요구되고 있었다.

문재인정부의 출범은 4차 산업혁명의 파도와 급격한 산업 구조 개편의 소용돌이를 맞아 가보지 않은 길을 새롭게 만들어내야 하는 무거운 책임감 속에 시작되었다.

"정부는 미래 차, 바이오 헬스, 시스템 반도체 등 3대 분야를 중점 육성 산업으로 선정해 우선 지원할 계획입니다. 이들 분야가 우리 경제의 신성장 동력 3대 기둥이 되도록 정책적 지원을 아끼지 않겠습니다."

문재인 대통령(청와대 수석보좌관 회의, 2019. 4. 29.)

미래 차 강국으로 쾌속 주행

전기·수소차 등 미래 차 시장을 선점하기 위해 범정부 추진 전략을 수립했다. 국내 미래 차 보급에 역점을 두고 2019년 10월 미래 차 산업 발전 전략을 제시한 이래, 2021년 2월에는 친환경 자동차 기본계획, 6월 자동차 부품 기업 미래 차 전환 지원 전략, 2022년 1월에는 미래 차 디지털 전환 고도화 전략을 발표하는 등 미래 차 산업을 선도하기 위한 각종 지원책을 시행했다.

전기차 충전기를 2016년 약 2,000기에서 2021년 약 7만 2,105기로 확대했고, 수소 충전소는 2016년 9기에서 2021년 140기로 확충했다. 2025년까지 거주지, 직장 등 생활 거점을 중심으로 전기차 충전기

■ **국내 미래 차 보급 획기적 진전 현황**

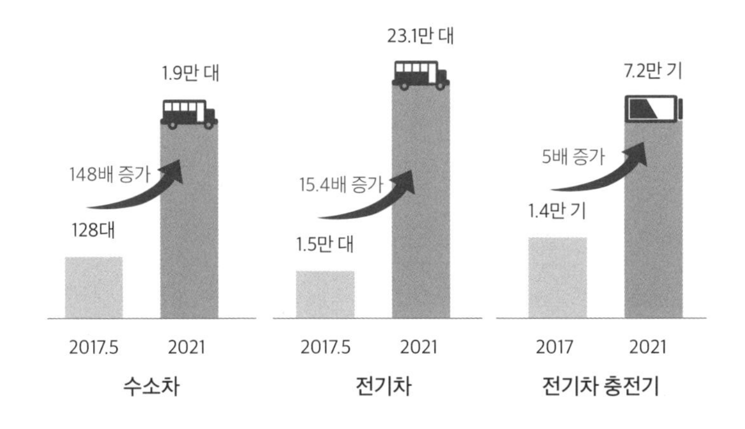

서울 시내를 달리는 친환경 수소 버스와 수소 충전소

50만 기와 수소 충전소 450기를 구축할 예정이다. 선택의 폭을 넓히기 위해 전기차는 고급 세단·대형 SUV·소형 트럭을, 수소차는 중대형 상용차를 조기 출시하고 보조금을 개편해 성능을 개선하도록 지원할 계획이다.

공공 부문이 앞장서 친환경 차를 구매했다. 나아가 렌터카·대기업 법인 차량 등 대규모 수요자가 신차를 구매 또는 임차할 때 일정 비율 이상 친환경 차로 채우도록 하는 '친환경 차 구매 목표제'도 2022년 1월부터 시행했다. 국내 친환경 차는 빠르게 증가하여 2016년 24만 대에서 2021년 115만 9,000대로 대폭 확대됐다. 수출도 2016년 7만 8,000대에서 2021년 40만 7,000대로 크게 늘었으며, 국내 수소차 보급 규모는 세계 1위, 전기차는 수출 10만 대를 돌파해 세계 4위를 기록했다. 전기차와 수소차 모두 세계 5강 기업을 배출해 미래 자동차 시장을 선도하고 있다.

바이오 대국의 꿈

소득 수준이 높아지고 고령 사회에 진입하면서 바이오 산업 시장 규모도 빠르게 커지고 있었다. 다른 산업에 비해 고용 증가율, 정규직 비중도 월등히 높았다. 특히 코로나19를 거치며 진단 키트·방역 물품 등의 중요성이 더욱 부각되었다.

정부는 2019년 5월 바이오 헬스 국가 비전을 선포하고, 이듬해 11월 바이오 산업 발전 전략을 발표하는 등 정부 역량을 집중했다. 의료 기기 산업법, 첨단 재생 바이오법을 만들어 제도적 기반도 마련했다. 2021년 바이오 헬스 예산은 1조 9,000억 원으로 전년보다 무려 43% 증가했다. 문재인정부 들어 바이오 분야 벤처 투자는 3배 이상, 10대 의약품 기업의 R&D 투자도 24% 증가했다.

바이오 산업 수출은 2020년에는 138억 9,000만 달러를 기록하며 처음 100억 달러를 돌파하는 기염을 토했다. 2021년에는 전년 대

■ **바이오 산업 수출액 추이**

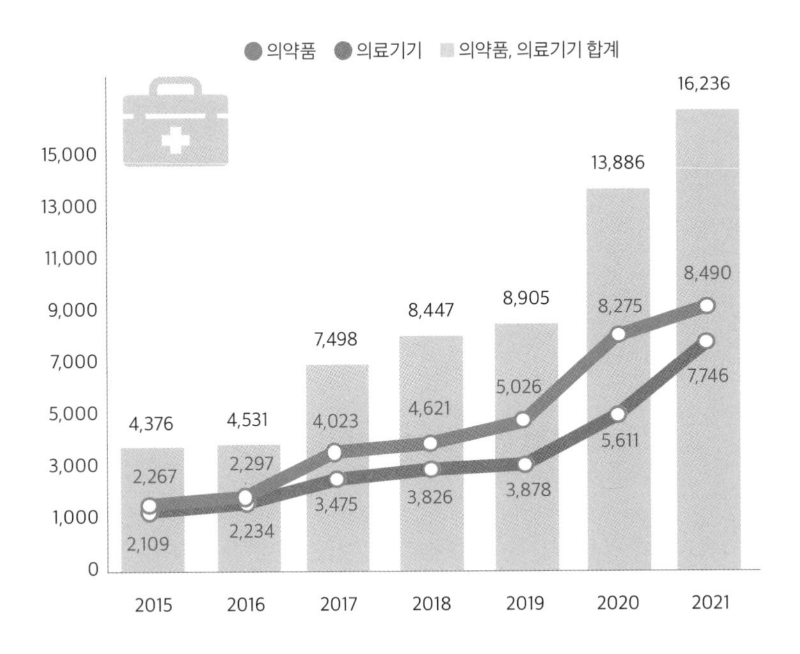

비 16.9% 증가한 162억 4,000만 달러를 기록했다. 정부는 앞으로도 2026년까지 총 2조 2,000억 원을 투자해 백신 허브로의 도약을 지원할 예정이다.

성장판 열린 시스템 반도체

반도체는 대한민국의 오랜 먹거리였다. 메모리 반도체 분야 세계 1위의 경쟁력은 국민의 자랑이었다. 반면 시스템 반도체 분야는 아직 성장 기반과 기술 생산 역량이 충분하지 않았다. 시스템 반도체는 4차 산업혁명을 실현하기 위한 핵심 부품으로, 시장 규모가 메모리보다 크고 경기 변동에 영향이 적은 안정적 산업이었다.

정부는 2019년 4월 시스템 반도체 비전·전략을 발표했다. 미국과 유럽연합(EU) 중심의 반도체 공급망이 재편되고 차량용 반도체 등이 품귀 현상을 빚는 가운데 2021년 4월 확대 경제 장관 회의를 열어 업계 의견을 청취하고, 2021년 5월에는 K-반도체 전략을 발표했다. 이에 따라 소부장 특화 단지(용인), 첨단 장비 연합 기지(화성·용인), 첨단 패키징 플랫폼(중부권), 팹리스밸리(판교)를 중심으로 세계 최대 규모의 K-반도체 벨트를 조성하는 계획이 속도감 있게 진행되고 있다.

'제2 벤처 붐', 두려움 없이 도전하도록

1990년대 말, 한국 경제에 벤처기업이라는 새 경제 주체가 등장했다. 1997년 8월 '벤처기업 육성에 관한 특별 조치법'을 만드는 등 정부

"우리의 목표는 분명합니다. 메모리 반도체 분야에서는 세계 1위를 유지하는 한편, 2030년까지 시스템 반도체 파운드리 분야 세계 1위, 팹리스 분야 시장점유율 10%를 달성해 종합 반도체 강국으로 도약하는 것입니다."

문재인 대통령(시스템 반도체 비전 선포식, 2019. 4. 30.)

지원이 더해져 제1 벤처 붐이 일어났다. 그러나 첫 번째 벤처 열풍은 짧은 시간에 과열되었던 시장이 급속하게 가라앉으며 막을 내렸다. 이후 들어선 정부들이 벤처 생태계 회복을 위해 다양한 지원 방안을 고민했지만, 근본적인 대책을 마련하지는 못한 상태였다. 창업 실패에 대한 두려움이 여전히 컸고, 성공적으로 창업하더라도 3~5년 차에 겪는 '죽음의 계곡(Death Valley)'을 넘어 성장하는 데 어려움을 호소하는 기업인이 적지 않았다.

문재인정부는 '혁신을 응원하는 창업 국가 조성'을 핵심 국정 과제로 설정했다. 먼저 2018년 3월 정책 금융의 연대 보증을 전면 폐지했다. 금융 공공 기관에서 대출·보증받을 때 필요했던 연대 보증은 대표자 개인을 신용불량자로 만들 수 있어 창업 실패에 대한 두려움을 키우는 요소였다. 아울러 정부의 창업 예산을 1조 4,500억 원 규모로 2배 넘게 늘리고 2019년 창업법을 개정해 창업 기업에 대한 부담금 면제 범위도 넓혔다.

창업·벤처기업이 민간 투자를 쉽게 유치할 수 있도록 벤처 투자 인프라도 획기적으로 개선했다. 민간 벤처 펀드에 출자금을 지원하는 '모태 펀드' 예산을 5년간 4조 8,000억 원 투입했다. 역대 '모태 펀드' 누적 예산인 7조 3,000억 원의 약 3분의 2 수준인 파격적인 규모였다. 2019년 GDP 대비 벤처 투자 비중은 0.22%로 세계 4위권 수준을 기록했다.

"최근 몇 년간 벤처 투자 동향을 보면, 소부장 분야의 투자가 크게 증가했는데, 모태 펀드에서 출발한 소부장 펀드의 역할이 큽니다. 최근 바이오 벤처의 수출이나 기술 이전 소식도 많이 들리는데, 이 역시 모태 펀드에서 출자한 펀드가 투자한 기업들의 성과입니다. 요즘은 모태 펀드의 간접 투자 없이 성장한 케이스를 찾기가 더 어렵고, 플랫폼 기반의 대부분 기업이나 바이오 분야의 조 단위 기업들 모두 모태 펀드의 간접 투자를 받아서 성장한 기업입니다."

황만순(한국벤처투자(한국 모태 펀드 운용 기관) 대표)

정부는 벤처 업계 숙원 해결에도 앞장섰다. 민간 주도 벤처 확인제 도입 및 벤처 투자 촉진법 제정, 일반 지주회사의 기업형 벤처 캐피털 허용 등 3대 벤처 제도를 도입했다. 2006년 폐지된 스톡옵션 비과세 제도를 10년 만에 부활시키고, 엔젤 투자 소득 공제를 확대하는 등 벤처 투자 세제도 개편해 민간 중심 벤처 생태계를 위한 기틀을 마련했다.

정부의 창업·벤처 활성화 노력 속에 민간의 기업가 정신이 살아나면서 '제2 벤처 붐'이 불기 시작했다. 닷컴 버블 붕괴와 함께 무너졌던 제1 벤처 붐과 달리, 이번에는 코로나19 위기에도 굳건했다. '창업(Start-up)'을 주로 강조하던 이전 정부들과 달리, '성장(Scale-up)'을 위한 비전과 정책을 마련한 결과, 국내 유니콘 기업은 2017년 3개에서 2021년 7월 기준 15개로 급증했다. 3년 사이 기업 가치 1,000억 원 이상 기업도 115개에서 320개로 늘어난 만큼 후보군도 탄탄해 앞으로도 유니콘 기업은 계속 늘어날 전망이다.

'혁신 실험장' 규제 샌드박스

'모래 놀이터(샌드박스)에서 두려움 없이 뛰어노는 아이들처럼 기업도 일정 조건에서 자유롭게 도전해볼 수 있도록 하면 어떨까.' 문재인

■ 규제 샌드박스 승인 기업 현황

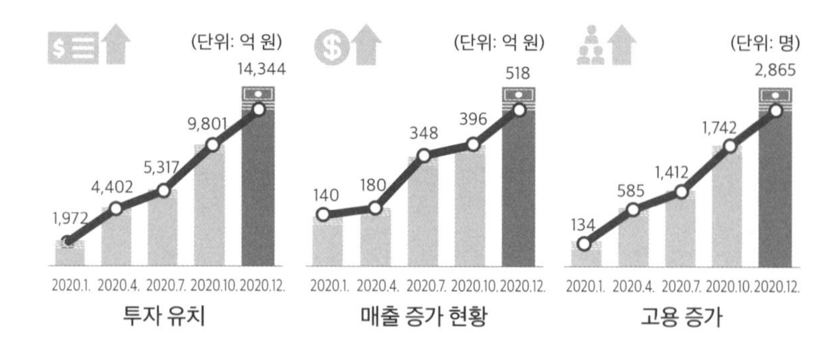

정부의 대표적 규제 개혁 정책인 '규제 샌드박스'가 탄생한 배경이다. 다시 말해, 신기술을 활용한 새 제품이나 서비스를 일정 조건으로 시장에 우선 출시하고 시험·검증할 수 있도록 규제를 면제(유예)해주는 방식이다.

기업들도 처음에는 반신반의했다. 그러나 '규제 샌드박스'를 통해 빛을 보는 혁신 사업이 늘어나자 이내 주목하기 시작했다. 시행 33개월째인 2021년 9월 기준, 총 547건이 규제 유예 사업으로 승인되었고, 이 제도를 통해 투자 유치 1조 9,000억 원, 매출 839억 원 증가, 일자리 창출 3,000여 명의 성과가 나타났다. 승인 기업의 68%가 중소·스타트업·벤처기업이었고, 2020년 설문 조사 결과 승인 기업과 신청 기업들의 만족도는 90%에 달했다.

수소 경제, 에너지 전환 시대의 첨병

수소 경제는 2050년 연 11조 달러의 부가가치를 창출할 수 있는 새로운 성장 동력으로 각광받고 있다. 미국과 일본, EU 등이 선점을 위

울산 경제 투어와 수소 경제 로드맵 발표(2019. 1. 17.)

해 치열한 경쟁을 펼치고 있는 사이, 우리도 골든 타임을 놓치지 않기 위한 도약이 필요했다.

2019년 1월 '수소 경제 활성화 로드맵'을 마련하고, 2021년에는 세계 최초로 수소법을 제정했다. 2021년 11월에는 수소법에 따른 최초의 법정 계획인 '1차 수소 경제 이행 기본 계획'을 수립하고, 이후 4가지 전략을 수립해 수소 선도 국가를 향한 비전을 실현하고 있다. 지금의 그레이 수소 100% 공급 구조를 2050년까지 100% 청정 수소로 전환하고, 2,000기 이상의 수소 충전소를 만들어 전 국민이 10분 이내에 편리하게 충전소를 이용할 수 있는 환경을 조성하는 것을 목표로 했다. 상용차에 더해 도심 항공, 트램, 드론, 선박 등 미래 교통수단에

■ **주요국 수소 활용 현황(2021. 12. 기준)**

구분		한국	미국	일본	독일
수소차		19,404대**(1위)**	12,590대	6,541대	1,272대
연료 전지		767MW**(1위)**	527MW*	352MW*	-
수소 충전소	2018	14기	74기	102기	66기
	2021	140기**(2위)** 900%↑	75기 1%↑	172기 69%↑	104기 58%↑

* 미국(2021. 9.), 일본(2021. 7.) 기준

수소를 적용해 친환경 모빌리티 시장을 선도하고, 국제 공동 연구 등을 통한 표준화에도 주력할 계획이다.

과정이 순탄하지만은 않았다. 수소 연료 전지 발전소 사업 초기에는 지역 주민들의 반대도 있었다. 오해를 해소하기 위해 '수소 경제 홍보 TF'를 만들어 30회가 넘는 시설 견학과 60여 회의 설명회를 진행했고, 인근 주민이 과반 참여하는 '민관 안전·환경위원회'도 설치했다. 이런 노력 끝에 발전소를 준공해 본격적으로 가동하면서 주민들께 깨끗한 전기와 열을 공급할 수 있게 되었다.

대한민국은 수소 모빌리티 분야 선도 국가로서 괄목할 만한 성과를 거두고 있다. 2021년 말 누적 수소차 보급 세계 1위(한국 1만 9,404대, 미국 1만 2,590대, 일본 6,541대, 독일 1,272대)를 달성했고, 수소 충전소 보

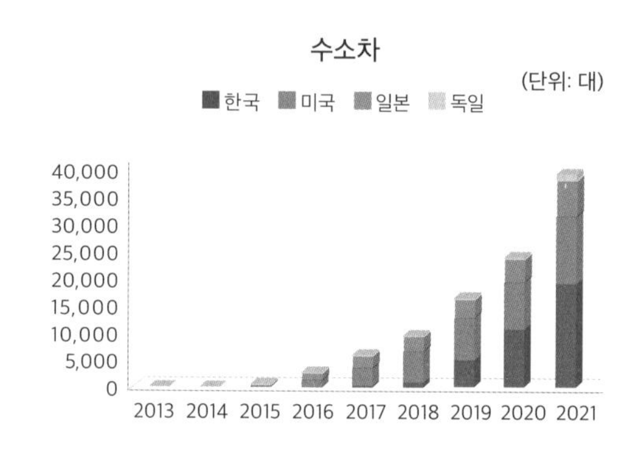

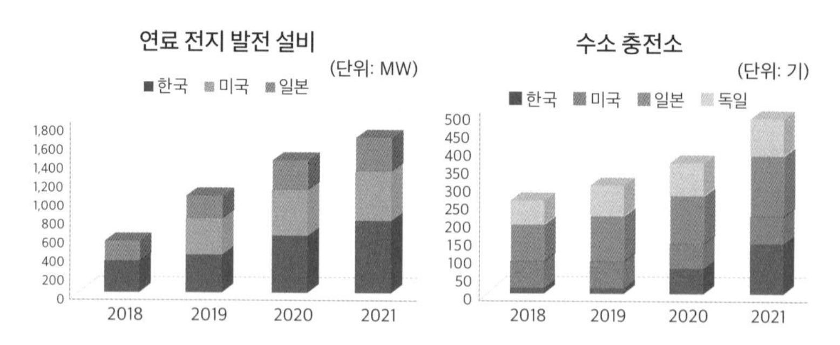

급 속도도 1위이다. 수소 화물차를 세계 최초로 수출하고, 수소차·연료 전지 등 수소 활용 분야에서도 보급량, 기술 경쟁력 부문에서 선두를 달리고 있다. 발전용 수소 연료 전지 역시 세계 최대로 보급하고, 세계 최초 부생 수소 연료 전지 발전소를 설립해 수소 활용 부문에서도 세계적 위상을 구축했다.

R&D 100조 원, 사람 중심의 과학 기술 시대

정부는 출범 직후 국가 R&D 100조 원 시대를 목표로 선도 국가로의 도약을 준비했다. 특히 현장에서 노력과 헌신을 다하는 연구자들이 곧 국가 경쟁력의 원천임을 분명히 하는 '사람 중심 R&D 혁신'을 추진했다.

2019년에만 지역별·단체별 간담회를 32회 진행했고, 연구 행정 부담을 완화하기 위한 현장의 목소리를 국회에 40여 회 대면 설명했다. 이러한 노력은 2020년 6월, '국가연구개발혁신법' 제정으로 결실을 맺었다. R&D 관리 규정이 부처나 기관별로 달라 연구자들이 겪던 어려움을 해소하는 법안이었다. 기존 286개 규정을 단일 체계로 통합하고, 136종의 연구 과제 서식 및 첨부 서류는 54종으로 표준화·간소화했다. 이를 통해 연구자가 연구 과제에 쏟는 행정 업무 시간이 1년에 100시간 감축될 것으로 예상된다.

2020년부터 박사 후 연구원들이 안정적이고 도전적으로 연구하도록 돕는 키우리(KIURI) 사업을 시행하고, 2021년부터는 세종과학펠로우십 등 신규 사업을 추진해 연구비 지원 프로그램을 확대했다. 박사 후 연구원의 근로 계약 체결과 학생 맞춤형 장려금 포트폴리오 도

국가과학기술자문회의(2018. 7. 26.)

입으로 학비와 생활비 부담도 줄였다. 아울러 연구실 사고로부터 연구원들을 보호하기 위해 치료비 보상액 한도를 5,000만 원에서 1억 원으로 상향했다.

그 결과 '연구개발 특구' 내 설립된 기업은 2017년 520개에서 2020년 1,108개로 크게 늘었다. 매출액과 고용은 2017년 4,739억 원, 2,542명에서 2019년 7,394억 원, 3,910명으로 50% 이상 늘어 지역 경제 활성화에도 보탬이 되고 있다.

현재 대한민국은 투자 규모 면에서 명실상부 R&D 선도 국가이다. 2017년 1조 2,600억 원이던 기초 연구 예산은 꾸준히 늘어 2021년 2조 3,500억 원이 됐다. 2022년에는 목표 규모인 2조 5,200억 원에 이를 전망이다. 국가 연구개발 투자액은 2020년 기준 세계 5위 수준(93조 717억 원)이며, GDP 대비 R&D 투자 비율은 세계 2위이다. 2021년 스위스 국제경영개발연구원(IMD)은 대한민국을 과학 기술 인프라 세계 경쟁력 2위로 평가했다. 이는 2017년 8위보다 6계단이나 뛰어오른 결과였다.

■ **2020년 주요국 총 연구개발비 및 GDP 대비 연구개발비 비중 비교**

	미국	중국	일본	독일	한국	프랑스	영국	이스라엘
연구개발비 (백만 달러)	657,459	320,532	164,709	123,171	78,856	59,933	49,707	19,474
GDP 대비 연구개발 비중(%)	3.07	2.23	3.20	3.19	4.81	2.20	1.76	4.93

GDP 대비 연구개발비 비중 1위 이스라엘 4.93%, 2위 한국 4.81%, 3위 스웨덴 3.39%였음
(자료: 과학기술정보통신부, 2021. 12.).

역대 정부 최초 '혁신 조달' 도입

'혁신 조달'을 도입해 혁신의 선순환을 끌어냈다. 그동안은 '납품 실적'이 공공 기관이 조달 시장에서 구매할 물품을 정할 때 가장 중요한 기준이었다. 검증된 제품을 구매해야 안전하다는 인식 때문이었다. 그러나 이러한 구조에선 질 좋은 혁신 제품이 개발되어도 실적의 벽에 막히기 일쑤였다. 시장을 찾지 못한 혁신 제품은 사라지고, 기업이 더는 성장하지 못하는 악순환이 반복되어온 이유이다.

혁신성과 기술력이 인정되면 공공 기관이 적극적으로 구매할 수 있도록 했다. 신속 통로 제도(패스트트랙)를 도입, 2020년까지 345개의 혁신 제품을 지정했다. 공공 부문 물품 구매액의 1%를 혁신 제품에 할당하는 '혁신 구매 목표제'를 도입하고 기관 평가 지표에도 반영했다. 혁신성 평가 기준을 통과한 제품을 구매했다가 예상치 못한 손실이 발생하더라도 조달 시점에 고의·중과실이 없었다면 징계를 면책해주는 제도도 도입했다.

적극 행정을 유도한 결과 2020년 혁신 구매 실적은 4,690억 원으로 목표치 4,173억 원을 크게 초과 달성했다. 혁신 기업들이 146조

2018 대한민국 혁신 성장 보고 대회에 참석해 신기술에 대한 설명을 듣는 문재인 대통령 (2018. 5. 17.)

원 규모(2020년)로 증가한 공공 조달 시장에서 실적을 쌓고, 그 발판으로 다른 신제품을 내놓는 선순환 고리가 만들어졌다. 2021년 3월 OECD가 '공공 부문 혁신 사례'로 우리나라의 혁신 조달을 선정한 이유이다.

혁신의 공식, 선도의 길

요행은 유통 기간이 짧다. 특히 대전환의 시대를 선도하는 혁신은 번뜩이는 몇 가지 아이디어로 뚝딱 만들어지지 않았다. 당장은 빛을 내지 못하더라도 지금 반드시 해야 할 일이 대부분이었고, 기대와 비관이 뒤섞인 수많은 도전과 인내가 필요했다.

선도형 경제로의 대전환이 문재인정부에게 무엇보다 값진 성과인 이유는 그 소리 없는 분초가 모여 오늘의 결과를 만들어냈기 때문이다. 우리 스스로도 생경했던 내적 역량을 확인하고, 침착하게 길을 찾아낸 승리의 경험이야말로 선도형 경제 국가로 날아오를 대한민국이 지닌 가장 강력한 무기가 될 것이다.

interview

"뭐든지 할 수 있겠다는 자신감을 얻었습니다"

고정환(한국항공우주연구원 한국형발사체 개발사업본부 본부장)

2021년은 대한민국 우주 개발 역사에 길이 남을 한 해로 기록된다. 한미 정상 회담을 통해 한미 미사일 지침의 완전한 종료를 끌어낸 데 이어, 달 탐사 추진 협력체인 '아르테미스 약정'에 추가 서명함으로써 국제 달 기지 건설에 이바지할 가능성도 커졌다.

외교적 노력과 함께 우리의 과학 기술은 '우주 강국 대한민국'의 문을 열어냈다. 75톤 이상의 중대형 액체 로켓 엔진을 세계에서 7번째로 독자 개발해 발사체 핵심 기술도 확보했다. 2018년 12월과 2020년 2월에는 정지 궤도 위성인 천리안 2A·2B호 발사에도 각각 성공했다. 특히 천리안 2B호는 세계 최초의 미세 먼지 관측 정지 궤도 위성으로, 관측 자료를 국내는 물론 아시아 13개국에도 제공하고 있다.

2015년부터 개발사업본부장을 맡아 8년째 누리호 개발을 이끌고 있는 고정환 본부장을 만났다. 수십 년간 연구실을 떠나지 않았던 과학자의 목소리에는 단단한 자신감이 흘렀다. 러시아 연구진이 두고 간 서류를 뒤져가며 부품 개발한 과정을 설명할 때는 집념의 땀내가 묻어났다.

제2발사대에 기립되는 누리호와 누리호 발사 장면

우주 개발은 '실패'가 아닌 '과정'…"아직 끝나지 않았다"

누리호의 1차 발사는 최종 목표에 도달하지 못했기 때문에 '미완의 성공'으로 남아 있습니다. 개발자로서는 어떤 평가를 내리십니까?

저는 1차 발사가 실패냐 성공이냐는 큰 의미가 없다고 보는 게, 아직도 이 발사체는 개발 중입니다. 두 번의 발사를 통해서 우리가 잘한 부분, 부족한 부분, 고쳐야 하는 부분을 배워나가는 거죠. 지금까지 오면서 실패한 게 한두 번이 아니거든요. 만들어서 시험했는데 터지고, 엔진이 폭발한 적도 있어요. 그걸 우리는 실패라고 안 그래요. '이렇게 하면 안 되는구나' 하는 것을 배우는 거죠.

지금도 우린 배워가는 과정입니다. 2022년 2차 발사엔 최선을 다해서 완성시키고 싶지만, 또 뭐가 안 좋을 수도 있겠죠. 워낙 비행하는 환경이 까다롭고 시스템 자체도 복잡하기 때문에 그 과정에 있는 것이지 아직은 성공이냐 실패냐를 말할 때는 아니라고 생각합니다. 1차 발사에 우리가 모든 것을 다 보여줬으면 좋았겠지만 '아쉽게도 다음 기회로 넘기게 됐다, 아직도 진행 중이다'라고 말씀드리겠습니다.

누리호는 모든 과정이 도전의 연속이었습니다. 지난 시간을 돌아보면 소회가 어떻습니까?

굉장히 긴 길을 가고 있는데요. 아직 갈 길이 조금 더 남아 있는 거죠. 그렇다고 빛이 안 보였던 건 아닙니다. 처음에는 터널 안에서 '이게 언제 끝나나' 싶었는데 지금은 지나온 것 같고요. 2021년 10월에 첫 발사는 했지만 사업이 2022년 10월까지이니 아직 완전하게 끝난 건 아닙니다.

부품과 소재는 모두 직접 개발한 완전히 독자적인 우리 기술입니다. 개발 과정이 어땠는지 궁금합니다.

2015년에 본부장 맡고, 다음 해까지 힘들었던 것 같아요. 처음에 제가 맡았을 때 2015년까지도 엔진 개발에 어려움이 있었습니다. 문제가 해결돼야 발사를 생각해볼 수도 있는데 2016년 2월부터 조금씩 큰 문제들이 해결됐죠. 아무래도 국내에서 개발하다 보니까 그 과정에서 문제가 생기면 우리 손으로 해결할 수밖에 없었습니다.

어디 가서 물어볼 수도 없고, 어디서 사 올 수도 없으니까요. 문제를 해결하려고 하면 온갖 지식을 다 동원해서 이렇게도 해보고 저렇게도 해보고 시행착오를 겪었던 거죠. 그렇게 되면 시간이 가고 돈이 들어가고, 결국은 발사 연기로 이어지고, 발사가 연기되면 여론의 질타를 받게 되거든요. 억울한 것은 예를 들어 외국의 경우, 부품을 수입해서 쓰다가 그 외국 회사가 문제가 생겨 일정이 지연되면 아무도 뭐라고 안 그래요. 그런데 우리는 우리가 개발한다고 고생고생하고 있는데, 그 과정에서 문제가 생기면 비난을 받죠. 어디다 하소연할 수도 없

한국항공우주연구원 연구원들

으니 억울한 점이 있었습니다. (웃음)

성공률 낮을 거라 예상했지만…누리호 발사는 '90점'

> 누리호는 목표 고도인 700km까지 올라갔지만 마지막에 위성 모사체를 궤도에 올리지는 못했습니다. 그런데 전 세계적으로도 로켓의 첫 발사 성공률은 30%에 불과하다고 해요. 이미 대단한 성과 아닌가요?

솔직히 30%도 안 될 수 있다고 생각했어요. 당일에 지켜보면서 목표 고도에 가까이 가면서는 50%는 할 수 있지 않겠나, 왜냐하면 100%는 절대 될 수가 없는 게 시험을 대부분 지상에서 했거든요. 지상에서는 현실적으로 할 수 없는 시험들이 많습니다. 반드시 비행을 해봐야만 아는 거죠. 발사체라는 게 까다로워서 부품이 100가지 들어가면 그중 한 가지만 잘못돼도 실패할 수 있거든요. 더구나 처음 해보니 자신할 수도 없는 거죠. 그래서 외국의 첫 발사 성공률보다 낮을 거란 생각을 가졌어요. 개인적으로 점수를 매기면 90점 이상은 줄 수 있을 거 같습니다. 다음번 발사 때 최대한 잘해서 100%로 올려야죠.

러시아 로켓팀이 버리고 간 자료 뒤지며 '부품 37만 개' 국산화
러시아 연구진 "누리호 발사 굉장히 놀랍다, 잘했다"

> 부품을 국산화하는 과정에서 나로호 개발 당시 러시아 엔지니어가 흘리고 간 종이를 주워서 연구했다는데, 사실인가요?

(러시아 연구진이) 흘리고 간 자료를 뒤져보면서 연구했습니다. 로켓처럼 민감한 연구는 워낙 보안이 철저하거든요. 나로호 개발을 왜 했느냐 말씀하시는 분들도 계신데, 나로호를 통해 처음으로 발사체 개발을 해본 거죠. 그러면서 나로우주센터도 구축했고요. 공식적인 기술 이전은 없었지만 러시아 사람들과 같이 일하면서 어깨너머로 본 것도 있었죠. 서로 언어는 다르지만 통하는 게 있더라고요. 나로호 사업을 안 했으면 누리호 사업을 시작하기도 쉽지 않았을 겁니다. 러시아에서 누리호 발사를 보고 "굉장히 놀랍다, 잘했다"라며 연락이 왔어요. 인터넷으로 생중계를 봤다고 하더라고요. 프랑스에서도 실황중계를 봤다며 "첫 발사에 그 정도면 굉장히 대단하다"는 격려를 해왔습니다.

> 누리호에 들어간 부품이 무려 37만 개인데 이걸 전부 우리 기업들이 만들었다면서요?

이건 일일이 개수를 셌어요. 물론 빠뜨린 것도 몇 개 있을 수가 있어서 (웃음) 37만 개보다 조금 더 될 것 같기는 한데요. 일차적으로 직접 계약한 기업은 30~40군데 정도 되고요. 그 기업들의 2차·3차 협력 업체들까지 포함하면 300개 정도가 참여한 거죠. 우리나라 기업들이 수준이 높습니다. 결국 그 기술이 국내에 다 남는 거잖아요. 그게 중요한 부분인 것 같습니다.

물론 부품이 100% 국산은 아니고 어쩔 수 없이 사 온 부분도 있습니다. 이건 핵심적인 부분이라기보다는 굳이 우리나라에서 개발을 안 해도 되는 혹은 국내에서 도저히 생산이 안 되는, 예를 들어 전자 소자 같은 건 외국에서 수입하는 것들이 많이 있습니다. 그럼에도 국산화율을 따지면 우리 사업비의 90%를 국내 기업에 지급했습니다. 나머지 10% 정도는 연구소의 인건비로 들어간 거고요.

한 사람이 네 사람, 다섯 사람 몫…
'뭐든지 할 수 있다는 자신감 얻었다'

> 10년간 누리호 개발에 2조 원에 가까운 예산이 투입됐습니다. 사업비 전체나 인력 규모로 다른 나라와 비교하면 어떤 수준인가요?

정확히는 1조 9,570억 원인데요. (웃음) 2조 원이라는 돈이 굉장히 큰 돈이지만 2조를 들여서 실제 비행할 기체는 3개를 만들어야 하니까요. 2조 나누기 3 하면 하나당 개발 비용이 나오는 거죠. 결국 연구원들이 몸으로 때웠습니다. 예를 들어 어떤 연구원은 밸브를 기업에 맡겨서 조립하는 비용이 아깝다고 직접 조립했어요. 정말 열정적으로 했습니다. 이렇게 한국 연구원들이 한 사람당 네 사람, 다섯 사람 몫을 해내니까 러시아 연구진들이 왔을 때 많이 놀라더라고요.

엔진을 만들려면 시험을 해야 하는데 시험할 설비도 없고 제작할 수 있는 설비도 없다 보니 시험 설비 구축에 5,000억 원 정도 들어갔습니다. 참여한 기업들 대부분은 중소기업이에요. 대기업은 한화, 한국항공우주산업, 현대로템, 현대중공업 정도밖에 없었습니다. 중소기업은 연구개발 인력이 부족하니 저희 연구원들이 부족한 부분을 메웠고요. 이걸 활용해서 앞으로 뭐든지 할 수 있겠다는 자신감을 얻었습니다.

"이번 정부 들어 예산 걱정은 거의 안 해"

> 한정된 예산으로 국민과 약속한 일정을 지키기가 쉽지 않았을 것 같아요.

제가 해야 했던 일 중에 제일 중요했던 게 매해 내년도 예산을 확보하러 다니는 거였어요. 이 사업비는 원래 정해져 있거든요. 그래서 연도별로 얼마가 필요하다는 계획이 있어도 그 예산을 받기 위해서는 1년 내내 돌아다녀야 하는 거예요. 그 과정에서 우리나라 예산 시스템이 어떻다는 것을 알게 된 거죠. 무조건 깎으려 하더라고요. (웃음) 사업 일정이 있는데 지연되거나 발사가 연기되면 왜 그 돈이 필요하냐, 늘 그런 식이었어요. 그러다가 문재인정부 들어서는 그래도 걱정은 거의 하지 않았어요. 내년(2022년) 예산도 우리가 필요한 만큼 배정해주셔서 지금까지 왔습니다.

걱정은, 누리호 사업이 끝나기 전에 그다음 사업이 시작되어야 하거든요. 공백기가 생기면 업무가 이어지기 힘들고. 특히 기업들의 경

누리호 관제실

우는 생산이 계속 가야 전문 인력을 유지할 수 있는데, 사업이 끊기면 그 인력을 다른 데로 돌려야만 해요. 그런 일이 과거에 실제로 있었고요. 이런 부분들이 개선되려면 '우주청' 같은 별도 기구가 있어서 개별 사업 위주가 아니라 전체적으로 우주 프로그램을 만들고 지속적으로 갈 수 있으면 좋겠습니다.

나로호 발사 때 꿈 키운 연구원이 누리호 개발에 참여
나로호 우주센터 곳곳에 '태극기'…"자긍심 느낀다"

> 나로우주센터에서 '누리호'의 발사를 지켜본 어린이들이 화제가 되었습니다. 이 아이들이 20~30년 뒤 한국의 우주 개발 사업 미래를 이끌고 갈 주역이 될 수도 있는데요. 그날 아이들을 보면서 어떤 생각이 드셨나요?

실제로 2~3년 전에 들어온 연구원이 있는데요. 나로호 때 발사하는 것을 보고 꿈을 키웠다고 하더라고요. 그 연구원이 이번에 운영실에 앉아서 누리호 발사 운영을 했는데 너무 감격스럽다고 했습니다.

로켓 발사는 화면으로 보는 것과 직접 현장에서 보는 느낌이 굉장히 다릅니다. TV에서 보면 그냥 올라가는 것만 보이지만, 현장은 소리와 진동이 느껴지면서 내 몸이 떨리는 느낌이 굉장하거든요. 저희도 그러는데 어린아이들이 그걸 보면 많은 생각을 하게 되지 않을까 싶어요. 이 사업은 1년에 2,000억 원 세금이 들어간다고 보시면 됩니다. 2,000억 원을 5,000만 인구로 나누면 4,000원 정도입니다. 나로우주센터 가보시면 보이는 곳마다 태극기가 걸려 있는데요, 비교적 크지 않은 재정으로 큰 자긍심을 느끼게 되는 거죠.

"우리가 조금 더 하면…"

▌ 마지막으로 응원을 보내고 있는 국민께 한 말씀 부탁드립니다.

어느 날 발사 준비를 하고 걸어가는데 발사대 위쪽에 달이 떠 있더라고요. '저기에서 발사해서 달에 갈 수 있으면 굉장히 재밌겠다.' 사실 옛날에는 그런 생각을 해본 적이 없어요. '그냥 이번 발사 빨리 잘 끝내야지' 그런 생각뿐이었는데, 이번에는 '우리가 조금 더 하면 이런 것도 가능하겠구나' 싶더라고요.

발사체 개발이 시간도 많이 걸리고 결과도 금방 안 나오니 답답하신 국민도 계시겠지만, 그럼에도 많은 국민께서 지지해주고 계신다는 점을 잘 알고 있습니다. 2차 발사도 잘 준비해서 꼭 대한민국 발사체를 완성하도록 하겠습니다.

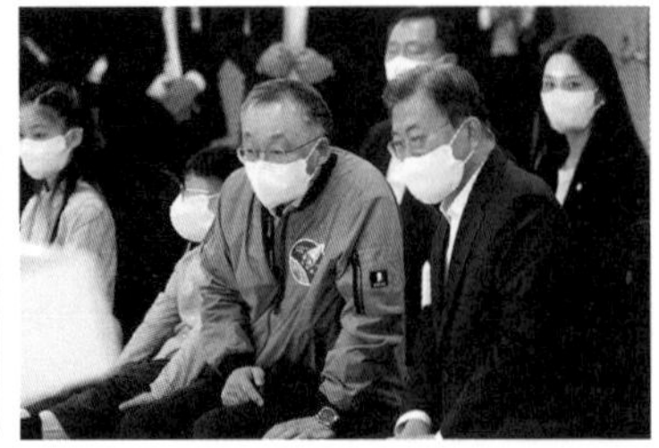

누리종합연구소를 찾은 문재인 대통령(2021. 3. 25.)

인터뷰는 저녁 늦게 진행됐다. 대전 항공우주연구원 건물 곳곳마다 불 켜진 사무실이 눈에 띄었다. 러시아 연구진이 두고 간 카탈로그를 참고하던 나라에서, 75톤 이상 중대형 액체 로켓 엔진을 세계 7번째로 독자 개발한 나라가 되기까지. 누리호가 발사되고 미완의 성공으로 판명되는 그 짧은 찰나 안에 얼마나 많은 이들의 노력과 헌신이 담겨 있었을까? 국민 누구도 누리호의 도전을 실패라고 말하지 않았다. 2021년 10월 21일 하늘로 힘차게 오른 누리호는 우주 강국 국민의 자부심이자, 앞으로 미지의 세계를 유영할 어린이들의 담대한 꿈이 되었다. '나로호'를 보았던 어린이가 '누리호'의 일원이 되었듯, 우주를 향한 대한민국의 도전은 오늘 우리가 도달한 곳에서 더 멀리 더 높이 날아오를 것이다.

"국민 여러분, 우주 발사체 기술은 국가 과학 기술력의 총 집결체입니다. 기초 과학부터 전기·전자, 기계·화학, 신소재까지 다양한 분야의 역량이 뒷받침되어야 합니다. 1톤 이상의 위성을 자력으로 쏘아 올릴 수 있는 나라가 아직 여섯 나라에 불과합니다.
먼저 개발한 나라들이 철통같이 지키고 있는 기술이기에 후발 국가들이 확보하기가 매우 어려운 기술입니다. 그러나 우리는 해냈습니다. 누구의 도움도 받지 않고 초정밀·고난도의 우주 발사체 기술을 우리

힘으로 개발해냈습니다.

우리도 할 수 있습니다. 늦게 시작했지만 오늘 중요한 성과를 이뤄냈습니다. 우주를 향한 꿈을 한층 더 키워나간다면 머지않아 우주 강국들과 어깨를 나란히 하게 될 것입니다. 오늘의 성공을 다시 한번 축하합니다. '누리호'와 함께 드넓은 우주, 새로운 미래를 향해 더 힘차게 전진합시다."

문재인 대통령(누리호 발사 직후, 2021. 10. 21.)

혁신하는 수출 강국

기록 경신의 연속이었다. 미중 무역 분쟁, 일본의 수출 규제, 그리고 코로나19 위기 속에 거둔 값진 성과였다. 사상 최단기간 무역 1조 달러, 사상 최대 수출 규모(6,445억 달러), 사상 최대 무역 규모(1조 2,596억 달러)로 무역 '트리플 크라운' 달성. 조선 분야는 사상 최대 수주량을 기록했고, 석유화학 분야는 첫 500억 달러를 돌파했다. 문화 콘텐츠 수출이 3년 연속 100억 달러를 넘었다. 농수산식품 수출은 113억 달러로 50년 기록 작성 이래 최고치를 기록했다. 화장품 수출액도 연간 90억 달러를 돌파했으며, 2021년에는 전년 대비 21.5% 증가하면서 2018년 이후 3년 만에 20%대 높은 성장률을 나타냈다. 전 세계 무역 규모 순위는 9년 만에 세계 8위로 올라섰다.

특히 2021년은 대한민국 66년 무역 발자취에 새로운 한 획을 긋는 한 해였다. 2021년 11~12월에는 월별 수출이 600억 달러대에 최초로 진입하기도 했다. 2013년 월별 수출 500억 달러를 돌파한 이래 8년여 만의 성과였다. 월간 수출액이 600억 달러를 넘어선 경험이 있는 나라

■ 대한민국 66년 무역의 발자취

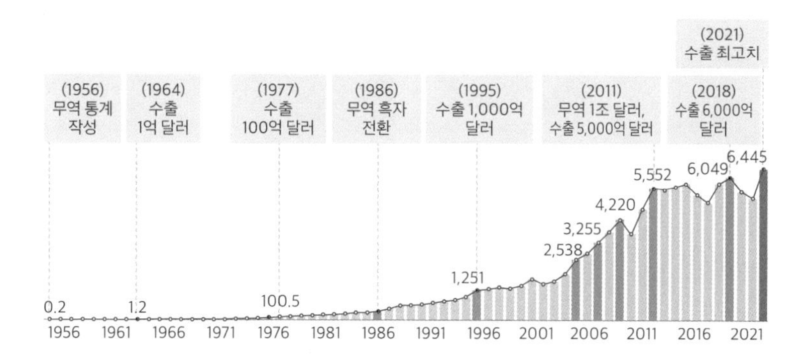

는 중국, 미국, 독일, 네덜란드, 일본, 프랑스로 전 세계 7개 국가에 불과했다.

어느 한 산업의 성과만으로 달성한 기록이 아니었다. 반도체·자동차·석유화학을 비롯한 주력 산업 수출이 든든하게 받쳐주는 가운데 바이오·2차 전지·시스템 반도체·OLED 등 신산업 품목과 농수산식품·화장품 등 유망 품목이 매년 고성장을 거듭했다. 대·중소기업 상생 협력의 결과, 중소기업 수출액도 최고치를 기록했다.

'역대 최고' 성과는 하루아침에 이루어지지 않았다. 전대미문의 위기 속에도 정부와 기업은 피나는 혁신을 거듭했다. 치열한 글로벌 경쟁은 단 한 순간의 방심도 허용하지 않았다. 세계적 대전환의 파도 속에 끊임없는 변화와 개척만이 살길이었다.

'제조업 르네상스 전략' 선포

제조업은 '한강의 기적'을 일군 주요 엔진이었다. 2019년 기준 국내

제54회 무역의 날(2017. 12. 5.)

총생산(GDP)의 약 28%, 수출의 약 84%, 설비 투자의 약 53%, 전체 고용의 17% 안팎을 담당하고 있었다. 고용의 질도 상대적으로 좋아 정규직 비중이 84.7%(2020년 8월 기준)로 전체 산업 평균(63.7%)보다 높고, 월 급여도 전체 평균보다 12% 많았다.

코로나19 위기에서 우리 경제가 상대적으로 선방한 것은 제조업이 든든히 버티고 있었기 때문이었다. 서비스업 중심 국가들은 봉쇄 조치로 큰 부진을 겪었지만, 우리나라는 제조업이 위기를 막는 방파제 역할을 했다. 2020년 유엔산업개발기구(UNIDO)가 발표한 글로벌 제조업 경쟁력 순위에서 우리나라는 독일, 중국에 이어 3위에 오르는 기염을 토하기도 했다.

우리 경제의 강점이자 자산이 더욱 성장하도록 하는 일은 정부의 당연한 책무였다. 정부는 2019년 6월 제조업 전반을 지원할 '제조업 르네상스 비전 및 전략'을 발표하고, 업종별 세부 대책(조선, 자동차 부품, 섬유·패션)과 기능별 대책(스마트 그린 산업 단지, 디지털 혁신, 산업 연대·협력, 기업 활력법 연장 등)을 마련했다.

코로나19 위기 속에 제조업 기반을 지키기 위해 8차례의 비상 경제 회의 등을 통해 310조 원 규모의 범정부 재정·금융도 지원했다. 또 개별 소비세 인하·공공 수요 창출 등 업종별 맞춤형 지원책과 기

■ 주요국 2020년 경제 성장률 및 제조업 비중

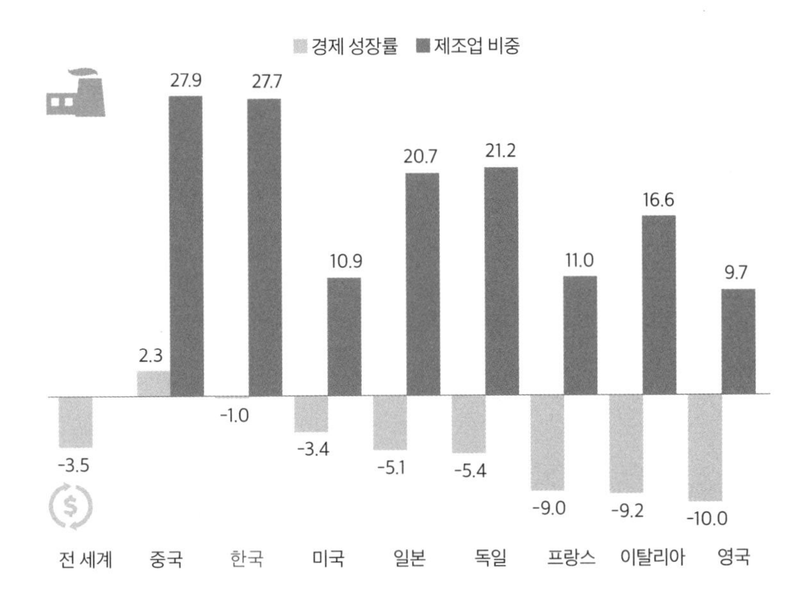

제조업은 한국 경제 성장의 엔진으로, 코로나19 상황에 경제 위기를 막는 방파제 역할을 했다 (자료: World Economic Outlook update, IMF, 2021. 1.; National Accounts Database, UN, 2020. 12.).

업인·물류 이동 원활화 등 적극적인 경제 회복 정책에 나섰다. 특히 중소·중견기업에 대한 무역 금융 지원 금액은 2018년 51.9조 원에서 2021년 66.5조 원으로 증가했고, 지원 기업 수도 2018년 1.7만 개사에서 2021년 3.1만 개사로 증가해 1992년 무역 금융 지원 이래 최대치를 경신했다.

BIG3(미래 차, 시스템 반도체, 바이오 헬스)가 포함된 유망 분야를 '미래 성장 동력 신산업'으로 규정하고, 2018년도부터 이들 산업에 대한 특별 지원 지침을 통해 무역 보험 한도를 우대해 수출 기업들이 안심하고 적극적으로 시장을 개척할 수 있도록 뒷받침했다. 신산업 분야에 대한 무역 보험 지원 실적은 해마다 증가해 2017년 10.3조 원이었던 지원 실적이 2021년에 19.8조 원까지 상승했고, 이는 4년 전보다 2배 가까이 증가한 수치였다.

위기에도 날았다, 반도체와 자동차

핵심 주력 산업은 위기 속에서도 세계를 주도했다. 정부는 우리 반도체 업계의 초격차를 더욱 확대할 수 있도록 2019년 4월 '시스템 반도체 비전과 전략', 2020년 10월에는 '인공지능 반도체 산업 발전 전략', 그리고 2021년 5월에는 'K-반도체 전략' 정책을 발표하며 반도체 산업 경쟁력 강화를 위한 대대적인 정책 집행에 나섰다.

그 결과 반도체 수출 규모는 2016년 600억 달러대에서 2018년에 처음 1,000억 달러를 돌파했고, 글로벌 교역이 위축된 2020년에도 1,000억 달러에 가까운 수출 실적을 냈다. 2021년에는 1,280억 달러를 기록하며 사상 최대의 호황을 기록했다. 특히 신산업 품목인 시스템 반도체는 2020년과 2021년 각각 17.8%, 31.3%의 높은 성장률을 기

자동차 생산 순위

	2019	2020
1위	중국	중국
2위	미국	미국
3위	일본	일본
4위	독일	독일
5위	인도	한국
6위	멕시코	
7위	한국	

친환경차 수출 현장에 방문한 문재인 대통령(2020. 1. 3.)

록했고, 반도체 내 시스템 반도체 비중은 2020년부터 2년 연속 30%대를 달성해 우리 산업의 속도감 있는 구조 전환에 크게 기여하고 있다.

자동차 산업은 2020년에 글로벌 생산량 5강 국가로 도약했다. 특히 개별 소비세 인하(30~70%) 등 내수 활성화 정책, 업계의 다양한 신차 출시에 힘입어 미국·일본 등 주요 자동차 생산국 중 2020년 유일하게 내수가 증가했다. 2021년 자동차 수출은 464.7억 달러로 2014년(484억 달러) 이후 최고 실적을 달성하며 코로나19 이전 수준(2019년 430.4억 달러)을 넘어섰다. 특히 2021년에는 친환경 차 내수와 수출이 모두 역대 최고치를 기록했다. 전체 자동차 수출액 중 친환경 차 비중은 25.1%에 달했다.

집념의 대반전극, 조선·해운 재건

2017년 2월, 한진해운의 파산은 모두의 충격이었다. 세계 5위권이었던 상선대 보유 순위는 10위권 밖으로 밀려났고 매출액이 10조 원 이상 감소했다. 국가 기간 산업으로서 우리 경제를 지탱하던 해운 산업이 무너지고 있었다.

정부는 2018년 4월 해운 산업 경쟁력 확보를 목표로 '해운 재건 5개년 계획'을 수립했다. 기존의 정책 지원과는 완전히 차별화된 방식으로, 조선 산업 단독으로 극복이 어려운 불황기를 맞아 전방에서 해운과 방산이 조선을 이끌고, 후방에서는 철강이 미는 윈윈 전략이었다. 해운과 조선을 동시에 재건하는 계획이었다.

정부는 2018년 7월 한국해양진흥공사를 설립하며 본격적인 착수에 들어갔다. 한국해양진흥공사를 통해 국적 선사의 선박 발주에 정책 자금을 지원한 결과 2018년부터 2021년 12월까지 국내 선사 발주 총 277척(202억 달러)의 선박 중 215척을 국내 조선소에 맡겼다. 코로나19 확산에 대응하여 중소 선사의 안정적인 경영을 위해 2020년 총 4차례에 걸쳐 1조 7,000억 원 규모의 금융지원도 진행했다.

과감한 신조 확대로 초대형 컨테이너선 32척을 국내 발주했다. 정부 지원이 성급하다는 우려도 있었지만 과감한 정책 판단이 필요한 때였다. 해운·조선 산업은 우리 경제의 한 축이자 전시에는 육해공군에 이어 4군의 역할도 하는 안보상 중요한 국가 기간 산업이었다. 과감히 발주한 32척 중 20척은 2021년 6월까지 인도가 완료되어 컨테이너선이 부족한 수출입 물류 현장을 누비고 있다. 나머지 12척은 2024년 6월 인도가 완료될 예정이다.

경쟁력 강화와 구조 조정의 노력도 게을리하지 않았다. 해양진흥

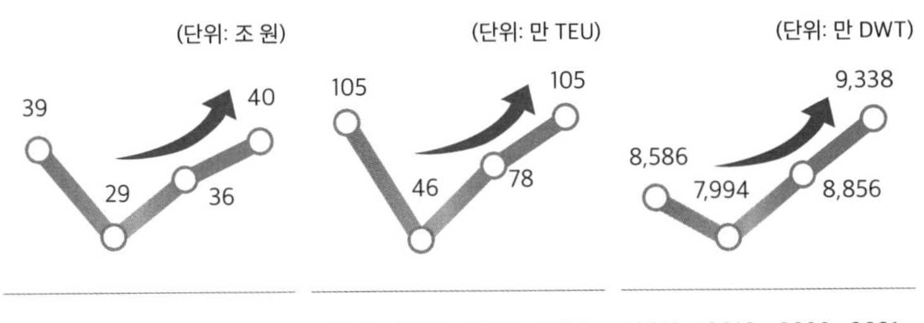

공사는 설립 이후 총 96개 해운 기업에 약 6조 9,000억 원을 지원했고, 기업들은 원가 구조 개선과 경영 효율화로 조응했다. 2019년 7월 국적 선사 HMM은 세계 3대 해운 얼라이언스 중 하나인 '디 얼라이언스'에 가입했고 2020년 10년 만에 흑자로 전환했다. 2021년에도 매 분기 최대 실적을 기록하며 경영 정상화를 차질 없이 이행하고 있다.

조선 산업의 친환경·스마트화에도 집중했다. 환경 규제 강화와 디지털 전환의 세계적 흐름에 맞춰 2020년 1월 '친환경 선박법'을 시행하고, 12월에는 '1차 친환경 선박 기술 개발 및 보급 기본 계획'을 수립했다. 아울러 자율 운항 선박 기술 개발을 위한 예산 1,603억 원을 확보했다. LNG 운반선 핵심 기술의 국산화를 위해 한국형 LNG 화물창 개발과 고도화도 지원 중이다. 2021년 9월에는 고부가·친환경 선박을 중심으로 한 조선 시황 회복이라는 절호의 기회를 맞아, 그간의 성과를 바탕으로 세계 1위 조선 강국 실현을 위한 'K-조선 재도약 전략'을 수립했다.

그 결과 2021년 고부가가치 선박은 세계 발주의 65%, 친환경 선박은 64%를 수주했고, 특히 대형 LNG 운반선은 세계 발주의 89%를 수주하는 압도적인 경쟁력을 입증했다.

해운 산업 매출액은 한진해운 사태 이후 29조 원에서 2020년 36조

초대형 컨테이너선 '알헤시라스호' 명명식(2020. 4. 23.)

원으로, 원양 컨테이너 선복량은 46만 TEU에서 2021년 105만 TEU로 크게 상승했다. 2021년에는 총 404척, 1,744만 CGT를 수주하며 세계 2위, 점유율 37%를 기록했다. 이는 2013년 이후 8년 만의 최대 실적으로 수주액은 439억 달러에 달했다.

2차 전지, 바이오 헬스 등 유망 신산업의 급부상

코로나19 확산 등 예기치 못한 상황 속에서도 우리나라 바이오 헬스·2차 전지 등 신산업은 매년 성장을 거듭했다. 이러한 신산업의 성장은 코로나19라는 거친 풍랑 속에서도 우리 수출이 2021년 역대 최고의 실적을 기록하는 원동력이 되었다.

우리 바이오 산업은 다른 국가에 비해 규모는 크지 않았지만 세계 최고 수준의 ICT 인프라와 체계적인 병원 시스템 등을 갖추고 있어 성장 잠재력은 상당히 높은 상황이었다. 특히 K-방역에 대한 전 세계적 찬사가 이어지면서, 코로나19가 우리 바이오 산업의 잠재력을 발현하는 계기가 되었다. 코로나19 확산으로 대부분 품목의 수출이 감소했던 2020년에만도 진단 키트 수출을 중심으로 56%라는 높은 성

바이오 헬스 국가 비전 선포식(2019. 5. 22.)

장률을 보이며 최초로 100억 달러를 돌파했으며, 섬유·컴퓨터를 제치고 최초로 10대 품목에 안착했다. 다음 해인 2021년에는 162억 달러 수출을 달성하며 다시금 1위 실적을 경신했다.

글로벌 2차 전지 시장은 주요국의 친환경 정책으로 친환경 차와 재생 에너지 보급이 확대되고 있는 최근 들어 더욱 확대되는 추세다. 우리의 2차 전지 수출 역시 코로나19 확산으로 대부분의 품목 수출이 감소했던 2020년, 바이오 헬스·컴퓨터 등과 함께 꿋꿋한 성장세를 이어갔다. 2021년에는 전기차 시장 확대에 힘입어 전년 대비 15.5% 증가한 86.7억 달러 규모의 수출을 기록하며 기존 최고 실적을 다시금 경신했다.

바이오 헬스 수출 실적

(단위: 억 달러)

2016	2017	2018	2019	2020	2021
45	75	84	89	139	162

2차 전지 수출 실적

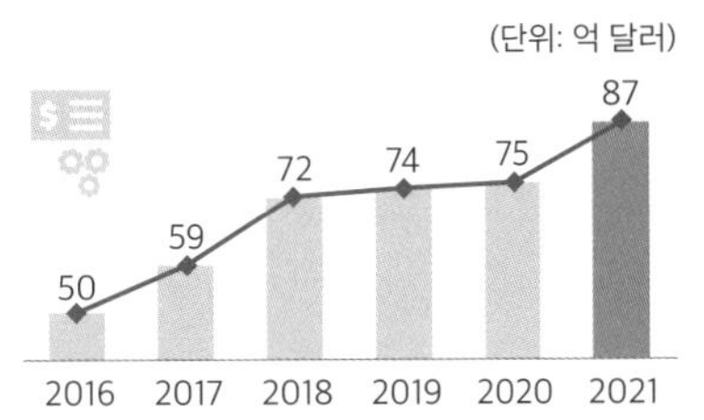

사상 최대 K-푸드 수출

농수산식품 수출은 정부의 적극적인 수출 지원 정책과 함께 2017년 91억 달러에서 2021년 113.5억 달러로 급증했다. 통계 작성을 시작한 1971년 이래 최고 기록이었다. 특히 2021년에는 국제적 물류대란, 코로나19 확산 등에도 불구하고 신선 농산물과 가공식품 모두 고른 상승세를 보였다.

정부는 2017년 출범 이후 '수출 적합성, 고유의 차별성, 안정적 공급 능력, 농가 소득 기여도'를 매년 종합적으로 평가하여, 샤인머스캣·쌀 스낵·곤충 식품·HMR 죽·식물성 대체육·펫 푸드·기능성 식품 원료 등 44개의 유망 품목이 본격 수출될 수 있도록 '미래클 품목'으로 육성·지원을 추진 중이다.

특히 2017년 베이징 식품 박람회 이래 공전의 인기를 기록한 샤인머스캣은 2021년 포도 수출 3,860만 달러의 주역이 되었고, '저온 유통 체계 구축 시범 사업' 추진을 통해 저장 기간을 2개월 늘려 최대 30% 이상의 높은 단가로 수출할 수 있게 되었다.

2019년 12월에는 합동 혁신 성장 전략 회의를 통해 5대 유망 식품 육성을 통한 식품 산업 활력 제고 대책을 발표했고, 그중 하나인 밀키트 등 간편 식품은 코로나19로 인한 가정식 수요 증가, 한식을 소재로 한 한류 콘텐츠 노출 등에 힘입어 대폭 성장했다.

수출 다변화와 해외 마케팅에도 적극적으로 나섰다. 중국, 신남방 지역 등 한국 농식품 수요가 높은 지역을 중심으로 온라인 한국 식품관 개설을 추진했다. 중화권은 2020년도 말에 개설된 티몰 한국 식품관을 고도화하여 대대적인 홍보 마케팅에 나섰고, 대만 지역 최대 온라인 몰인 'MOMO'에도 온라인 한국관을 개설했다. 성장세가 높은

K-푸드를 일본에 알리고 있는 Qoo10 한국관 페이지 모습

신남방 지역 공략을 위해 동남아 최대 온라인 플랫폼인 쇼피(Shopee)와 협력하여 3개국(싱가포르, 말레이시아, 필리핀)에도 진출했다.

수산 식품의 경우, '수출 유망 상품' 사업을 통해 차세대 수산물 수출 품목을 지속해서 발굴했다. 2020년 18개사가 참여한 '수산 식품 수출 유망 상품' 사업은 수출 실적 470만 달러를 달성하며 3년 전 대비 730%의 증가율로 비약적인 성장을 이뤄냈다.

수산 식품 역시 적극적인 온라인 시장 확보에 나섰다. 2021년 7월부터 중국 알리바바 그룹이 운영하는 이커머스 플랫폼 1위 '타오바오'를 시작으로, 미국 '아마존'과 최대 한인 마트인 H-mart의 온라인 쇼핑몰 H-Fresh, 동남아 지역은 대형 온라인 몰인 '쇼피'에 K-씨푸드관을 개설하여 우리나라 수산 식품 기업이 생산한 224개 상품을 판매하고 있다.

2021년 우리나라 수산 식품 수출액은 28억 2,000만 달러로 역대 최고 실적을 달성했다. 이는 지난해 대비 22.4% 증가한 수치로 역대 최고 실적이었던 2019년 연간 실적 25억 1,000만 달러를 넘어선 것이었다. 수출 대상국 또한 2016년 138개국에서 2021년 145개국으로 증가했다.

코로나19로 육로가 차단되면서 물류 흐름에 비상이 걸리자 정부는 국적 항공사와 국적 해운사를 통해 수출의 물길을 열었다. 대한항공은 항공 업계 최초로 2020년 12월부터 2021년 4월까지 싱가포르에 매주 4회씩 총 88회 딸기 운송 전용 항공기를 투입했고, 959톤의 딸기가 전용 하늘길을 통해 수출되었다. 이는 같은 기간 전체 싱가포르 딸기 수출 물량의 91%였다.

국적 선박 회사인 HMM은 선박 물류 어려움이 최고조에 달한 미국 서안 노선에 21년 7월부터 매월 265TEU 규모의 전용 선복을 확보했다. 또한 2021년 11월부터는 물류난이 가중되고 있는 호주 노선에도 월 36TEU의 전용 선복을 확보해 농수산 식품 수출을 지원했다.

더 넓어진 수출 지도, 역대 1위 실적의 연속

전체 수출에서 82%를 차지하는 중국, 아세안, 미국, EU, 일본, 중남미, 인도, 중동, CIS 등 9대 주요 지역으로의 수출이 2011년 이후 10년 만에 모두 플러스를 기록하였다. 9대 지역 중 중동을 제외한 모든 지역에서 두 자릿수대의 높은 수출 증가율을 기록했고, 중국·미국·EU·아세안·인도 등 5개 지역 수출은 역대 1위의 수출 실적을 달성하는 쾌거를 이뤘다.

1위 시장인 중국 수출은 핵심 품목인 반도체, 석유화학의 견고한 성장세를 중심으로 전 품목이 고르게 성장했다. 2위 시장인 아세안 수출은 가전, 스마트폰, 자동차 등의 최종 소비재 제조에 필수적인 반도체, 디스플레이, 석유화학 등 중간재 수출 품목이 2018년에 이어 다시 한번 연간 1,000억 달러대를 회복하며 최고치를 기록했다.

미국은 자동차·가전 등 소비재와 기계·철강 등의 수출이 호조세를 보이며 2018년 이후 매년 역대 최고 실적을 경신해오고 있다. 종전 최고 실적은 2014년의 703억 달러였으나 2018년 727억 달러, 2019년 733억 달러, 2020년 741억 달러를 기록한 이후 2021년은 959억 달러로 30% 가까이 수출액이 증가했다. EU 시장은 적극적인 친환경 정책 기조 영향으로 친환경 자동차·선박 수출이 급증하는 가운데 코로나19 재확산에 따른 바이오 헬스 수출이 함께 증가하며 최초로 수출 600억 달러를 돌파했다.

정부는 미국, 중국, 독일, 인도, 일본 등 5대 경제 대국과의 FTA를 완성하며 전 세계 시장 85%에 해당하는 FTA 네트워크를 구축한 데에 더해, 수출 전략 시장의 다변화를 위해 양자·다자 FTA를 적극 추진했다. 2021년 11월 세계 최대 메가 FTA인 RCEP 타결을 주도했고, 인도네시아, 캄보디아, 필리핀 등과 양자 FTA를 체결했다. 사상 최초

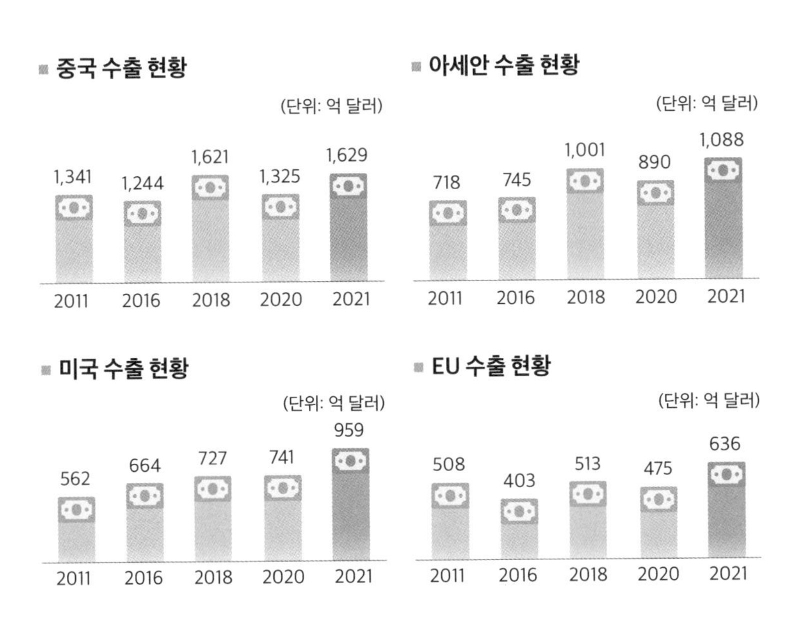

로 중미, 이스라엘 등 중미·중동 지역과도 FTA를 체결하며 수출 지도를 크게 넓혔다. 이외에도 우즈베키스탄·러시아 등 신북방 지역, 멕시코·메르코수르 등 중남미 지역, GCC·UAE 등 중동 지역, 이집트 등과도 발빠른 FTA 협상을 진행하며 신시장 FTA 다변화를 모색했다.

'기름 한 방울 안 나는 나라'의 저력

대한민국에 무역은 숙명이었다. '기름 한 방울 안 나는 나라'라는 말은 자조의 표현이면서도 수출 강국의 자부심을 드러내는 말이었다. 공짜로 얻은 자부심은 아니었다. 끊임없이 도전하고 개척했던 기업인들의 헌신, 그리고 '타이밍(각성제)'을 먹어가며 장시간 노동해온 노동자들의 피땀 어린 희생이 있었다. 전쟁의 폐허 속에 '수출 1만 달러' 구호를 내걸었던 세계 최빈국은 어느새 수출 6,300억 달러의 10대 경제 대국이 되었다.

문재인정부의 5년은 그 위대한 발자취를 계승하고 거침없이 앞으로 앞으로 나아가는 시간이었다. 수출 강국의 위용은 일본의 일방적 수출 규제, 코로나19 위기에도 건재했고, 주력 산업은 더 단단히 성장했으며, 침체를 겪고 있던 분야는 정부와 민간이 함께 나서 거뜬히 재건해냈다. 이제는 G7과 어깨를 나란히 하는 선진국의 '저력'이었다.

"우리에게는 무역의 피가 흐릅니다. 사마르칸트 아프라시압 벽화에는 중앙아시아와 교류했던 고구려 사신의 모습이 새겨져 있고, 신라인들은 중국에 신라방을 세워 당나라와 교역했습니다. 고려 시대 벽란도는 멀리 아라비아 상인들까지 오고 간 국제 무역항이었습니다.

우리는 대륙과 해양을 이어가며 무역을 했고, 개방 국가로 무역이 활발할 때 경제도, 문화도 찬란하게 빛났습니다.
나라에는 영토가 있지만 무역에는 영토가 없습니다. 우리 선조들이 대륙으로, 해양으로 교류와 교역을 넓혀갔을 때 세계의 문명과 함께 발전할 수 있었습니다. 우리 기술과 상품에 자긍심을 가지고 무역인들이 세계 구석구석 더욱 활발하게 진출할 수 있도록, 정부는 여러분과 항상 함께하겠습니다."

문재인 대통령(무역의 날 기념식, 2019. 12. 5.)

대통령은 매해 12월 5일 무역의 날 기념식 연설을 통해 기업인과 국민께 깊은 자부심을 담은 사의를 표했다. 오늘날 대한민국의 발자취와 지난 5년간 담대하게 걸어온 길 모두, 정부의 적극적인 의지와 정책만으로는 이룰 수 없는 성과였다.

interview

"덕분에 저희도 신바람 나게 일하고 있어요"

전기운(HMM 알헤시라스호 선장)

팬데믹 위기에서도 2021년 국내 해운 업계는 사상 최대 실적을 달성했다. 2017년 2월 한진해운의 파산이 결정된 지 4년 만의 일이었다. 정부가 의욕적으로 추진한 '해운 재건 5개년 계획'과 민간의 치열한 노력이 합해진 결과였다.
그중 세계 최대 컨테이너선 '알헤시라스호'는 해운 재건의 자부심과도 같은 선박이었다. 한 번에 컨테이너 박스 2만 3,964개를 운반할 수 있는 초대형 선박은 문재인 대통령이 직접 명명식에 참석해 해운 재건의 의미를 거듭 강조할 만큼 침체했던 해운 산업의 부활을 상징하고 있었다.
'알헤시라스호'의 전기운 선장을 만났다. 32년간 지구 150바퀴를 돈 베테랑은 그저 자신의 역할을 했을 뿐이라며 몸을 낮췄다.

▌ 선장으로 일하신 지는 얼마나 되신 겁니까?

목포해양대학교를 졸업하고 수출 선사를 거쳐서, 1995년도에 그 당시

수에즈 운하를 통과하고 있는 HMM 전기운 선장

현대상선에 입사해서 지금까지 계속 근무하고 있습니다. 총 승선 연수는 30년이 넘었습니다. 한 번 나가면 지구 다섯 바퀴를 돈다고 그래요. 30년 일했으니까 150바퀴는 돌았다고 말씀드릴 수 있겠네요. 우리나라가 수출입 화물의 99.7%를 선박에 의존하는 나라인데, 안전하게 운송하는 업무를 선원들이 담당한다는 걸 모르는 분들이 많더라고요. 이번 기회에 많이 알려진 것 같아요. 그동안의 고생을 보상받는 것 같아 보람도 있습니다.

2016년 한진해운 파산으로 운송 주권도, 핵심 항로도 다 뺏겨…'큰 충격'

> 우리나라의 핵심 기간 산업 중 하나가 해운 산업인데요. 박근혜정부 때인 2017년 2월 한진해운 파산 결정이 내려졌습니다. 당시 현장에서의 충격도 상당했겠죠.

너무 안타까운 일이었어요. 그 당시에 현대상선이 파산한다고까지 했으니까요. 상당히 스트레스를 많이 받았죠, 한진해운은 150척 선박을 보유한 세계 7위 국적 선사였어요. 그런데 그 회사가 한순간에 사라진 거니까 그 화물들이 외국 국적 선사들에 갈 거 아니에요. 화물 주권을 다 뺏긴 거죠. 수출입 업계나 해운 업계는 완전히 절망에 빠졌습니다. 저도 그만두려고 했었어요. 너무 암울하니까. 하나의 해운사를 키우려면 세월이 많이 걸려요. 한진해운은 40년 동안 차곡차곡 쌓아 올린 네트워크가 상당했거든요. 그것을 무너뜨리고 또다시 시작하는 데는 그만큼 세월이 걸리는 거예요.

해운 재건 정책 덕분에 현장은 '신바람'
HMM 컨테이너선 20척 모두 '만선'
'항로 주권' 되찾았다

> 문재인정부는 '재조해양(再造海洋)'을 약속했습니다. 2018년 '해운 재건 5개년 계획'을 발표하고 붕괴한 해운 산업 재건을 위해 각고의 노력을 기울여왔는데요. 이에 대한 현장의 평가는 어떻습니까?

늦었지만 아주 대환영하는 정책이죠. 진짜 이 정부에서 너무 잘한 거예요. 덕분에 저희도 신바람 나게 일하고 있습니다. 앞으로도 전망이 밝으니까 현장은 상당히 들떠 있어요. 격려금도 10년 동안 없었는데 작년에 받았습니다. 앞으로 우수한 인력들이 들어와야 해양 관련 학교도 잘되고 조선업, 해운업이 함께 성장하는 선순환이 되겠죠. 그런 초석을 깔아준 데 대해 저희는 상당히 잘한 일이라 평가합니다.

> 정부가 '해운 재건 5개년 계획'에 따라 HMM에 대한 20척의 초대형 친환경 컨테이너선 발주 지원을 마쳤습니다.

사실 처음엔 불확실성이 있었어요. 커진 선복량에 비해서 '화물을 그렇게 많이 실어 나를 수 있을까' 하는 선대 확충에 대한 불확실성이 있었죠. 다행히 멈췄던 공장이 가동되고 코로나19 방역 물품이라든가 비대면 물품들에 대한 수출이 늘어났어요. 경쟁사들은 코로나19 때문에 물량이 줄어들 걸 예상하고 선대를 줄였는데 결과적으로는 늘어난 거니까 한마디로 우린 대박을 친 거죠. 역대 최고 호황을 누리고 있습니다. 한 분기에 2조 원 넘게 영업이익을 냈다는 건 상당한 거죠.

▌잃어버렸던 항로도 다시 찾은 거고요?

유럽은 핵심 항로거든요. 그만큼 경쟁사들이 많다는 거예요. 그 항로를 배제해서 경쟁한다는 것은 있을 수 없는 일이죠. 초대형 선박 20척으로 완전하게 주권을 되찾아올 수 있었습니다. HMM이라는 이름을 세계에 알리고 있잖아요. 그것만 해도 상당히 고무적이죠. 만선으로 다니니까요.

가는 항구마다 HMM '알헤시라스호' 관심 한 몸에
'친환경·고효율' 원가 경쟁력도 압도
'12척' 초대형 컨테이너선, 유럽 '위클리 서비스' 가능해져

▌세계 최대 컨테이너선 알헤시라스호 이야기 좀 해볼게요. 어떤 선박인가요?

길이가 400m에 폭이 61m, 축구장 4개 넓이예요. 수직으로 세우면 에펠탑보다 100m 더 높습니다. 선원들이 생활하는 곳은 갑판에서부터 11층으로 건조되어 있는데 엘리베이터로 이동하도록 되어 있고, 체력단련실, 레크레이션룸, 도서관 같은 편의 시설도 갖추고 있습니다. TEU가 흔히 뉴스에서 보시는 긴 컨테이너의 단위예요. 2만 4,000TEU라는 건 그 컨테이너를 2만 4,000개쯤 실을 수 있다는 뜻입니다. 어마어마한 크기인 거죠.

▌ 세계 최대 규모인 만큼 확실히 경쟁력이 있는 건가요?

그렇죠. 우리도 경쟁하려면 그런(알헤시라스호) 배를 운항해야 하거든요. 이번에 진짜 잘하신 것 같아요. 과거에는 속도가 경쟁이었다면 요즘은 규모의 경쟁이라고 하잖아요. 더욱이 알헤시라스호는 친환경·고효율의 최첨단 선박이기 때문에 배가 큰 데도 기름이 덜 소모돼요. 그렇다 보니 원가 경쟁에서도 이기는 거죠.

▌ 문재인 대통령은 "이순신 장군이 열두 척의 배로 국난을 극복했듯 열두 척의 초대형 컨테이너선이 우리 해운 산업의 위상을 되살리게 될 것"이라고 의미를 부여했습니다. 초대형 컨테이너선 12척은 어떤 의미를 갖는 겁니까?

해운사 '위클리 서비스'는 아무나 못 하는 거예요. 배도 있어야 하고, 영업력도 있어야 합니다. 배를 일주일에 하나씩 투입해서 운항을 시킨다는 거잖아요. 세계 3대 해운 동맹이 있거든요. 그중에 우리는 '디 얼라이언스'에 속해 있어서 선복량을 같이 쓰거든요. 그런데 우리가 열두 척을 다 쓴다고 하면 대단한 거죠.

문 대통령 선물 '윤도', 알헤시라스호에 준 것
우리끼리 깬 '선적량 1위' 기록

알헤시라스호 명명식 때, 문재인 대통령으로부터 특별한 선물을 받으셨죠?

무형문화재 장인이 만든 전통 나침반 '윤도'

국가 무형문화재 제110호 윤도장 김종대 장인이 만든 전통 나침반 '윤도'인데요. 선장 개인한테 준 게 아니고 첫 신호탄을 쏘아 올리는 우리 알헤시라스호에 주신 것이라 생각합니다. 김정숙 여사님께서도 축전 주신 게 있어요. 선적량 1위를 달성했을 때인데, 지금은 그 기록이 깨졌죠. 우리 선박끼리 기록을 주고받은 거니까 기분 좋죠.

오로지 '안전' 생각뿐…책임감으로

수출의 최전선에 있다는 자부심을 느끼기도 하셨겠어요.

사실 저희는 그런 거 피부로 잘 못 느껴요. 화물을 안전하게 갖다 줘야 하잖아요. 거기에 대한 긴장감과 부담감이 큰 거죠. 로테르담 항이나 함부르크 항 들어가면 물대포도 쏘고 이른 시간에 사람들이 나와서 촬영도 해요. 가족 단위로 사람들이 피크닉 겸해서 바닷가나 강변

에 나와서 큰 선박을 구경하는 사람들이 많습니다. 하지만 선장이 그런 걸 즐길 수 있겠어요. 이 큰 배가 안전하게 운항하는 것에만 신경이 쓰이죠. 협소한 수에즈 운하를 지날 때도 선박 사이즈가 월등하게 크다 보니 상당히 부담돼요.

30년 바다를 누비셨습니다. 최근 우리 해운의 달라진 위상을 느낀 적은 언제였나요?

알헤시라스호를 처음 인도받아서 운항하다 보니 당시 국민 여러분도 그렇고 해운 업계나 우리 회사 분들도 다 그 배만 쳐다보는 거예요. 부담감이 상당히 있었습니다. 외국 항구에 가면 축하 세리머니도 해요. 지역 방송국에서 인터뷰도 해달라고 하는데 코로나19 때문에 어쩔 수 없이 많이 거절했습니다.

세계 1위 초대형 컨테이너선 지위를 느끼면서 다녔죠. 지금까지 아시아에서 유럽으로 가는 65항차 중에 62항차가 만선을 기록했어요. 2020년 4월부터 아시아와 유럽 구간에 실어나른 물량이 240만 TEU 정도 됩니다. 이거 쉽지 않은 기록이에요. 그 큰 배가 만선으로 유럽을 가고, 또 올 때도 만선으로 싣고 온 거니까요. 배를 타면서 참 이런 경험도 있구나, 뿌듯함도 컸습니다.

부담 그리고 책임감. 전기운 선장이 인터뷰 내내 반복했던 말이었다. 길이만 400m에 달하는 세계 최대 컨테이너선 책임자의 무게는 간단치 않아 보였다. 그와 22명의 선원이 감당해야 할 막중한 무게였다. 외국 항구에 정박하거나 수에즈 운하를 지날 때마다 뜨거운 관심을 한 몸에 받았지만 줄곧 인터뷰를 고사하며 조금의 긴장도 늦출 수 없었던 이유다. 비단 큰 배의 사고를 방지하기 위한 것만이 아니었다. 알헤시라스호가 실은 수많은 컨테이너 속에, 그보다 더 많은 수출 기업의 꿈이 담겨 있었다. 3교대로 진행되는 선원 23명의 여정은 늘 온 신경을 집중해야 하는 날들이었다.

현장에서 느끼는 해운 재건의 체감은 예상을 넘었다. 그 '신바람'과 함께 '알헤시라스호'는 2022년에도 수출 화물을 가득 싣고 세계를 향해 전진할 것이다. 그렇게 해운 선도 국가 '대한민국호'의 숨 가쁜 출항도 계속될 것이다.

새로운 100년의 설계,
한국판 뉴딜

전대미문의 코로나19 팬데믹에 전 세계가 비상한 회복 정책에 주력하고 있었다. '이 위기에서 회복에 만족할 것인가?' 고민의 시작은 절박했다. 회복은 말 그대로 있던 자리로 되돌아오는 몸짓이기 때문이다. '추격하는 나라에 머물 것인가, 과감히 도약할 것인가?' 선택의 분기점 앞에 정부는 선도 국가로의 도약을 선택했다. 세계사적 격변기에 정부가 반드시 해야 할 역사적 소임을 분명히 함으로써, 누구도 흔들 수 없는 나라를 만들기 위한 대장정에 돌입한 것이다.

미래를 준비하는 정부가 되고자 했다. 위대한 국민을 믿고 담대하게 나아가기로 했다. 한국판 뉴딜은 선도 국가 대한민국을 향해 두려움 없이 내딛겠다는 대담한 출사표였다.

제7차 비상 경제 회의(2020. 7. 14.)와 제3차 한국판 뉴딜 전략 회의(2020. 11. 16.)

2025년까지 160조 투입, 변화의 칼을 뽑다

정부는 2020년 7월 14일 '한국판 뉴딜 종합 계획'을 발표했다. 한국판 뉴딜은 '안전망 강화'라는 디딤돌 위에 '디지털 뉴딜'과 '그린 뉴딜'이라는 두 축으로 구성됐다. '디지털 뉴딜'을 통해 추격형 경제에서 선도형 경제로, '그린 뉴딜'을 통해 탄소 의존 경제에서 저탄소 경제로, '안전망 강화'를 통해 불평등 사회에서 포용 사회로의 도약을 지향했다. 2025년까지 디지털 뉴딜에 58조 2,000억 원, 그린 뉴딜에 73조 4,000억 원, 휴먼 뉴딜에 28조 4,000억 원 등 총 160조 원을 투자하며, 이를 통해 총 190만 개의 일자리 창출을 목표로 했다.

변화, 디지털 뉴딜이 이끌었다

한국판 뉴딜의 첫 번째 축인 디지털 뉴딜은 우리가 세계적 경쟁력을 가진 정보통신 기술(ICT)을 기반으로 데이터 경제를 촉진하고, 경제 전반에 혁신과 역동성을 확산하는 전략이다. 데이터 댐, 데이터 고속도로(5G) 등 기초 인프라를 튼튼히 하고, 전 산업의 디지털화를 가

■ **데이터 댐 사업으로 급성장하는 '국내 데이터 산업 시장' 현황**

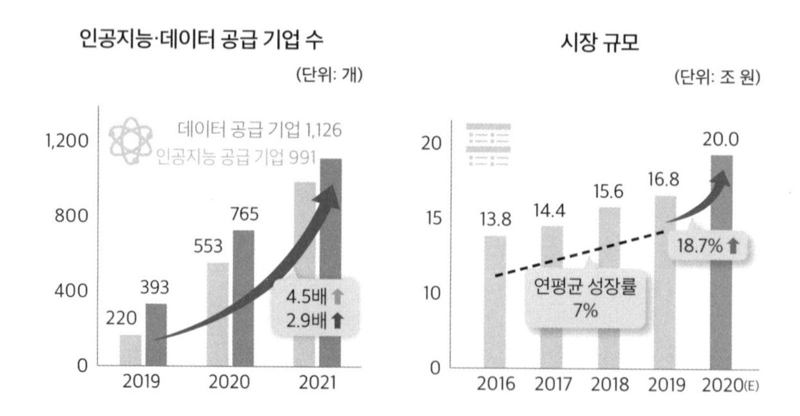

자료: 데이터·인공지능 바우처 공급 기업 수, 데이터 산업 현황 조사(K-DATA) 2021

속화하는 방식이었다.

데이터, 네트워크, 인공지능, 이른바 D.N.A.가 선봉에 섰다. 데이터 댐 사업을 통해 약 5,300여 종, 10억 건 이상의 대규모 데이터가 구축·개방되었고, 2020년에는 AI 제조 플랫폼(KAMP)을 구축해 50종의 인공지능 데이터셋을 민간에 개방하는 등 인공지능 솔루션 활용 인프라를 강화했다. 그 결과 AI 공급 기업은 350%(220→991개), 데이터 공급기업은 186%(393→1,126개) 증가했다.

이에 힘입어 2020년 국내 데이터 산업 시장 규모는 20조 24억 원으로 전년 대비 18.7% 확대되는 등 데이터 선순환 생태계가 조성되었다. 4차 산업혁명의 핵심 인프라인 5G는 2019년 4월 국내에서 세계 최초로 상용화된 이후 2년 만에 가입자 2,019만 명(2021년 11월 기준), 기지국은 전국에 19만 8,000개가 구축(2021년 12월 기준)되었다.

교육·의료·근무 등 우리 생활 속 밀접 분야에서도 디지털 전환이 본격적으로 이뤄지고 있다. 2022년 2월까지 전국 초·중·고 38만 개

교실에 고성능 와이파이를 구축하고, 2022년까지 전체 학교의 약 10%인 1,200개교에 태블릿PC를 최대 21만 대 보급하는 사업이 진행되고 있다. 병원 간 협진이 가능한 스마트 병원 선도 모델을 도입하고, 보건소 방문 없이 비대면으로 상시 건강 정보를 관리하는 모바일 건강 관리 서비스도 전국 160개 보건소에서 2만 명을 대상으로 시행했다.

특히 한국판 뉴딜의 핵심 사업으로 추진된 AI 주치의 '닥터앤서'는 국내 38개 의료 기관 임상 검증 과정에서 진단 정확도 개선, 진단 시간 단축 등 큰 성과를 거뒀다. 치매 진단 소요 시간은 1분 이내로 줄였고, 유방암 예측에선 한국인에 최적화된 예측이 가능해졌으며, 뇌전증 뇌파 판독 시간도 30분에서 5분으로 크게 단축했다.

닥터앤서는 의료진의 과중한 업무와 오진 부담을 개선하고 내원 환자의 대기시간을 획기적으로 줄이기 위한 기획으로 출발했다. 아울러 일부 대학병원 중심으로 IBM의 '왓슨'이 도입되면서 의료 데이터의 국외 유출과 기술 종속도 우려되고 있었다.

■ **AI 주치의 '닥터앤서' 임상 검증 결과**

구분	임상 전	임상 후
소아 희귀 진단 성공 시간	평균 5년	15분
치매 진단 소요 시간	4~6시간	1분 이내
대장 용종 판독 정확도	74~81%	92%
심뇌혈관 질환 심장 CT 판독 시간	수십 분	1~2분
심장 질환 발병 정량적 예측	불가	가능
전립선암 수술 후 재발 예측 진단 정확도	81%	95%
유방암 발병 예측	일반적 예측	한국인 최적화 예측
뇌전증 뇌파 판독 시간	30분	5분

한국판 뉴딜 디지털 경제 현장 방문(2020. 6. 18.)

"대개 이런 형태의 국가 과제들이 공고가 되면 몇 개의 컨소시엄이 경쟁합니다. 그런데 이번 '닥터앤서'의 경우에는 단일 컨소시엄이 구성됐어요. 기관들이 뜻을 다 같이해서. 그러다 보니까 의료 R&D 역사상 제가 알기론 우리나라에서 전례가 없는 규모의 컨소시엄이 형성돼서 진행하게 되었습니다. 서로 경험을 공유하고, 만들어진 소프트웨어가 확산된다는 측면에서는 굉장한 강점이 되었죠."

'닥터앤서' 개발에 주요한 역할을 담당한 김종재 서울아산병원 생명과학연구원장은 닥터앤서 프로젝트가 시작부터 남달랐다고 했다. 덧붙여 한국판 뉴딜이라는 '큰 판'이 만들어낸 결과임을 강조했다.

"이게 결국은 큰 판이 만들어진 거거든요. 그동안은 기업들이 소프트웨어를 만들어 가지고 누구를 찾아가서 어떻게 써달라고 할 엄두

AI 주치의 닥터앤서 개발에 주요한 역할을 담당한 김종재 서울아산병원 생명과학연구원장

를 못 내던 상황이었고. 병원들 입장에서는 어디서, 어떤 AI를 만들었는데 그 AI 성능이 어떤지 이것을 확인할 길도 없는 경우가 많았거든요. 그런데 그런 큰 틀이 만들어졌다고 생각을 합니다. 참여하는 병원들이 많다 보니까 다들 써보게 되고, 이런 기회가 부스터가 될 것이라 생각합니다. 그런 면에서 자부심을 느끼고 있습니다."

2021년 현재 닥터앤서는 치매, 소아 희소병 등 8개 질환을 대상으로 개발을 마쳤으며 2024년까지 간 질환, 폐렴 등 12개 질환에 대해 AI 의료 소프트웨어를 추가 개발할 계획이다. 닥터앤서의 8대 질환에 대한 경제성 분석 결과, 연간 7.2조 원의 진료비 중 6,247억 원(8.7%)의 비용 절감 효과가 기대되고 있으며, 2021년 4월에는 사우디아라비아 국가방위부 산하 병원과 교차 검증을 통해 그 우수성을 확인받아 해외 수출 가능성의 청신호를 알리기도 했다.

다시 태어난 제조업의 요람

산업 단지를 청년이 취업하고 싶은 공간으로 바꾸는 것도 디지털 뉴딜의 주요 과제였다. 공장으로 가득 찬 산업 단지(산단)는 한국 제조업의 요람이었다. 국내 제조업 생산과 수출의 3분의 2를 차지하고 고용 인력의 절반이 일하고 있었다.

정부는 10곳의 '스마트 그린 산단'을 통해 통합 관제 센터 구축, 스마트 물류 체계 조성, 에너지 관리 시스템 보급, 클린 팩토리 구축 등을 추진했다. 과거 노후 인프라 개선 위주였던 정책에서 벗어나, 디지털 기술을 접목하여 생산성을 높이고 에너지 효율을 향상하면서 유해 화학 물질 배출을 줄이는 그린 기술을 융합했다. 여수, 광주, 대구 등 전국 10개 지역 산단을 '스마트 그린 산단'으로 지정해 약 7,000억 원의 재정을 투입했고, 2025년까지 15개까지 확대해 전국적 변화를 추진할 예정이다.

■ **스마트 그린 산단 현황**

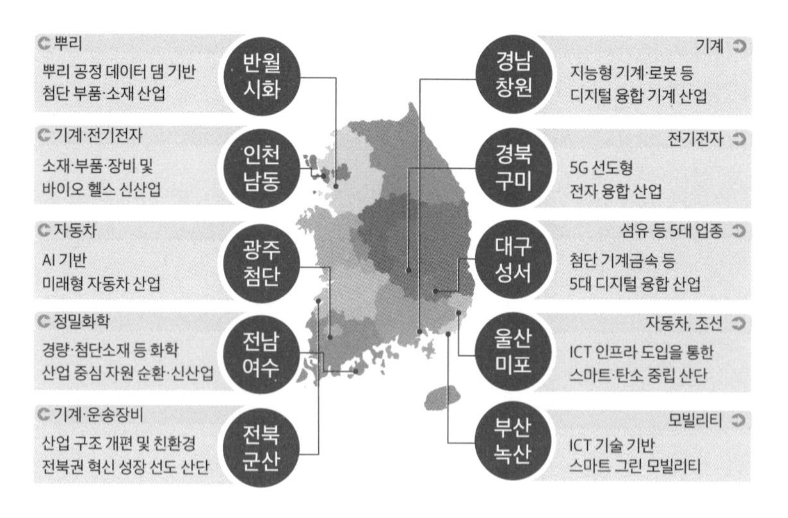

'스마트 공장'의 확산도 주요 전략이었다. 2016년까지 2,800개에 불과했던 '스마트 공장'은 2021년 2만 5,000개로 늘어났다. 스마트 공장은 말 그대로 기획·설계부터 생산, 유통·판매까지 제조 과정에 사물인터넷(IoT)·인공지능·빅데이터 등의 기술을 적용해 생산성과 제품 품질을 높인 공장이다. 스마트 공장 도입으로 기업의 생산성은 29%, 품질은 43% 향상되었으며, 일자리·매출이 증가하는 등의 경영 성과로까지 이어져 중소기업의 스마트 제조 혁신에 크게 기여했다. 효과를 체감한 기업들은 더 많은 공정 데이터를 확보하고 연결해 자신들만의 데이터 체계를 만들고자 고도화를 추진하고 있다. 이러한 수요에 대응해 2021년부터는 고도화 지원 금액을 최대 4억 원(기존 1억 5,000만 원, 고도화 2단계)까지 올렸고, 여러 개의 스마트 공장을 연결하는 디지털 클러스터와 모범 사례를 제시하는 등대공장 등에 지원했다.

중소기업·소상공인의 비대면·디지털화도 추진했다. 2021년 상반기까지 중소기업에 약 14만 5,000여 개의 '비대면 서비스 바우처'를 지원해 중소기업의 재택·원격 근무 도입을 이끌었다. 1만 6,000여 개 소상공인 상점에 모바일 주문·결제, 키오스크, IoT 등을 활용한 스마트 상점을 보급했고, 소상공인 10만 개사의 온라인 진출을 지원했다.

국가 핵심 기반 시설(SOC)의 디지털화도 본격 시행했다. 국가 하천 1,982개에 자동·원격 개폐가 가능한 스마트 홍수 관리 시스템 구축 사업에 착수했다. 실시간 위험 정보를 알려주는 스마트 조기 경보 시스템이 재해 고위험 지구 510곳에 설치되었다. 2020년 8월, 시간당 91.5mm의 기록적인 폭우가 내렸던 충청남도 아산시는 스마트 홍수 관리 시스템을 통해 적기에 수문을 조절해 농경지와 주택의 침수 피해를 막을 수 있었다. 전국 29개 무역항에도 디지털 기반의 실시간 시설물 모니터링 시스템 구축을 추진 중이며, 항만의 관리·운영 전반에 자동화·지능화 시스템을 적용하는 스마트 항만 조성도 본격화하고 있다.

그린 뉴딜, 국민이 체감하는 변화

그린 뉴딜은 인프라·에너지의 녹색 전환과 녹색 산업의 혁신을 통해 저탄소 경제로 전환하기 위한 전략이다. 전기·수소차 보급과 충전 인프라 구축 사업을 그린 뉴딜에 포함해, 2021년 1조 5,641억 원, 2022년에는 전년 대비 80.8% 증가한 2조 8,280억 원의 예산을 배정했다. 이에 조응하듯 수소연료전지차는 2021년 말 기준, 국내 보급량에서 전 세계 1위를 달성했고, 전기차는 정부 출범 이후 2016년 누적 1.2만 대에서 2021년 25.7만 대로 20배 이상 증가, 수출 15만 대를 돌파하며 신산업 성장을 견인하고 있다.

신재생 에너지 보급 확대를 위해 공급 의무자(500MW 이상 발전 사업자)의 신재생 에너지 의무 공급 비율(RPS)을 2022년 12.5%로 높였다. 또 국내에도 2021년부터 RE100(사용 전력을 100% 재생 에너지로 조달하는 자발적 캠페인)을 도입하였으며, 이를 활성화하기 위해 국내 기업이 신재생 에너지를 구매하면 온실가스 감축 실적으로 인정받도록 인센티브를 제공하고 있다.

탄소 중립 실현을 위한 핵심 지표인 재생 에너지 설비 용량은 그린 뉴딜이 본격 추진된 2021년 29.0GW까지 큰 폭으로 증가했다. 수소 에너지 부문은 국내 연료 전지 발전 설비 용량이 세계 보급량의 40%를 차지하는 등 세계 최대 발전 시장으로 성장했다. 정부는 2025년 재생 에너지 설비 목표를 기존 29.9GW에서 42.7GW로 상향했다.

그린 뉴딜의 대표적인 사례로 꼽히는 합천댐 수상 태양광 사업 현장

특히 봉산면 합천호에 설치된 합천 수상 태양광은 그린 뉴딜의 대표적인 사례로 꼽힌다. 합천군의 군화인 매화를 형상화한 국내 최대 규모의 수상 태양광으로, 축구장 65개 크기의 태양광 패널이 호수 위에 떠 있는 방식이다.

사업은 댐 인근 20여 개 마을 주민 1,400여 명이 마을 공동체를 구성하고, 정책 금융을 대출받아 수상 태양광 사업에 투자 후 수익을 보장하는 방식으로 진행되었다. 추진 초기 태양광에 대한 주민들의 부정적인 인식도 적지 않았다. 그러나 정부 관계자, 지자체 공직자 등이 직접 상세한 설명과 설득을 이어갔고 이내 주민들과의 소통이 이루어졌다.

"그전에는 몰랐는데, 태양광이 옛날 우리가 생각했던 그런 것이 아니라는 걸 알았어요. 진짜 페놀이 나오고, 수은이 나오고, 부서지면 납이 흐르는 줄 알았는데, 묵었던 지식이 다 날아가고 새로운 지식이 머리에 많이 들어왔기 때문에 저는 이제 태양광 하면 누구든지 찬성합니다."

하상욱(합천 태양광 추진 위원장)

결과는 대성공이었다. 합천댐 수상 태양광이 매년 생산하는 전력량 5만 6,388MWh는 연간 6만 명이 가정에서 사용할 수 있는 수준이었다. 이는 합천 군민 4만 3,000명의 가정용 사용량을 크게 초과하며, 연간 미세 먼지 30톤과 온실가스 2만 6,000톤을 감축하는 환경적 효과가 기대되고 있다.

> "봉산에 관광지가 없으니까 관광지도 할 수 있는 계기가 되겠구나, 꿈에 부풀어 있습니다. 또 보장된 수익이 대단히 크지는 않지만, 마을 보수라든지, 도로 보수. 또 비 새는 집이 있으면 집수리를 한다든지, 이렇게 하면 얼마든지 활용할 수 있을 것 같습니다."
>
> 하상욱(합천 태양광 추진 위원장)

지속 가능한 녹색 인프라 구축을 위한 '그린 리모델링'도 그린 뉴딜의 대표 사업으로 진행됐다. 2021년까지 모두 9만 3,000여 호의 공공 임대 주택, 1,700여 동의 어린이집, 보건소, 의료 시설 등 공공 건축물에 대한 그린 리모델링을 추진했고, 2022년까지 공공 건축물 총 2,600동, 2025년까지 공공 임대 주택 22만 5,000호(누적) 등 사업 범위도 확대할 계획이다.

안전망이 도약을 이끌도록

한국판 뉴딜의 '안전망 강화' 전략은 국민의 최소한의 생활 기반을 튼튼히 하고, 경제 구조 변화에 효율적으로 적응할 수 있도록 하는 전략이다. 전 국민 대상 고용 안전망을 구축해 취약 계층을 보호하고,

■ **고용보험법 개정안 등 정부의 노력으로 강화된 '고용보험 보장성' 현황**

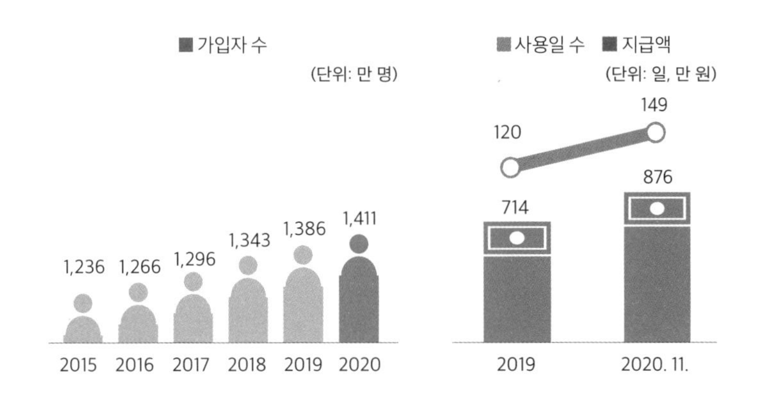

유망 분야인 디지털·그린 분야 인재 양성 등 사람에 대한 투자를 확대했다.

고용보험 강화, 기초연금 인상 등 사회적 안전망을 강화하는 대책과 함께 2021년부터는 '국민 취업 지원 제도'를 도입했다. 기존 고용보험의 사각지대에 있던 저소득 구직자, 경력 단절 여성, 미취업 청년, 폐업한 영세 자영업자, 특수 형태 근로 종사자 등을 대상으로 생계 안정을 위한 소득 지원과 취업 지원 서비스를 함께 제공하는 제도이다. 고용보험 사각지대의 취약 계층에게 1인당 월 50만 원씩 6개월 동안 구직 촉진 수당을 지급하고 맞춤형 취업 지원 서비스를 제공한다. '국민 취업 지원 제도'는 2021년 1월 1일 시행하여 그해 연말까지 51만 명이 지원하는 등 큰 관심을 받았고, 특히 신청자의 절반 이상(62%)이 청년층이었다. 이로써 우리나라도 OECD 대부분의 국가처럼 '고용보험'과 '실업 부조'를 양대 축으로 하는 중층적 고용 안전망을 갖추게 되었다.

유망 분야인 디지털 분야의 인재 양성도 역점을 두고 추진했다. 중소·중견기업이 인공지능, 소프트웨어 관련 직무에 청년을 채용할 시 6개월간 최대 180만 원을 지원하고, '고용 증대 세제'를 도입해 추가 채용한 기업에 인원당 400만~1,200만 원의 세액 공제를 제공했다. 중소기업에 취업한 청년에게 5년간 근로소득세 90%를 감면해주는 조처를 일몰 연장했고, 인력 양성 사업의 지원 범위도 인공지능·빅데이터 등 6개 분야에서 미래 차·시스템 반도체 등 22개 신기술 분야로 대폭 확대했다. 반도체, 바이오 헬스, 미래 차, 소프트웨어 등에서 5년간 총 41만 3,000명의 미래 인재가 양성될 것으로 전망되고 있다.

또 고용노동부가 보유한 고용 인프라를 전문 교육 업체들과 연계하여 취업 연계형 교육이 되도록 설계했다. 그중 대표적인 사업으로 꼽히는 '멋쟁이사자처럼'의 교육은 정부의 재정 지원과 공신력을 바탕으로 청년들의 큰 관심을 모았다.

"가장 좋은 건 공신력입니다. 나라와 함께한다는 것 때문에 같은 수업의 교육이라고 해도 학생들의 모티베이션이 조금 달라져요. 정부와 함께한다고 하니까 학생들이 수업을 대하는 태도부터 너무 다르고. 그리고 완주했을 때 정부에서 취업 가이드를 되게 잘 잡아주거든요. (…) 지금 다른 나라들은 코딩을 아예 필수로 넣은 지 꽤 됐는데, 이렇게 뉴딜 정책으로 계속 밀어주시면 금방 따라잡지 않을까 생각합니다."

이두희(멋쟁이사자처럼 대표)

한국판 뉴딜을 지역으로

지역 균형 뉴딜은 한국판 뉴딜을 지역으로 확산하는 것이다. 지자체는 각자 지역 특성이 반영된 창의적 지역 사업을 발굴하고, 중앙정부에서도 지자체 뉴딜 사업의 성공적 추진을 위해 지방 재정 투자 심사 및 지방채 초과 발행 절차를 간소화했다. 걸림돌로 작용하던 현장 규제의 경우 2021년 12월 말 기준, 총 132건을 발굴해 41건을 개선 중이다.

지역 균형 뉴딜 확산을 주도할 대표 지역 산업 육성을 위해 비수도권 14개 시도의 지역 주력 산업을 디지털·그린 중심으로 개편하고, 2021년 총 2,942억 원을 투자했다. 2019년 7월 이후 총 여섯 차례 29개 규제 자유 특구를 지정 후 일자리 창출 2,409명, 투자 유치 1조 9,246억 원, VC 유치 4,326억 원, 기업 유치 205개사 등 가시적 성과를 창출했고, 특히 실증 종료된 1차 특구 5개, 2차 특구 5개 사업은 임시 허가로 전환 후 조기 사업화를 통해 1차 특구 5개 사업에서 매출이 발생하고 있다.

제주도니유전센터

"가축 분뇨 정화 처리를 부분 전기로 가동하다 보니 전력 소모가 많습니다. 이 부분을 일정 부분 신재생 에너지로 활용하면 에너지 절감 효과도 발생하고, 경영 안정화에도 도움이 될 것이라고 생각합니다."

정승환(제주도니유전센터 팀장)

지역 균형 뉴딜의 우수 사업 중 하나인 '청정 흑돼지, 녹색 바람으로 키운다'의 사업지인 제주도니유전센터는 전기차 사용 후 배터리를 바탕으로 제주도 도내 태양광, 풍력 등 풍부한 신재생 에너지의 잉여 전력을 축산 시설에 공급하는 에너지 그린 뉴딜 사업이다. 축산 시설의 에너지 효율화와 탄소 중립 실천을 위해 한국판 뉴딜과 인연을 맺게 되었다. 청정 축산 환경 조성은 물론, 신재생 에너지 출력 제한 문제에 대한 해결 모델이 될 것으로 기대되고 있다.

"환경과 경제적인 측면에서 한국판 뉴딜 사업은 계속되어야 할 것으로 보입니다. 정부 차원에서 적극적인 홍보가 되면 축산 농가뿐만이 아닌 전국적으로 공감대가 형성되어 동참하지 않을까 생각합니다. 제가 이 사업을 담당하다 보니 '참 좋은 사업이구나' 지인들한테도 많이 이야기하고 있습니다."

정승환(제주도니유전센터 팀장)

국민과 수익을 공유하는 뉴딜 펀드

'정책형 뉴딜 펀드'는 시중의 풍부한 유동성을 생산적으로 흡수·활용하기 위한 목적으로 조성되었다. 정부가 3조 원, 정책 금융이 4조 원을 출자하여 2025년까지 5년간 20조 원 규모로 마련할 예정이다. 2021년에는 1차 연도 예산 5,100억 원을 반영했고, 2차 연도인 2022년에는 6,000억 원의 예산이 편성됐다.

2021년에는 한국판 뉴딜의 결실을 국민과 함께 공유하기 위해 2,000억 원 규모의 '국민 참여 뉴딜 펀드'를 조성했다. 국민 참여 뉴딜 펀드는 국내 상장·비상장 뉴딜 관련 기업에 분산 투자하고, 정책 자금이 후순위로 함께 투자해 펀드 자산의 20%까지 위험을 우선 분담하는 구조로 설계되었다.

투자자들의 높은 관심 속에 은행·증권회사 등 15개 판매사가 3월 29일 판매를 시작한 지 일주일여 만인 4월 5일에 국민 참여분 전액의 판매가 완료되었다. 국민 참여 뉴딜 펀드를 향한 일반 국민의 높은 호응도를 고려하여 11월 29일부터 2차분을 모집, 약 500억 원을 추가로 조성하기도 했다.

진화하는 한국판 뉴딜

코로나19는 많은 것을 바꿨다. 코로나19 장기화로 등교 일수가 축소되면서 학생들에게 다양한 결손이 나타났고, 가정 환경·소득 수준에 따른 돌봄·문화 격차가 커지고 있었다. 미래 인적 자산인 청년의 고용·소득·주거 불안도 점차 가중되었다. 전 분야로 디지털화가 급속히 확산되고 소프트웨어 등 신성장 분야를 중심으로 인력 수요가 급증한 만큼 추가적인 지원 체계 마련이 필요했다. 2020년이 뉴딜의 기반을 다지는 단계였다면, 2021년부터는 대내외적 요구를 반영해 한국판 뉴딜의 성과를 더욱 확산·발전시켰다. '한국판 뉴딜 2.0 추진 계획'을 추진하게 된 이유이다.

먼저 2025년까지 누적 총사업비 규모를 기존 160조 원에서 220조 원 수준으로 확대했다. 이에 따라 한국판 뉴딜로 창출되는 직·간접적 일자리 수는 기존 뉴딜 1.0의 190만 개에 60만 개가 추가된 250만 개 수준으로 증가했다.

한국판 뉴딜 2.0(2021. 7. 14.)

디지털 뉴딜 분야에서는 초연결 신산업에 대한 투자를 확대했다. 2022년 주요 철도 노선 3만여 곳에 사물인터넷(IoT) 센서가 부착되고, 개방형 메타버스 플랫폼, 클라우드, 블록체인 등 핵심 기반 기술을 육성해 디지털 경쟁력을 높인다. 인공지능 공급 기업은 2020년 220개에서 2022년 991개로 늘어날 전망이며, 데이터 공급 기업은 같은 기간 393개에서 1,126개로 증가할 것으로 전망되고 있다.

그린 뉴딜 분야에서는 탄소 중립 전략을 반영해 온실가스 측정·평가 시스템을 정비하고, 지방 상수도 스마트 체계를 구축한다. 재해 위험 지역 조기 경보 시스템을 510개로 2배 가까이 늘리고, 산업계의 구체적인 탄소 감축 체계를 구축할 예정이다.

'안전망 강화'는 '휴먼 뉴딜'로 대폭 확대·개편했다. 4대 교육 향상 패키지를 도입하고, 돌봄 격차 해소를 위한 '사회 서비스원'이 전국 시도 17곳에 설립된다. 인공지능 역량 강화 교육도 2021년 2,400명에서 2022년 4,800명으로 늘리고, 소프트웨어 중심 대학을 9곳 신규 선정해 총 44개로 확대하기로 했다.

지역 균형 뉴딜 분야에서는 지자체가 발굴한 지역 균형 뉴딜 사업 중 구체화된 우수 사업의 경우 2022년 정부 예산안에 반영해 국비를 지원받을 수 있도록 지원 방식을 개선했다. 그 결과 2022년 13.1조 원 규모의 지역 균형 뉴딜 국비 사업이 반영되었고, 이는 2021년 10.8조 원 대비 20.8% 이상 증가한 수준이었다.

세계가 인정한 한국판 뉴딜

한국판 뉴딜에 대한 해외 언론, 각국 정상, 국제기구, 해외 석학·전문가 등 국제사회의 평가는 긍정적이다. 《블룸버그》는 "한국판 뉴딜의 성공은 지역 경제 강국인 한국의 명성을 더 높일 것"이라고 평가했고, OECD는 한국판 뉴딜이 친환경적·포용적 경기 회복을 뒷받침하는 것으로 분석했다. IMF는 "팬데믹 이후 시대에 새로운 성장 동력 개발과 포용성 확대를 내용으로 하는 한국판 뉴딜은 환영받을 전략"이라고 진단했다.

노벨 경제학상 수상자인 조지프 스티글리츠 미 컬럼비아대 교수는 "한국이 코로나19 대응 정책의 일환으로 그린 뉴딜을 추진하는 국가 중 선도적인 역할을 하는 것을 매우 환영한다"고 했으며, 앙헬 구리아 전 OECD 사무총장은 "한국은 디지털 뉴딜과 그린 뉴딜 어젠다를 모두 제시할 수 있는 리더가 되기 위해 필요한 모든 디지털 기술을 보유하고 있다"고 평가했다.

대통령의 승부수, 16번의 현장행

한국판 뉴딜은 문재인정부의 승부수였다. 코로나19라는 전대미문의 위기를 기회로 만들겠다는 야심 찬 기획이었다. 이러한 의지는 대통령의 일정에서도 나타난다. 문재인 대통령의 한국판 뉴딜 현장 방

전북 해상 풍력 실증 단지를 방문한 문재인 대통령(2020. 7. 17.)

문은 2020년 6월 춘천의 데이터·인공지능 기업을 시작으로 7월 전북 부안의 해상 풍력 실증 단지 방문, 서울 창덕여중 그린 스마트 스쿨, 경남 창원 스마트 그린 산단, 인천 송도 스마트 시티, 세계 최대 규모의 부유식 해상 풍력 단지인 울산 방문 등 16차례에 걸쳐 진행됐다. 통상의 대통령 일정을 고려하면 대단히 이례적인 행보였다. 정부와 대통령의 의지가 얼마나 강했는지 드러나는 대목이다.

> "한국판 뉴딜은 선도 국가로 도약하는 '대한민국 대전환' 선언입니다. 추격형 경제에서 선도형 경제로, 탄소 의존 경제에서 저탄소 경제로, 불평등 사회에서 포용 사회로 대한민국을 근본적으로 바꾸겠다는 정부의 강력한 의지입니다. 대한민국의 새로운 100년을 설계하는 것입니다."
>
> 문재인 대통령(한국판 뉴딜 국민 보고 대회 기조연설, 2020. 7. 14.)

임기 5년 단임제 대통령이 수십 년 후를 고민하고 국가적 장기 프로젝트를 수립하고 실행하는 것은 쉽지 않은 일이었다. 단기적 처방의 유혹을 뿌리치고, 때로 비판받더라도 담대하게 걸어갈 용기가 필요했다. 미 프랭클린 루스벨트 대통령이 대공황 극복을 위해 '뉴딜 정책'을 강력하게 추진한 것처럼, 대한민국의 100년과 대화하고 그 막중한 책임에 복무하는 일이었다. 세종의 한글 창제가 '조선의 뉴딜'이었다고 평가받듯, 미래를 준비한 정부와 이에 함께한 국민이 만들어 낼 대한민국의 도약에 한국판 뉴딜이 그 출발에 있었음을 당당히 기록하고자 한다.

interview

"대한민국의 미래이자 세계를 선도하는 길입니다"

오종식(청와대 기획비서관)

비판은 쉽다. 대안은 그다음 난이도다. 이에 더해 결단하고 실천하는 것은 가장 어려운 단계다. 실천의 결과에는 반드시 '책임'이 따르기 때문이다. 특히 수천만 국민의 삶과 국가의 미래를 좌우하게 될 국정 최고 책임자로서의 정책적 결단과 실천의 책임은 그 무엇과도 견줄 수 없다.

때로 외로운 결단은 지도자의 숙명이었다. 한국판 뉴딜의 탄생과 진화 과정을 대통령 가까이서 함께한 오종식 비서관은 "한국판 뉴딜은 대통령의 결단이 곧 시작이자 끝"이었다고 말했다. 가보지 않은 길에 손쉬운 걸음은 없었다. '추격 국가'와 '선도 국가' 사이의 장강을 건너는 험난한 도전이었지만 멈추지 않았다.

기획자·설계자·확장자 모두 '대통령'

2020년 7월, 한국판 뉴딜은 코로나19라는 전대미문의 위기 속에 탄생했습니다. 위기를 헤쳐 나가기도 벅찬 때 미래 비전을 제시한 셈인데요. 어떤 맥락 속에 이런 결정을 한 겁니까?

한국판 뉴딜은 시작도 대통령이 하신 거고, 이후 끊임없는 진화의 중심에도 대통령이 계셨어요. 대통령의 리더십이 극명하게 드러난 국가 프로젝트가 한국판 뉴딜이라고 할 수 있습니다. 코로나19 경제 위기 극복을 위한 '비상 경제 회의'를 2020년 3월부터 직접 주재하셨는데, 5차 비상 경제 회의 때 한국판 뉴딜을 공식적으로 처음 말씀하셨어요. 4차 산업혁명으로 디지털 전환이 본격화되고 있는 시기였고, 코로나19 위기는 비대면 경제사회로의 변화를 더욱 촉진했던 상황이었죠. 격변과 위기가 동시에 겹친 거죠. 그 속에서 우리의 가장 큰 장점인 ICT 기술력을 최대한 활용하여 디지털 전환을 가속화할 새로운 기회로 삼은 것이었어요. 특히 고용 위기를 극복하는 중요한 기회로 여기시기도 했는데, 대규모 디지털 일자리를 창출함으로써 위기를 기회로 만들겠다는 의지가 매우 강하셨습니다. 그렇게 한국판 뉴딜이라는 대규모 국가 전략 프로젝트는 디지털 뉴딜에서부터 첫발을 뗀 것입니다.

'한국판 뉴딜' 루스벨트 뉴딜 정책에서 착안, 미국의 대공항을 이겨낸 '3R'=구제·회복·개혁

프로젝트 이름을 '한국판 뉴딜'로 명명한 이유가 궁금합니다.

미국의 루스벨트 대통령은 대공황 시기에 이른바 3R이라는 정책을 폈잖아요. RELIEF(구조, 구제), RECOVERY(회복), REFORM(개혁). 한국판 뉴딜의 3가지 큰 축이 디지털·그린·안전망이었는데, 안전망은 'Relief', 디지털과 그린은 산업 구조의 대대적인 전환을 의미하니 'Reform'이 되겠고, 'Recovery'는 한국판 뉴딜 추진 과정과 결과로 나타나는 긍정적 변화로 볼 수 있죠. 그렇게 보면, 한국판 뉴딜은 루스벨트의 뉴딜 정책을 이 시대와 한국 사회에 맞게 발전적으로 접목한 것이 됩니다. 네이밍도 중요했습니다. '뉴딜'이라고 표현해야 정책의 주목도가 높아진다고 봤어요. 실제 '한국판 뉴딜'이라는 이름으로 인해 언론과 국제사회의 이목을 더 많이 끌었다고 생각해요.

국제사회에서 한국판 뉴딜을 주목하며 긍정적으로 평가한 것은 무엇보다 위기를 오히려 기회로 만드는 도전에 적극적으로 나선 점이라고 생각합니다. 국제 신용 평가사들과 IMF, OECD 등 국제 기구들이 우리 경제를 평가할 때 한국판 뉴딜을 거론하며 긍정적으로 평가했어요. 신용 등급 평가에서 가점을 받는 데도 크게 기여했다고 봅니다. 대통령께서도 순방 나갈 때마다 해외 정상들도 한국판 뉴딜에 큰 관심을 보였다고 합니다. "우리가 가는 길이 세계가 가는 길이 됐다. 한국판 뉴딜은 국제적으로도 인정받으며 우리의 앞선 경험을 배우고 싶어 하는 나라가 많았다"라고 말씀하시곤 했어요.

> 디지털 뉴딜에서 시작해 그린 뉴딜이 추가되는 과정에서 국무위원 간 열띤 토론이 있었다고 들었습니다.

2020년 5월 국무회의로 기억하는데요. 대통령님께서 그린 뉴딜을 그 이전에도 고심하셨는데, 지시 말씀으로는 그때 처음으로 하셨어요.

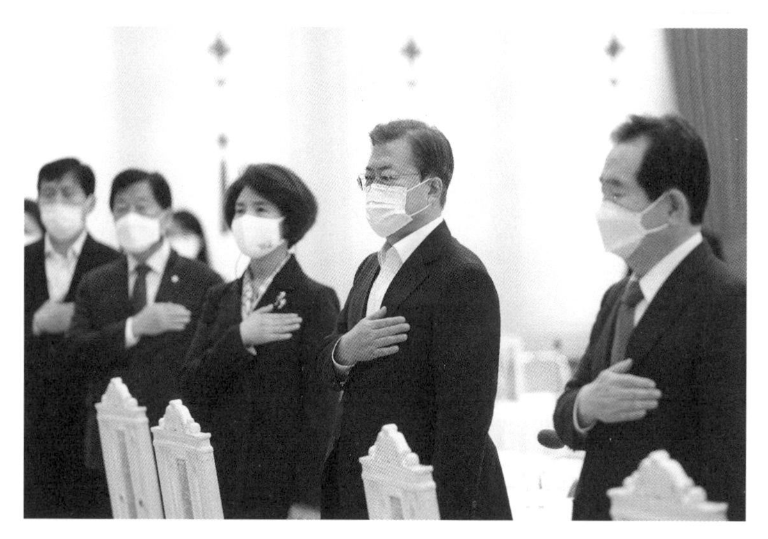
2050 탄소중립위원회 출범식(2021. 5. 29.)

당시 김현미 국토부 장관이 그린 리모델링 사업을 적극적으로 제안했는데, 대통령께서 그린 리모델링을 포함해 한국판 뉴딜의 한 축으로 그린 뉴딜을 추진하자고 말씀하셨어요. 본격적으로 그린 뉴딜이 시작된 거죠. 반대는 왜 있었냐면, 대한민국을 대전환해야 하는 상황에서 디지털 전환도 만만치 않은데 거기에 그린 전환까지 더해지는 셈이 되는 것이잖아요. 많은 예산도 추가 투입되어야 하므로 충분한 검토가 더 필요하다는 의견이었죠. 사실상 부정적인 의견이었죠.

대통령께서는 단호하셨어요. "가야 할 길이다"라고. 그것이 나중에 2050 탄소 중립 선언과도 연결되었죠. 그때 이미 거기까지 내다보신 것 같아요. 이후 정말 다양한 분야에서 사업 아이템들이 제안되고 예산도 큰 규모로 만들어졌어요. 실제로 그린 분야가 디지털 분야보다 예산 투입이 더 많이 되었어요. 왜냐하면 사업 규모가 훨씬 더 크고, 지역이나 기업에서 할 수 있는 그린 뉴딜 사업이 많거든요. 대규모 풍력 단지나 태양광, 그린 모빌리티, 저탄소 산업 구조 전환 모두 매우 중요하면서도 어마어마한 프로젝트이기 때문이죠.

한국판 뉴딜은 시작도, 이후 진화 과정에서도 대통령님이 중심에 계셨다고 말씀하셨는데요. 세부 계획 역시 대통령의 구상이 많이 반영된 겁니까?

예를 들면 비대면 디지털 사업으로 '스마트 의료'에 큰 애착을 보이셨어요. 어르신들이 의료 서비스에 불편함을 느끼고 계시니 국민의 편의성 중심으로 접근해야 한다는 말씀을 자주 하셨죠. '데이터 댐' 명칭만 듣고도 곧바로 이해하시고 오히려 풍부하게 국민에게 설명하셔서 전문가들도 놀랐죠. '스마트 스쿨'도 굉장히 큰 관심을 가지셔서 직접 학교를 찾아가며 점검하셨어요. 그린 뉴딜에도 특별히 애정이 많으셨습니다. 대통령님의 2021년 일정을 보면 그린 뉴딜 현장 방문이 가장 많아요. 울산 부유식 해상 풍력, 전남의 세계 최대 규모의 해상 풍력 단지, 합천댐에 들어선 수상 태양광 등 그린 뉴딜 현장을 적극 찾으셨죠. 코로나19 위기 시에 대통령 현장 일정 중 단연 한국판 뉴딜 관련 일정이 가장 많았습니다. '한국판 뉴딜 전략 회의'도 여러 차례 주재하셨어요.

'지역 균형 뉴딜'에 75조 투입…한국판 뉴딜 핵심 축 "지역 스스로 주역이 되도록"

인상적인 것이 전체 투입 예산 160조 원 중 절반가량(75조 원, 47%)을 지역에 투자하는 방향입니다. 이런 투자 비중도 대단히 이례적인 것 아닙니까?

2020년 10월 한국판 뉴딜이 2.0으로 한 번 더 진화하면서 '지역 균형 뉴딜'을 공식화했습니다. 지역 균형 뉴딜이라는 이름도 대통령님이 직접 지으셨어요. 한국판 뉴딜의 정신이 바로 거기에 있다고 보셨어요. 지역의 주도성을 높이자는 차원이면서 지역 균형 발전에 크게 기여하는 프로젝트로 한국판 뉴딜을 보신 거죠. 지역을 중심으로 쓰일 예산이니 현장의 창의적인 아이디어가 중요하다고도 보았는데요. 중앙정부에서 국가 사업으로 추진하는 사업뿐 아니라 지자체가 제안하는 좋은 사업들을 적극적으로 한국판 뉴딜 사업으로 채택하여 지원했어요.

특수 고용 12개 직종 적용, 6개월 만에 누적 가입자 수 '60만 명'
2022년부터 택배 기사, 대리 기사도 고용보험
'아프면 쉴 권리' 7월부터 상병 수당 제도 도입

> '휴먼 뉴딜'의 일환인 사회 안전망 강화는 고용보험 확대가 대표적입니다. 2021년 7월부터는 12개 직종의 특고·플랫폼 노동자들에게 고용보험이 적용됐는데요. 파악하고 있는 현장의 만족도는 어떻습니까?

고용보험 대상을 확대하면서 12개 직종의 특수 형태 근로 종사자가 112만 명 정도였는데, 60만 명이 순식간에 가입했어요, 가입률이 6개월 만에 벌써 54%가 된 거예요. 예술인 고용보험도 2020년 12월 시행되고 (1년 만인) 지난해 말 가입자가 10만 명을 넘어섰어요. 고용보험 가입으로 그분들은 구직 급여도 받을 수 있게 된 거죠. 예를 들면 직장을 잃을 때는 평균 임금의 60%를 5개월에서 6개월 동안 받게 되어 고용 안전망이 강화되는 것입니다.

올해(2022년)는 택배 기사와 대리 기사로 확대됩니다. 또한 취약 계층의 취업과 소득을 지원하는 '국민 취업 지원 제도'도 2021년부터 본격 시행되었고, '아프면 쉴 수 있는' 상병 수당도 2022년 7월부터 시범 도입됩니다. 청년 사업도 추가해서 올해부터 집중 지원하게 되는데요. 자산 형성과 월세 지원, 반값 등록금과 같은 거죠. 결국 사람에 대한 투자입니다. 디지털 인재를 육성하는 등 인력 양성도 매우 중요한 부분입니다. 이런 것들을 포함하며 한국판 뉴딜의 한 축을 담당하는 안전망이 '휴먼 뉴딜'로 진화하게 된 것이죠.

2020년 10월 국회 시정 연설 전날, "아무래도 이번에 탄소 중립을 선언해야겠다"

> 5년 단임제 국가에서 국가 장기 미래 비전을 추진하는 것이 정책적으로나 정무적으로나 간단치 않은 일입니다. 어떤 심정으로 추진한 겁니까?

대통령께서 2020년 10월 국회 시정 연설에서 '2050년 탄소 중립'을 처음 선언하셨죠. 당시 에피소드인데요. 시정 연설 문안이 다 작성되고 바로 전날인데 대통령께서 참모들과 티타임할 때 "아무래도 이번에 탄소 중립을 선언해야겠다"라고 하시는 겁니다. 누구의 제안도 아니었고 오로지 대통령 결단이었어요.

세계적 흐름이었어요. 당시 미국 대통령 선거에서 당선 가능성이 유력했던 바이든 후보가 '그린 정책'을 강력히 주장했고요. EU에서는 이미 탄소 중립이 대세였고, 탄소 국경세가 새로운 무역 장벽으로 거론되던 때였어요. 대통령님은 이때를 놓친다면 우리가 시대에 뒤처질 수밖에 없다는 생각을 가지셨던 것 같아요. 국회 시정 연설에서

탄소중립위원회 제2차 전체 회의(2021. 10. 18.)

"2050년을 목표로 탄소 중립을 추진하겠다"라는 선언을 할 때, 50명 정도의 의원들이 기립 박수로 환호했어요. 역사의 한 페이지가 써지는 순간이었어요. 이후 대통령 주도로 일사천리로 논의가 진행되면서 1년이라는 짧은 시간 안에 2050년 탄소 중립으로 가기 위한 로드맵도 만들어지고, NDC 상향 목표도 국제사회에 제출하게 된 것이죠.

대통령께서 하신 말씀인데요. "그때 만약 때를 놓쳤으면 어땠을까…." 기업과 국가의 생존과 경쟁력과 직결된 문제에요. 대통령께서 시대적 흐름을 읽으신 거죠. 우리가 사실 유럽 등 다른 선진국보다 탄소 중립이 늦은 게 사실이에요. 그러나 그 사실을 알면서도 누구도 결단을 못 하고 있었던 거죠. 어느 나라보다도 제조업 비중이 높고, 우리 경제에서 고탄소 배출 산업이 차지하는 비중이 매우 높다 보니 결단하기 힘든 일이었을 것입니다. 그러나, 정면으로 뚫고 나가지 않으면 미래가 없다고 보신 거죠. ESG 경영이 대세가 되었듯이 기업들도 저탄소 경제로 전환은 피할 수 없다는 것이 현실이 되었잖아요.

한국판 뉴딜에서나 탄소 중립에서 모두 대통령님이 맨 먼저 결단하며 주도해 나갔다는 것. 그리고 그 길이 대한민국의 미래를 위해 반드시 가야 할 길이었다는 것이 시간이 지날수록 분명해지고 있다는 점에서 국가 지도자의 중요성을 매우 크게 절감했습니다. 이 부분은 어떤 정부가 들어서든 우리의 미래를 생각한다면, 이념이나 정파를 넘어서 계승되고 발전되어야 할 국가 비전이자 전략이 되었다고 자부합니다.

"가야 할 길, 후퇴할 수 없는 길"
'세상을 바꾸는 힘이자, 국민의 삶을 바꾸는 힘'

> 한국판 뉴딜 전략 수립 과정에 함께하신 분으로서, 다음 정부에서 한국판 뉴딜 정책이 어떻게 진행되기를 희망하는지, 요청과 당부의 말씀이 있다면 끝으로 해주시죠.

한국판 뉴딜은 본격 시행 단계라고 보시면 돼요. 이 성과가 다음 정부에서 본격적으로 체감되기 시작할 것으로 믿어요. 특히 안전망 분야에선 벌써 체감하는 성과가 나오고 있고요. 한국판 뉴딜은 기본적으로 사람을 중심에 두고, 그린과 디지털이라는 새로운 시대로 전환해 나가는 길입니다. 이 길은 반드시 가야 할 길이자 뒤로 후퇴할 수 없는 길입니다. 대한민국의 미래이며 세계를 선도하는 길입니다. 세상을 바꾸고 국민의 삶을 바꾸게 될 것입니다. 국가의 미래를 위한 장기적 안목에서 흔들림 없이 추진되길 바랍니다.

소위 '대중 권력의 시대'에 '국가 지도자'는 낡은 말일지 모른다. 그럼에

도 국민에 의해 선출된 대표자의 역할은 여전히 막중하다. 어떤 청사진을 국민께 제시하고 설득하여 추진할 것인가는 오로지 국정을 맡은 선출된 리더십에 달려있기 때문이다.

오종식 비서관은 "대통령을 모시면서 국가 지도자의 리더십이 얼마나 중요한지 알게 되었다"라고 말했다. 가보지 않은 길, 하지만 반드시 가야만 하는 길을 선택하고 결정하는 용기는 오로지 국정 최고 결정권자의 몫이었다. 대한민국의 미래 100년을 내다보는 청사진, 한국판 뉴딜은 그렇게 완성되었다.

탄소 중립, 모두를 위한 대전환

"모두에게 개방된 목초지가 있다면, 목동들이 자신의 사유지는 보전하고, 이 목초지에만 소를 방목해 곧 황폐해지고 말 것이다."

개릿 하딘, 「공유지의 비극」 중에서

1968년 한 생태학자가《사이언스》에 기고한 짧은 에세이의 파장은 엄청났다. 생태학은 물론 경제학, 사회학 등 다양한 학문의 논문에서 수시로 인용되었고 학계 갑론을박의 중심에 서기도 했다.

「공유지의 비극」이 말하고자 했던 것은 각 개인의 '이기심'이 아닌 개별적 '선의'마저도, 공동의 합의가 없으면 공멸의 길로 이끌 수 있다는 점이었다. 환경 오염을 막고 미래 세대에 건강한 지구를 물려줘야 한다는 점에 이견이 있는 이는 없을 것이다. 현재 기후 위기의 원인 또한 특정 몇몇의 악독함에서만 기인한다고 보기 어렵다. 인류의 지속가능한 번영을 위협하는 대위기 앞에 전 지구적 합의가 요구되고 있는 이유이다.

기후 위기는 더는 먼 미래가 아닌 눈앞의 현실이었다. 2018년 북미에서 100년 만의 최강 한파와 폭설이 발생했고, 2019년 호주와 아마존에서 대규모 산불이 났으며, 같은 해 전 지구의 연평균 기온이 관측 기록 사상 두 번째로 높았다. 2020년에는 동아시아 지역의 기록적 폭우가 쏟아져 대규모 홍수와 7,000만 명의 중국 내 이재민이 발생했다.

우리나라도 피해갈 수 없었다. 호우, 태풍, 대설 등 기후 변화로 인해 2009년부터 2018년까지 194명의 인명 피해와 약 20만 명의 이재민이 발생했다. 태풍, 호우로 인한 피해액이 전체 기상 재해에 따른 피해 규모의 88~90%를 차지했다. 「제2차 기후변화대응 기본계획」 보고서에 따르면 지난 106년간(1912~2017년) 한반도의 평균 기온은 1.8℃ 상승해 전 지구 평균 기온 상승인 0.85℃ 대비 2배가량 높았다. 경제적 피해도 막대해, 최근 10년간 기후 변화로 인한 경제 손실액은 3조 4,000억 원, 피해 복구액은 7조 7,000억 원에 달했다.

전 세계적 물결 앞에서

국제사회의 상식이 재정립되고 있었다. '기후 변화에 관한 정부 간 패널(IPCC)'은 2018년 우리나라에서 열린 48차 총회에서 「지구 온난화 1.5℃ 특별보고서」를 만장일치로 채택했다. '산업화 이후 지구 온도가 1.5℃ 상승하면 해수면 상승과 이상 기후 등으로 수많은 인류의 삶이 위기에 처할 것'이라는 판단을 공유하고, 지구 온도 상승을 1.5℃ 이하로 제한하기 위한 공동 행동을 추진하는 내용이었다. 이를 위해 2030년까지 온실가스 배출량을 2010년 대비 45% 감축하고, 2050년까지 이산화탄소 순배출량을 0으로 만들도록(탄소 중립) 권고

했다.

앞서 유엔기후변화협약(UNFCCC)에서는 2015년 체결된 파리 협정 내용을 바탕으로 각국에 지구 온도 상승을 산업화 이전 대비 2℃ 이하로 억제하고, 나아가 1.5℃를 달성할 것을 강력히 촉구했다. 동시에 2030년까지 이행할 국가 온실가스 감축 목표(NDC)와 2050 저탄소 발전전략(LEDS)을 제출해달라고 요청했다.

이런 흐름 속에 유럽연합에 이어 우리의 주요 수출 경쟁국인 중국과 일본이 탄소 중립을 선언했다. 미국이 파리 협정에 재가입하고 2021년 3월에는 우리나라를 포함해 23개국이 탄소 중립을 공식 선언하기에 이르렀다. 이어 세계 온실가스 배출량의 73%를 차지하는 131개국이 2021년 4월 세계기후정상회의에서 탄소 중립에 동참하겠다는 의지를 밝혔다. 탄소 중립이 국가 경쟁력 확보를 위한 필수 과제가 된 것이다.

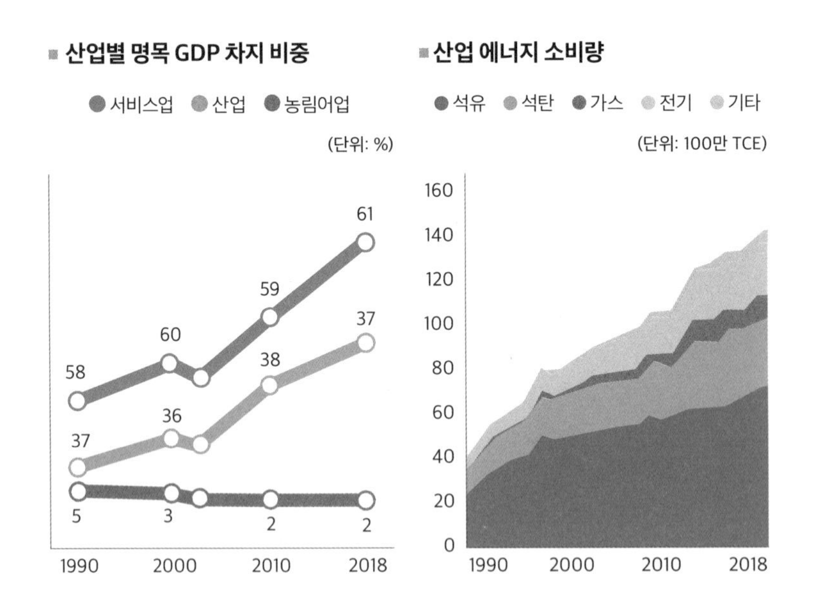

피할 수 없는 현실

우리도 대응의 고삐를 조여야 했다. 우리 경제는 1990년대 대비 약 4배 규모로 성장했고, 산업 분야의 에너지원 중 약 70% 이상을 석유·석탄에 의존하고 있었다. 높은 제조업 비중은 탄소를 많이 배출하는 산업 구조의 핵심이었다. 특히 무역 의존도가 높은 우리 경제 구조의 특수성을 고려하면 더 적극적으로 미래 산업, 저탄소, 친환경 시장에서의 돌파구를 마련해야 했다.

정부는 2019년 3월 '2050 저탄소 사회 비전 포럼'을 개최했다. 포럼을 통해 수송, 산업, 에너지 등 분야별 전문가 논의와 사회적 공론화를 거쳐 2050년까지의 국가 비전과 온실가스 감축 목표(안)를 도출했다. 이를 통해 각 정부 부처가 나서 추진 전략 수립에 착수했다.

이어 2020년 12월, 대통령은 '2050 탄소 중립 비전'을 선언했다. 대

문재인 대통령은 2050 탄소 중립 비전을 선언하며 국민께 처음으로 탄소 중립 비전을 밝혔다(2020. 12. 10.).

한민국 정부가 처음 국민께 탄소 중립의 비전을 밝힌 자리였다. 같은 달 유엔에는 '2030 국가 온실가스 감축 목표(NDC)'를 제출했다. 대한민국의 기후 변화 대응 의지를 국제사회에 공식적으로 처음 밝히는 순간이었다.

실현 가능한 목표로부터

무작정 변화하자고 할 수는 없었다. 2021년 5월 대통령 직속 탄소중립위원회를 발족하고, 부문별 감축 수단이 포함된 「탄소 중립 시나리오」 초안을 마련해 주요 이해관계자와 국민의 의견을 수렴했다.

8월 5일에는 2050 탄소 중립 시나리오 초안 3개를 공개했다. 1안은 기존 에너지원을 일부 활용하면서 친환경 기술을 적극적으로 이용해 2050년 온실가스 배출량을 2018년 대비 96.3% 줄이는 안이다. 2안은 석탄 발전은 완전히 중단하되 액화천연가스(LNG) 발전은 유지하는 방법 등으로 97.3%를 줄이는 안이다. 3안은 석탄은 물론 LNG 등 화석연료를 활용한 발전을 전면 중단해 100% 줄이는 안이 마련되었다.

안을 더 좁혀나가기로 했다. 탄소중립위원회가 각계 의견 수렴을 거쳐 10월 18일 열린 제2차 전체 회의에서 더욱 구체적인 2개의 시나리오를 심의·의결했다. A안으로 화력 발전을 전면 중단해 배출 자체를 최대한 줄이는 안과 B안인 화력 발전 중 석탄 발전은 중단하고, 액화천연가스(LNG)는 일부 남기는 대신 이산화탄소 포집 및 활용·저장 등 신기술을 적극적으로 활용하는 안으로 추려졌다.

법안 정비도 서둘렀다. 2021년 8월 31일 탄소 중립과 온실가스 중장기 감축 목표를 규정한 '탄소 중립 기본법'이 전 세계 14번째로 국회

문재인 대통령은 '2050 탄소중립위원회' 출범식에서 국제사회에 탄소 중립 의지를 표명했다 (2021. 5. 29.).

를 통과했고, 기후 변화 영향 평가 제도 도입, 기후 대응 기금 설치 등 실질적 정책 수단도 마련했다. 탄소 중립 기본법에서는 2030년까지 중장기 국가 온실가스 감축 목표(NDC)를 2018년 대비 35% 이상으로 명시해 기존 목표였던 26.3% 감축보다 크게 상향했다.

국제사회와의 약속

국제사회의 요구 수준은 여전히 높았다. 정부는 세계적 흐름에 발맞춰 더 높은 NDC를 연내에 제출하겠다고 국제사회에 약속했다. 5월 30~31일 서울에서 개최된 '2021 P4G 서울 녹색 미래 정상 회의'에서 대통령은 더 상향된 NDC 방안을 11월 유엔기후변화협약 당사국 총회(COP26)에서 제시하겠다고 발표했다.

쉬운 결정은 아니었다. 실현 가능한 목표여야 하는 동시에, 관계 부처 간 협의를 거치는 것은 물론 이해관계자들의 의견도 폭넓게 수렴

해야 했다. 다섯 달간의 치열한 논의 끝에 2021년 10월 18일 탄소중립 위원회 전체 회의에서 2030년까지 40%를 감축하는 'NDC 상향 안'이 심의·의결되었다. 새로 채택된 NDC 40% 목표 수치는 기존 목표보다도 더 도전적인 목표였다. 당시 회의에 참석한 대통령이 "매우 역사적인 발표"라며 "아무도 가보지 않은 길이자 매우 어려운 길이지만 담대하게 도전해 반드시 이행해야 한다"라고 강조했다.

산업 부문의 탄소 중립 목표 달성을 위해 산업통상자원부를 중심으로 산업계와 광범위하게 소통 체계도 구축했다. 온실가스를 많이 배출하는 업종인 철강, 석유화학, 시멘트 등을 포함한 12개 업종별 민·관 소통 채널을 출범시켰고, 2021년 4월에는 모든 산업을 포괄하는 탄소 중립 산업 전환 추진위원회도 발족했다.

대전환 시대의 길목에서

당장 눈에 보이는 성과를 기대했다면 시작하지 않았을 정책이었다. 대통령도 정부도 산업 구조의 전환이 얼마나 고단한 일인지 모르지 않았다.

정부의 일관된 설득 논리는 간명했다. 그 고단한 과정을 정부가 선제적으로 주도하고 지원하여 뒷받침하겠다는 것이었다. 먼저 움직이지 않으면 당장은 편할지 몰라도 나중에 더 큰 후과를 치르게 된다는 것은 비단 정부 정책의 영역에서만 통용되는 교훈이 아닐 것이다.

전 세계가 쉴 틈 없이 나아가고 있었고, 지금 주저하는 만큼 앞으로 뒤처질 현실이 기다리고 있었다. 가장 빠른 길은 예정된 대전환의 현실을 있는 그대로 직시하고 정부와 기업, 시민사회가 함께 선제적으

"한국은 2030 NDC를 상향하여 2018년 대비 40% 이상 온실가스를 감축하겠습니다. 종전 목표보다 14% 상향한 과감한 목표이며, 짧은 기간 가파르게 온실가스를 감축해야 하는 매우 도전적인 과제입니다."

문재인 대통령(유엔기후변화협약 당사국 총회 기조연설 중에서, 2021. 11. 2.)

로 움직이는 것이었다.

모두를 위한 대전환의 시작은 그렇게 마련되었다. 거스르고 싶어도 거스를 수 없는 길, 2050 탄소 중립 선언은 국제사회의 거대한 흐름과 함께 앞으로도 차질 없이 진행될 것이다. 문재인정부가 켜켜이 쌓아온 발판이 대한민국이 맞이할 대전환의 뜀틀을 가뿐히 넘는 소중한 토대가 될 것이다.

interview

"돌아보면 그때 회의가 결정적 장면이 아니었나 싶습니다"

한정애(환경부 장관)

정부는 자주 곡예사의 역할을 부여받는다. 과감한 정책에 대한 요구와 그에 대한 격렬한 우려 사이를 외줄 타듯 걸어가야 한다. 때로 톡 쏘는 사이다가 되지 못하면 고구마가 되기에 십상이고, 반대로 사이다가 되고자 하면 불량식품으로 매도되기도 한다.

문재인정부의 NDC 40%는 그 외줄 타기의 산물이었다. 산업계의 반발만큼 NDC 50% 수준을 이야기했던 시민사회의 요구도 거셌다. 정부는 책임 있는 곡예사가 되어야 했다. 그 모든 과정이 민주주의의 시간이었지만 늘 그렇듯 결과에 대한 책임은 오롯이 정부의 몫이었다. 국가 정책의 최종 책임자로서의 책무이자 그 또한 민주주의의 산물이었다.

주어진 시간은 27년. '기후 파국'을 막기 위한 전례 없는 변화는 혼란과 저항을 동반했다. 그렇다고 피할 수는 없는 길이었다.

'2050 탄소 중립 선언'과 '그린 뉴딜'… "해야만 하고 해내야 할 일"

돌아보면 전격적인 변화의 연속이었습니다. 정부가 2050 탄소 중립을 선언하게 된 과정이 궁금합니다.

왜 2050년에 탄소 중립을 해야 하느냐, 이제는 이 질문에 물음표를 갖는 분들을 점점 찾아보기 어려워지는 것 같습니다. 2050 탄소 중립 의제를 던졌을 때 당연히 반발과 저항이 있을 걸로 예상했습니다. 그걸 우려해 안 하는 게 낫지 않느냐 말할 수 있지만, 정부는 그러지 않았어요. 문재인 대통령이 2020년 10월 국회 시정 연설에서 "2050년 탄소 중립을 향해 나아가겠다"라고 선언합니다. 그보다 앞서서는 2020년 7월에 한국판 뉴딜 전략을 발표하죠. 여기에 '그린 뉴딜'이 들어가 있는데 저탄소 경제 생태계를 만들어가기 위한 노력들이 담기거든요.

에피소드가 있는데요. 유명희 통상교섭본부장이 WTO 사무총장 선거에 나갔을 때 대통령님께서 해외 지도자들과 굉장히 많이 전화 통화를 하셨습니다. 그 과정에서 해외 지도자들의 걱정과 염려 중 하나가 지구 온난화, 탄소 중립이라는 의제를 한국이 어떻게 선도해 나갈 것인가였어요. '우리는 대외 경제 의존도가 높은데 앞으로 살아남기가 쉽지 않겠구나' 하는 걸 느끼신 거 같고요. 그런 과정을 통해 2050 탄소 중립을 선언하기에 이르렀던 겁니다.

정작 우리는 잘 느끼지 못하는, 세계가 주목하는 대한민국의 혁신 속도

> 2020년 10월 '2050 탄소 중립'을 선언한 이후 그해 12월에는 '2050 탄소 중립 추진 전략'이 발표되었습니다. 혹자는 신속하다고 할 수 있겠지만 누군가는 너무 급하다고 얘기할 수도 있을 것 같습니다.

해외에서 보면 사실 믿기지 않을 정도의 속도와 밀도로 '2050 탄소 중립 추진 전략'을 만들어냈는데요. 사실 우리는 30년 전부터 탄소 중립을 준비해 온 선진국 대비 80% 수준이에요. 그럼에도 각국의 장관들이나 국제기구와 이야기를 해보면 한국과 탄소 중립 기술 협력을 하고 싶다는 의사를 밝힙니다. 따지고 보면 우리가 먼저 요청을 해야 하고 우리가 더 배울 것이 많음에도 왜 선진국들이 한국과 협력 의사를 내비치느냐, 자신들은 여기까지 오는 데 엄청난 시간과 투자가 필요했는데, 한국은 10년도 안 걸렸다는 점을 주목하더라고요. 그러니까 기술 혁신을 이뤄내는 속도와 밀도가 굉장하다는 겁니다. 늘 우리는 스스로 많이 부족하다고 생각하지만, 해외에서 대한민국을 바라보는 혁신의 속도는 그 어느 나라도 따라잡기 힘든 속도인 거예요.

2021 P4G 서울 녹색 미래 정상 회의 서울 선언문 채택(2021. 5. 31.)

"신규 해외 석탄 화력 발전소에 대한 공적 금융 지원을 전면 중단할 것입니다."

문재인 대통령(기후 정상 회의, 2021. 4. 22.)

2021년 4월에는 문재인 대통령이 석탄 발전 수출에 대한 공적 자금 지원 중단을 선언하시죠. 이건 어떤 배경에서 나온 결정입니까?

저희가 대통령님을 모시고 관계 부처 회의를 한 적이 있었는데요. 사실 경제 부처는 굉장히 염려를 많이 했었습니다. 중국도 안 하고 일본도 안 하는데 왜 우리가 먼저 이 길을 가야 하느냐는 거죠. 하지만 대통령님은 "굉장히 빠른 속도로 세계가 바뀌고 있기 때문에 더는 (해외 석탄 발전 수출에 대한 공적 자금 지원을) 할 수 없을 것이다. 그러니 공식적으로 천명하는 것이 오히려 맞다"라고 결정하신 거죠.

그해 5월에 있었던 P4G에서도 다시 한번 우리가 해외 공적 자금을 이용한 석탄 화력 발전소에 투자하지 않겠다고 공식적인 천명을 하는데요. 그러면서 동시에 '그린 ODA'를 확대하겠다고 밝히죠. 지금은 우리가 선진국의 반열에 들어섰지만, 한때 우리 역시 개발도상국이었고, 그 국가들이 무엇을 원하는지 너무나 잘 알고 있기 때문에 우리가 개발도상국과 선진국 간의 가교 역할을 하겠다고 한 거예요. 그린 ODA는 실제 2022년 예산에도 반영이 됐고요. 이런 일련의 과정들을 해외에서 다 보고 있지 않겠습니까, 선진국의 반열에 올라선 한국이 국제사회의 일원으로 역할을 제대로 하고 있고 많은 노력을 하고 있다는 평가도 P4G를 치르면서도 느낄 수 있었습니다.

P4G 탄소 중립 실천 특별 세션에서 발언하는 한정애 장관

결정적 변곡점이 된 청와대 회의,
해외 감축분 5% 포함하자 해외의 MOU 요청 이어져

국가 온실가스 감축 목표(NDC)를 2018년 총배출량 대비 40%로 결정했습니다. 기존 26.3%에서 대폭 상향한 결과인데, 감축 목표는 부처마다 이견도 있지 않았습니까?

최종적으로 2030년에 몇 %를 해야 하느냐를 두고 관계 부처 장관 회의를 몇 번 했었습니다. 당시 경제 부처들의 주 의견은 35%를 최대치로 했으면 좋겠다는 거였고요. 환경부는 35~40% 구간으로 설정했으면 좋겠다고 했죠. 이걸 가지고 청와대 회의가 열렸는데요. 그날 대통령께서 본인의 가장 많은 고뇌와 고민을 말씀하시더라고요. 대통령께서는 워낙 많은 국가의 정상들과 이야기를 해보셨으니 우리를 향한 국제사회의 요구도 들으셨을 거잖아요. 가교 역할이라고 하는 것은 말로만 해서 되는 것은 아니고 적극적으로 의지도 보이고 역할도 하고 해야 하는 건데, 조금 더 과감하고 적극적으로 해외 감축분을 검토했으면 좋겠다고 이야기를 하신 거죠.

그런 고민의 지점이 40%로 모인 겁니다. 해외 감축분을 5% 정도는 쓸 수 있도록 하고 35%는 우리 내부에서 조금 더 과감하게 줄일 수 있도록 해보자, 마침 그때 문재인 대통령님이 국제 메탄 서약에 가입해서 메탄 감축 노력에 적극 동참하겠다고 하셨거든요. 그 메탄을 줄이는 것으로써 우리가 국내 감축분도 더 줄일 수 있는 것이니 그렇게 해서 35%를 맞추자고 했던 거죠. 저는 이 결정이 굉장히 주요했다고 봐요. 경제 부처 등은 부담일 수 있지만 해외 감축분 5%가 포함됐다는 걸 알고 아시아 지역이라든지 북방 지역에서 굉장히 적극적으로 우리에게 MOU 제의를 하고 있거든요. 돌아보면 그때 회의가 결정적인 장면이 아니었나 싶습니다.

'탄소 국경세', 거대한 명분의 새로운 관세 장벽 '한국형 RE100(재생 에너지 100%)' 집중해야

> 유럽연합(EU)과 미국을 중심으로 논의되던 탄소 국경세는 현실로 다가오고 있습니다. 산업계의 걱정은 비용 부담일 텐데, 정부의 정책적 뒷받침은 어떻게 진행되나요?

탄소 중립은 나중에는 어떤 식으로든 무역 장벽으로 작동을 하게 될 겁니다. 특히나 재생 에너지의 비율을 과감하게 높여 나가는 나라들의 경우 나중에 탄소세를 요구할 거예요. 지구의 파국을 막기 위한 아주 거대한 명분의 새로운 관세 장벽이 세워지는 거죠. 외국은 재생 에너지 비율을 과감하게 높여가고 있습니다. 미국도 20%가 넘고, 중국도 거의 30% 정도 되고, 인도도 20%, 원전이 많다고 하는 프랑스도 24%입니다. 스웨덴은 재생 에너지 비율이 66%나 됩니다. 우리는 원전이 29%인데 재생 에너지 비율은 7%가 안 되거든요.

이런 식으로는 우리 제품의 경쟁력을 불어 넣어줄 수 없어요. 그러면 어떻게 해야 되느냐, 해외에서 재생 에너지를 사 와야 돼요. 당연히 비싸게 주고 살 수밖에 없지 않겠습니까? 우리의 제품에 대한 경쟁력을 높여주기 위해서는 RE100에 열심히 투입하는 것이 맞다고 보는 거죠.

지금 업계는 굉장히 빨리 변화하고 있습니다. 그 변화의 속도를 정부가 다시 지원하기 위한 과제들이 2021년 한 해 동안에 만들어졌어요. K-순환 경제 로드맵을 발표했고, 정부가 자원 순환 기본법을 만들어서 국회에 요청했죠. 2021년 7월에 한국판 뉴딜 버전 2.0을 보면 그린 뉴딜 부분에 탄소 중립 전략이 반영됐습니다. 여기에 순환 경제와 관련한 내용이 추가된 것이죠. 원칙적으로 재제조·재사용·재활용입니다.

그래서 이제는 국가 차원에서 재활용과 관련된 사이클을 더 과감하게 지원하고 만들어야 한다고 하는 거예요. 이제는 외국에서 "재활용 원료를 30% 쓰셨어요?" 이걸 요구합니다. EU 같은 경우에는 배터리 안에 들어가는 음극 소재, 양극 소재가 있는데 30%를 재활용 소재를 쓴 건지 아닌지를 봐요. 앞으로는 국가 경쟁력의 문제예요. 그래서 제도적 기반을 2022년 상반기까지 다 마련을 할 건데요. 재활용 업계의 경우 2025년까지 아주 저리로 융자를 해드릴 테니 설비 고도화를 준비하라는 거죠.

P4G 탄소 중립 실천 특별 세션

탄소 중립 실천하면 현금성 포인트로…
국민과 함께하는 탄소 중립으로

> 산업계뿐만 아니라 국민께 동참을 요청드려야 할 부분이 있다면 어떤 것이 있을까요?

참여를 끌어내는 게 가장 중요할 거 같습니다. 환경부가 지난해 탄소 중립 주간 동안 전 국민이 참여하는 실천으로 불필요한 이메일 지우기를 했는데요. 사실 나의 참여가 무엇을 변화시키는지를 정확하게 몰라서 참여를 안 하는 분들도 있다고 생각이 들었어요. 결국은 우리가, 내가 참여해서 줄여나가는 것이 어느 정도 효과가 있는가를 수치화할 필요가 있을 것 같아서요.

환경부가 그 작업을 하려고 합니다. 휴대폰으로 내가 오늘 한 행동 하나하나에서 CO_2 발생을 얼마를 줄였는지를 알 수 있게끔 하고 그것에 대한 인센티브를 드리는 거죠. '기후행동 1.5도씨(℃)' 앱을 조금 더 확충해서 스스로 목표를 설정하고, 목표를 충족시키거나 줄여나가면 거기에 대한 포인트를 현금으로 받는 방식입니다. 처음에는 재미 삼아 시작하지만 체화가 되면 그야말로 생활이 되는 거거든요. 취약 계층께는 더 많은 포인트를 주는 방식으로 보완 장치를 마련하려고 합니다. 2022년 예산은 그렇게 많지 않지만 저희 욕심은 예산이 금방 동이 날 정도로 국민 모두가 참여하셨으면 좋겠습니다.

전례 없는 변화였다. 전례 없는 논의와 설득이 필요했다. 이따금 중심이 흔들릴 때면 대통령이 다잡았다. 대통령의 원칙이 확고하면 주무 부처의 장관이 '일할 맛'이 난다. 촘촘한 대전환의 전략이 신속하게 마련될 수 있었던 동력이다.

가보지 않은 길이었기에 분주히 나침반을 확인하고 교정했다. 한정애 장관이 "어떤 정부가 들어서도 탄소 중립의 기조가 변할 수 없을 것"이라 힘주어 말할 수 있는 이유는 이 길이 힘들지만 반드시 가야 할 길이었기 때문이다.

외줄 타기 곡예사의 제1 임무는 앞으로 나아가는 것이다. 무게중심을 잡고 떨어지지 않기 위한 노력은 필요조건에 속한다. 정부는 두려움 없이 앞으로 나아가기로 했다. 탄소 중립을 나침반 삼아, 이 외줄의 끝에 한반도, 나아가 인류의 번영이 있을 것이라는 믿음으로 용기 있게 걸어가기로 했다.

2부

위기 극복

2017~2022

소부장 독립 선언

일본의 기습, 그리고 승부처

느닷없는 조치였다. 2019년 7월, 일본 경제산업성은 한국으로 향하는 핵심 소재의 수출 규제 조치를 일방적으로 발표한다. 일본이 내세운 명분은 '국가 안보'였다. 우리나라가 수출 통제를 제대로 하지 않아 전략 물자가 북한으로 흘러 들어갔다는 주장이었다. 실상은 달랐다. 우리 대법원이 일본 전범 기업들에 강제 징용 피해자 배상 판결을 내린 것에 대한 보복이라는 추측이 지배적이었다.

7월 1일 수출 규제 계획을 발표한 일본은 사흘 뒤 3개 품목의 수출 절차를 강화하는 조치를 시행했다. 불화수소, EUV용 포토레지스트, 불화폴리이미드. 모두 우리나라 수출 주력 품목인 반도체와 디스플레이 제조 시 꼭 필요한 소재들이었다. 8월 2일에는 한국을 '수출 절차 간소화 우대국', 이른바 '백색 국가'에서 제외했다. 본격 수출 규제에 나선 것이다.

결단이 필요했다. 외교적 해법을 모색하는 온건한 대응부터 전면대응까지 다양한 의견이 망라됐다. 신속한 결정과 그에 따른 비상한 실천이 긴요한 시점이었다.

정부의 결정은 당당한 대응이었다. 이번 계기를 통해 제조 산업의 허리 역할을 하는 소재·부품·장비(소부장) 산업을 제대로 키워 위기를 기회로 만들어야 한다는 각오였다.

2019년 8월 5일 발표된 '소재·부품·장비 경쟁력 강화 대책'은 그 의지의 실천적 표현이었다. 일본 의존도가 높았던 품목을 중심으로 공급망을 내부화·다변화하고, 기술 개발과 투자 유치로 공급을 조기에 안정화하겠다는 계획이었다. 기업 맞춤형 실증·양산 테스트베드를 확충하고, 소재·부품·장비 특별 조치법을 전면 개정하는 등 구체적 세부 계획도 마련했다.

3대 품목을 넘어 100대 핵심 전략 품목으로

정부는 수출 규제 대상 3대 품목을 넘어 100대 핵심 전략 품목(반도체, 디스플레이 등 6대 분야)을 선정했다. 3대 품목처럼 직접 수출 규제 대상은 아니었지만, 국가 안보와 산업에 중요한 재료·설비들이었다. 대체 가능성과 기술 수준, 특정 국가 의존도, 산업 공급망에 미치는 영향 등을 고려해 선정했다.

특히 100대 핵심 전략 품목 중 수급 위험이 크고 공급 안정이 시급한 20대 품목은 따로 분류했다. 이 품목들에 대해서는 수입국을 다변화하고, 생산 시설 확충 관련 인허가를 신속하게 지원하며, 추가 경정 예산 자금을 투입해 핵심 기술 확보를 추진하는 등 빠른 공급 안정을 모색했다.

나머지 80대 품목에도 중장기적·전략적 기술 개발을 위해 대규모의 예산을 투자하고 과감한 R&D 방식을 도입했다. 자체 기술 확보가 어려운 분야에 대해서는 인수 합병, 해외 기술 도입, 투자 유치 등을 지원하고, 화학 물질 관리, 경영 자금 부족 등 현장의 어려움도 신속히 해소될 수 있도록 도왔다.

"해보니까 되더라"

놀라운 결과였다. 급작스럽게 찾아온 위기는 오히려 자립의 기회가 됐다. 우리 소부장 기업들은 단 한 건의 생산 차질 없이 제품을 공급했고, 국내 소부장 산업의 일본 의존도는 크게 낮아졌다. 일본이 수출을 막았던 3대 품목 중 하나였던 불화수소는 국내 생산량이 늘어 대일 수입액이 2019년 대비 2021년 83.6% 줄었고, EUV 포토레지스트는 글로벌 기업 듀폰으로부터 대규모의 생산시설을 유치하는 등 대일 의존도가 50% 이하로 감소했다. 세 번째 규제 품목인 불화폴리이미드는 대체 소재를 채택, 대일 수입이 사실상 0에 수렴하고 있다. 공장 신·증설, 인수 합병, 외국인 투자 유치를 통해 국내 생산을 확대하고 미국·중국·유럽 등으로 수입처를 다변화한 결과였다.

'연대'의 힘을 믿었기에 가능한 결과였다. 당초 소부장 산업에서 공급 기업은 단기간에 기술을 쌓기 어렵고, 수요 기업은 기술 신뢰도와 안정성을 따지다 보니 공급처를 쉽게 바꿀 수 없던 상황이었다. 한계를 뛰어넘기 위한 연대와 협력의 산업 생태계가 필요했다. '수요-공급 기업 협력 모델'을 발굴해 투자를 유치하고, 법과 제도를 정비했다. 공

대한민국 소재 부품 장비 산업 성과간담회(2021. 7. 2.)

급 기업의 연구개발부터 수요 기업의 생산 단계까지 소부장 산업의 모든 생산 주기에 걸쳐 지원했다. 정부의 일방적 의지나 어느 한 기업의 개인기로 할 수 없는 일이었다.

특히 지금껏 일본의 기술에 의존했던 국내 2차 전지 업계는 핵심 기술의 국산화에 성공한 이래 일본 관련 회사가 먼저 관심을 표하는 상황에 이르렀다.

"본격적인 소부장 육성 정책 덕분에 당시 기술력이 커다란 진전을 이루었습니다. 지난 2019년 산업부 프로그램을 통해 2차 전지 전해액 첨가제 기술을 개발할 수 있었습니다. 삼성SDI, SK이노베이션 등 수요 기업들과의 협업도 큰 도움이 됐습니다. 소부장 산업 내 이런 연대의 협력이 더 강화된다면 좋겠습니다."

이상률((주)천보 대표)

"우리가 갖게 된 교훈은 글로벌 공급망 속에서 우리의 강점을 살려 나가되, 핵심 소부장에 대해서는 자립력을 갖추고 특정 국가 의존도를 낮추지 않으면 안 된다는 것입니다."

문재인 대통령(대한민국 소재·부품·장비 산업 성과 간담회, 2021. 7. 2.)

소재 부품 장비 현장에 방문한 문재인 대통령(2020. 7. 9.)

소부장 2.0 전략

독립은 계속되어야 했다. 코로나19와 미·중 무역 분쟁 등에 따른 글로벌 공급망 재편에 맞게 더욱 선제적이고 공세적인 대응이 필요했다. 기존 '소부장 1.0 전략'은 일본 수출 규제에 맞서 100대 품목을 선정했지만, 2020년 7월 발표한 '소부장 2.0 전략'은 이를 '전 세계 338+α개' 품목으로 확장했다. 협력 모델도 추가 발굴해 지원했으며 핵심 전략 기술 분야에 뛰어난 '소부장 으뜸 기업'을 지정해 육성했다. 세계적 첨단 클러스터 도약의 발판인 '소부장 특화 단지' 선정도 한발 더 나아가기 위한 전략의 일환이었다.

■ **구매력 평가(PPP) 기준 1인당 국내총생산(GDP) 추이 / 한국·일본 국가 경쟁력 종합 순위 비교**

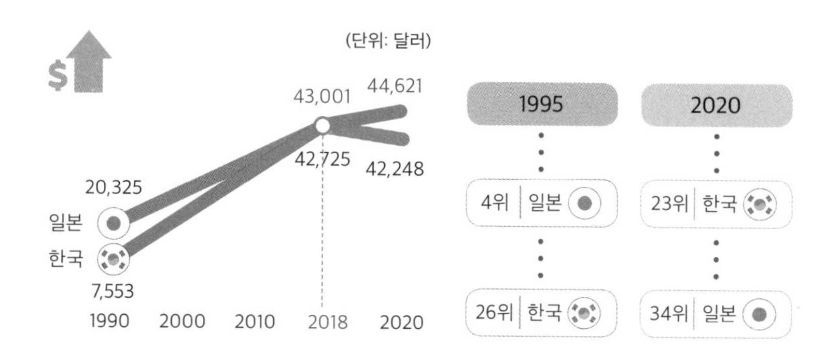

국민과 함께한 독립 "당신 탓이 아닙니다"

1924년생 이춘식 할아버지는 태평양전쟁 직전 17세 나이에 신일본제철 가마이시 제철소로 끌려갔다. 하루 12시간 이상 석탄 먼지 가득한 곳에서 고된 노동을 한 세월이 3년, 하지만 단 한 번도 월급을 받지 못한 채 빈털터리로 귀향해야 했다. 60년 넘는 세월, 기약 없는 기다림에 지친 피해자들은 밀린 월급과 강제 노동 배상금을 달라며 2005년 한국 법원에 소송을 제기했고, 13년의 긴 소송 끝에 대법원은 일본 기업의 배상 책임을 인정했다.

회한의 기쁨도 잠시, 먼저 떠난 동료들을 대신해 유일한 생존자로 외로운 싸움을 이어온 구순 노인의 눈물은 1년 뒤에도 마를 새 없었다.

"나 때문에 우리 대한민국이 손해가 아닌지 모르겠네. 나 하나 때문에…."

강제 징용 판결이 일본의 경제 보복으로 이어지자 그는 이 모든 상황이 일본의 배상 판결을 받아낸 자신의 탓 같다며 탄식했다. "미안하다"라고 말하는 할아버지의 사과. 따뜻한 우리 국민께서 가만있지 않으셨다. "할아버지 잘못이 아니에요." 초등학생들이 보낸 응원의 편지가 쏟아졌다.

국민은 지체 없이 하나가 되기로 결심한다. 과거 역사에서 그랬듯 품위 있게 위기와 맞섰다. 정부의 당당한 대응은 국민의 그 준엄한 지지에 기반해 있었다. 어떠한 비장한 결단도, 탄탄한 정책도 주권자 국민의 동의 없이 성공할 수 없다는 것, 숨 가빴던 소부장 독립의 과정은 정부 공직자들에게 그 믿음을 더욱 단단하게 한 계기로 남아 있다.

청와대 이야기

"바둑 둘 줄 아십니까?"

청와대는 분주했다. 2019년 7월, 일본의 기습적인 수출 규제로 경제 위기감과 반일 감정이 동시에 끓어오르고 있었다.

엄숙한 토론이 이어졌다. 당장 대일 관계는 물론, 일본과의 수출 원칙이 규정될 수 있는 갈림길이었다. 나아가 강제 징용 판결 문제로 연결되어 역사 문제에 대한 우리의 자세로까지 이어질 수 있는 건이었다.

다수 참모의 의견은 외교적 방법에 의한 해결, 즉 '유화책'이 조금 우세했다. 모두 각자의 근거와 분석으로 국익을 가늠했고 치열하게 토론했다. 결국 '외교적 유화책'에 근거한 메시지 초안이 마련되었다.

대통령에게 보고가 올라갔다. 침묵. 대통령의 첫 반응은 침묵이었다. 두 번째 반응도 역시 침묵이었다. 대통령과 오랜 시간 가까이서 일했던 참모들에 따르면 대통령의 긴 침묵은 '분노'의 표시였다. 논리를 정리하고 단어를 차분히 고르는 시간. 얼마간의 침묵 후 대통령은 참모들을 소집했다. 긴급 회의가 시작되었다. 시작은 예의 차분한 목소리였다.

“여러분 혹시 바둑 둘 줄 아십니까? 바둑을 둘 때 승부처라는 생각이 들 때가 있지요? 이 문제를 다루면서 지금이 승부처라는 생각이 들지 않았습니까? 나는 지금이 소부장 독립을 이룰 수 있는 승부처라고 생각하는데 어떻게 이런 메시지를 건의할 수 있습니까?”

단호한 목소리였다.

“이 위기를 이겨내지 못한다면 영영 기술 독립의 길은 없을 것입니다.”

대통령이 한일 관계에 미칠 영향을 몰랐을 리 없다. 그동안 한일 관계 개선을 위해 외교적 노력을 기울여오던 터였다. 대통령은 주권자로부터 최고 권력을 위임받은 이로서, 때로 참모들의 다수 의견과 다른 결정을 해야 했을 뿐이다.

위기는 기회가 되었다. 소부장 독립은 보란 듯이 성공했다. 부당한 수출 규제는 전례 없는 자립의 기회가 되었고 대통령의 결단은 결과로 증명되었다. 어쩌면 정답이 정해져 있는 토론이 아니었을 수 있다. 용기 있게 길을 정하고 두려움 없이 나아가는 것. 그 자신감이 필요했던 전부였을 수 있다.

회고하길, 대통령은 국민에 대한 믿음이 있었다고 했다. 정치인들이 습관처럼 하는 말이지만 그 믿음 없이 아무것도 할 수 없는 일이 정치라고도 했다. 현대 정치에서 ‘정치공학’이라는 말이 당연시되지만 결국 의미 있는 변화는 ‘신뢰’, ‘협력’, ‘연대’ 같은 소리 없는 가치들의 총합으로 완성된다는 믿음. 대통령은 대한민국 국민의 저력을 믿었고 그 믿음으로 두려움 없이 나아갈 수 있었다고 했다. ‘지속 가능한' 변화는 그렇게 주권자와 공직자가 한마음 한뜻이 되었을 때 가능하다고 대통령은 자주 강조했다.

K-방역, 국가의 역할

인류의 위기였다. 전 세계 어느 나라도 이렇게 긴 터널이 될지 알지 못한 채 전대미문의 팬데믹을 맞이했다. 2019년 12월 중국에서 최초 보고된 코로나 바이러스 감염증-19(이하 '코로나19')는 무서운 속도로 전 세계를 강타했다.

우리나라도 예외는 아니었다. 발생 초기인 2020년 2월에는 중국에 이어 코로나19 확진자가 가장 많았다. 과거 신종플루, 메르스를 겪으며 큰 홍역을 치렀던 경험은 더 큰 두려움의 원천이 되었다.

국민은 국가의 존재 이유를 묻고 있었다. 국민의 생명과 안전이라는 국가 공동체 제1의 책무를 다해야 했다. 봉쇄와 억제 사이, 의료 방역과 경제 방역 사이, 정부는 끊임없는 갈림길 앞에 놓였으며 국민의 사려 깊은 협력과 따끔한 비판 모두의 대상이 되었다.

'믿을 구석'은 국민밖에 없었다. 어떠한 기민한 정책도 국민의 협조 없이는 효과를 거둘 수 없었다. 2020년 12월 OECD가 평가한 방역 성과 2위 국가. 전 세계가 인정한 K-방역의 발자취는 곧 위대한 대한민국 국민이 내어온 길이었다. 정부가 증명하고자 했던 국가의 존재 이유는 그 국민에 걸맞은 정부가 되기 위한 치열한 사투의 결과였다.

서울역 회동, 진단 검사의 세계 표준을 만들다

2020년 1월 27일, 질병관리본부, 학계 전문가, 국내 민간 시약 개발 업체들이 서울역 역사 내 회의실에 모였다. 국내 확진자가 4명에 불과했을 때였다. 이른바 '서울역 회동'이다. 질병관리본부는 코로나19 상황을 설명하고 긴급 사용 승인 계획을 밝히며 민간 개발 업체에는 빠른 진단 시약 개발을, 학계에는 객관적 검정과 지원을 요청했다. 질병관리본부는 자체 개발한 실험법도 업계에 공개했다. 그동안의 연구개발로 코로나19 진단에 대한 기반이 있던 개발 업체는 기민하게 실험법 활용에 나섰다. 질병관리본부가 정교하게 분리해 학계에 '분양'한 바이러스는 민간 차원의 진단 키트 개발과 성능 평가에 크게 기여했다. 이후 일주일 만에 처음으로 긴급 사용 승인을 받는 시약이 나왔고, 대규모 검사를 신속하게 할 수 있는 시스템도 구축되었다. 특히 유전자 증폭 방식의 체외 진단 검사를 수행하는 검사실 운영 절차와 방법은 2020년 12월 국제표준화기구(ISO)에 국제표준으로 등록되며 전 세계의 기준으로 당당히 인정받기도 했다.

봉쇄 없이 억제, 세계가 주목한 3T 전략

개방성, 투명성, 민주성 원칙 하에 3T 전략을 채택했다. 진단 검사

(Testing)-역학 조사(Tracing)-신속한 치료(Treatment)를 뜻하는 3T 전략은 '봉쇄 없는 억제'를 상징하는 K-방역을 만든 핵심 전략이었다. 국내 첫 환자 발생 이전인 2020년 1월 9일, 진단 검사법을 조기에 개발하고 검사 속도를 높이고 검사 기관을 지속해서 확대했다. 일일 검사 역량은 2020년 2월 기준 하루 약 2만 건에서 2021년 9월 약 50만 건으로 20배 이상 늘어났다. 전국에 선별 진료소, 임시 선별 검사소를 마련하고, 검사의 사각지대를 없애기 위해 익명 검사를 도입해 검사 접근성을 높였다. 전국 어디에서나 무료로 검사를 받을 수 있었고 요양병원, 교정 시설 등 감염 취약 시설에는 주기적 선제 검사를 도입했다.

특히 세계 최초로 자동차 이동형 선별 진료소 일명, '드라이브 스루' 방식의 검사는 세계 언론의 집중적인 관심을 받았다. "기발한 아이디어를 빠르게 적용했다"(BBC)라며 "세계에서 가장 혁신적인 국가임을 다시 한번 입증했다"(블룸버그)는 평가가 이어졌다. 이후 드라이브 스루 방식의 검사는 고양시와 세종시를 시작으로 전국 지자체에도 확대되어 코로나19 확산 저지에 큰 역할을 했다. 2020년 8월 4일에는 드라이브 스루 선별 진료소 표준 운영 절차 안이 국제표준화기구(ISO) 신규 작업 표준 안으로 채택되며 또 한 번 세계의 기준이 되었다.

세계 최초로 진행된 자동차 이동형 선별 진료소, 일명 '드라이브 스루'

ICT·의료 첨단 기술로 빠르고 정확하게

첨단 기술을 통한 대응도 K-방역의 주요한 한 축이었다. ICT 기술 기반으로 설계된 역학 조사 지원 시스템(EISS)과 전자 출입 명부(QR 코드 활용) 등을 활용해 신속하고 정확하게 감염 경로를 분석할 수 있었고 마스크 앱, 자가 격리 관리 앱, 접촉자 동선 관리 시스템 등이 방역의 고비마다 큰 역할을 했다. 백신 폐기를 최소화하기 위해 국민이 많이 사용하는 민간 SNS 업체와 협업하여 실시간으로 예약할 수 있는 '잔여 백신 당일 예약 앱 기능'을 개발했다. 손쉽게 잔여 백신을 조회하고 예약할 수 있는 시스템은 국민의 백신 접종 접근성을 크게 높였다.

'생활치료센터'로 효율적 병상 운영

2020년 3월 1차 유행으로 확진자가 급속히 증가하며 기존 병상이 한계를 맞자 경증 환자를 대상으로 한 '생활치료센터'를 도입했다. 2020년 3월 중앙교육연수원을 시작으로 10일 만에 전국에 총 16개 생활치료센터를 운영했고, 이로써 대구·경북 확진 환자들의 자택 내 대기 문제와 병상 부족 문제를 조기에 해소했다. 8월 초 2차 유행으로 수도권 확진자가 급증하자 3개 센터로 운영하던 생활치료센터를 다시 15개 센터로 확대했다. 8~10월에 전체 격리 해제자 1만 1,160명 중 35%에 해당하는 3,924명이 생활치료센터에서 완치되어 격리 해제된 것으로 나타났다. 12월 3차 유행 시에도 즉각 72개 센터로 확대해 차질 없이 운영했고, 2020년 12월부터는 2021년 1월까지 확진자의 60%

가 입소하는 등 생활치료센터는 코로나19 유행의 고비마다 핵심 역할을 수행해왔다.

백신과 먹는 치료제의 충분한 확보

2020년 상반기까지 국내외 전문가나 WHO 등 국제기구는 코로나19 백신 개발에 상당한 시간이 소요될 것이라 예상했다. 그러나 2020년 하반기 화이자, 아스트라제네카, 모더나 등이 개발한 백신들의 3상 중간 결과가 발표되며 세계 각국은 백신 확보를 위한 치열한 경쟁에 돌입했다.

정부는 글로벌 협력체인 '코백스'에 동참하는 한편, 개별 기업과의 구매 협상을 병행하는 전략을 세웠다. 외교 역량을 총동원하여 백신 확보를 추진했다. 이를 통해 우리나라 전체 인구의 약 2배를 접종할 수 있는 1억 9,490만 회분의 백신을 확보했다. 문재인 대통령은 화이자, 모더나, 아스트라제네카, 노바백스 등 세계 백신 개발사 대표를 모두 직접 만나 백신 공급을 확정하고 시기를 앞당겼다.

먹는 치료제도 2022년 1월 기준, 총 100.4만 명분을 확보했다. 특히 화이자사의 '팍스로비드'는 세계에서 가장 빠른 편에 속하는 2022년 1월 말부터 도입되어 경증 환자가 위중증 환자로 악화되는 것을 막는 핵심적인 역할을 했다.

세계 어느 나라보다 빠른 백신 접종 속도

코로나19 백신 접종을 일찍 시작한 미국, 영국 등 주요국에서는 접종률이 50~60%를 넘어서면서 접종 속도가 둔화했다. 하지만 우리나라는 70%를 넘을 때까지 지속해서 빠른 속도를 유지했다. 국민께서 정부의 백신 정책에 적극 호응해주신 덕분이다. 1차 접종률이 50%에서 70%까지 높아지는 데 걸린 시간은 28일로, 일본(44일), 프랑스(54일), 영국(118일) 등에 비해 현격히 빨랐다. 누적 접종률도 이들 국가 모두를 앞섰다. 2022년 1월 기준 인구 대비 2차 접종률은 OECD 3위(85%), 3차 접종률은 9위(47%)를 기록했다. 특히 2020년 12월부터 60세 이상 3차 접종에 집중해 2022년 1월 기준 60세 이상은 인구 대비 84%가 3차 접종을 완료한 상태다.

국산 백신·치료제·진단 키트,
'정부가 끝까지 지원한다'

정부는 국내 자체 백신·치료제 개발을 총력 지원했다. SK바이오사이언스가 아스트라제네카와 노바백스를, 삼성바이오로직스가 모더나를 생산해 전 세계에 공급하며 우리나라는 미국에 이어 세계 바이오 의약품 생산 능력 2위를 차지하게 되었다. 특히 노바백스 백신 생산은 단순 위탁 생산이 아닌 기술 이전 방식으로 국내 기술력 향상의 계기가 될 것으로 기대를 모으고 있다.

"저희가 개발하는 코로나19 백신은 성공적으로 막바지 임상을 진행하는 중입니다. 수개월 안에 상용화할 수 있을 것으로 보고 있죠. SK 백신이 여기까지 온 데는 정부의 역할이 컸습니다. 정부가 범정부 지원 위원회를 만들어 백신 개발 전 주기에 걸쳐 지원을 아끼지 않겠다고 약속했고, 실제로 과정 하나하나를 함께해줘 성과가 나올 수 있었습니다.

아스트라제네카가 저희에게 대조 백신을 제공하기로 결정한 건 양사가 장기적인 우호 관계를 위해 논의를 조금씩 진전시키던 때였습니다. 그런 와중에 대통령이 G7 정상 회의에서 아스트라제네카의 파스칼 소리오 CEO를 직접 만나 면담하고 서신까지 주고받으며 지원해주신 게 큰 도움이 됐습니다. 노바백스의 경우에도 기술 이전이 이례적이었는데 SK에 대한 신뢰와 선구매를 약속한 대한민국, 그것을 직접 나서 보여준 대통령이 있었기에 가능했던 것 같습니다.

적기에 팬데믹을 극복할 백신을 개발한다는 건 정부 주도 없이 불가능합니다. 정부가 끌어주고 기업이 따라가는 전략이어야 성공적으로 백신을 확보할 수 있죠. 미국, 유럽 등 전 세계 모든 나라가 이번 팬데믹 상황에서 그런 전략을 썼습니다. 대한민국 정부 또한 백신의 위탁 생산과 자체 개발이라는 투 트랙 전략을 강력하게 리드하며 국내 개발사들을 이끌어줬습니다."

진창현(SK바이오사이언스 팀장)

치료제의 경우 정부와 민간이 협력해 세계 3번째로 항체 치료제를 개발했다. 다양한 치료 후보 물질 발굴과 비임상 시험 지원을 위해 항바이러스 거점 실험실을 운영하며 약물 평가 민간 지원 기반을 구축했다. 개발 중인 치료제를 적용하기 위한 임상 시험 또한 지원하고 있다.

2020년 4월, 세계 유수 제약사들이 백신과 치료제 개발에 뛰어들

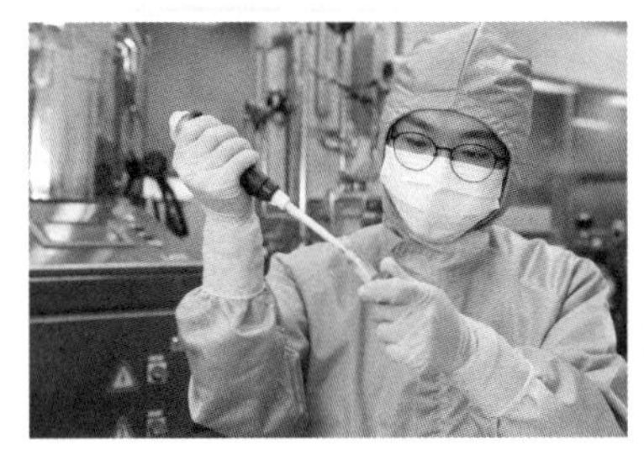
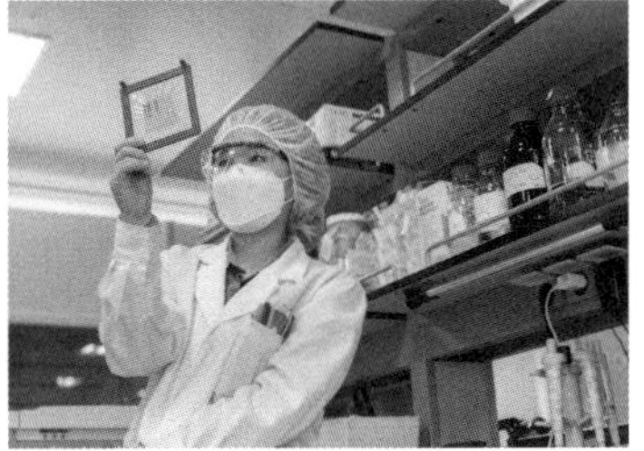

백신 연구를 진행하고 있는 SK바이오사이언스 연구원

때 정부는 우리 기업에 '정부가 끝까지 지원하겠다'라는 정책 의지를 분명히 했다. 2020년 2,186억 원, 2021년 4,327억 원의 예산을 편성했고, 이러한 정부 노력으로 국산 항체 치료제 생산이 가능해졌다. 국내 기업이 개발 중인 백신도 2021년 3분기에 3상 시험에 도입해 2022년 상반기 중 국내에 출시할 수 있게 되었다.

진단 키트의 경우 정부의 빠른 긴급 사용 승인과 'K진단키트 바이오벤처 패키지 지원' 등을 통해 세계 시장에 수출을 확대했다. 그 결과, 자가 진단 키트 수출액이 2020년 12.5억 달러에서 2021년 23.7억 달러로 급성장했다. 특히 스마트 공장 구축 지원 사업을 통해 설비 자금 저리 대출 등을 지원받은 풍림파마텍의 경우, 병당 1~2회분을 추가로 추출할 수 있는 최소 잔여형 주사기(LDS)를 개발해 미국·유럽 등으로의 수출 활로도 개척할 수 있었다.

"백신 수량이 부족한 상황에서 어떻게 하면 효율적으로 많은 분이 접종할 수 있을까 하는 생각으로 개발을 시작했습니다. 정말 감사하게도 직원들 모두 내 가족, 회사, 나아가 국가를 위한 일이라는 사명감으로 일했습니다. 크리스마스, 연말연시 다 반납했죠.
개발 이후부터는 정부, 중소벤처기업부, 식품의약품안전처에서 행정

절차를 신속하게 지원해주셨습니다. 스마트 공장 대출도 빠르게 받을 수 있었고, 삼성전자에서 전문 인력 30여 명을 파견해서 기술력과 인력을 지원하니 거의 한 달 만에 스마트 공장 양산 라인을 완비할 수 있었습니다. 그 결과 생산량이 월 400만 개에서 월 1,000만 개로 2.5배나 증가했습니다. 중기부, 식약처, 삼성그룹 등 민관이 힘을 합친 결과입니다."

윤종덕(풍림파마텍 연구소장),

YTN라디오 〈생생경제〉 2021년 10월 20일 인터뷰 중에서

'글로벌 백신 허브 국가'로 도약

2021년 5월 문재인 대통령은 미국 순방을 통해 한미 글로벌 백신 파트너십을 이행하기로 합의했다. 미국의 백신 기술, 원·부자재 공급 능력과 우리의 백신 제조 생산 역량 등 상호 강점을 결합해 글로벌 백신 공급을 가속화하기로 합의한 것이다. 미국으로부터 제공받은 얀센 백신 101만 회분은 군 관계자, 예비군, 민방위 대원 등에게 접종되었다.

2021년 8월에는 대통령 주재 글로벌 백신 허브화 비전 및 전략 보고 대회를 통해 향후 5년간 2.2조 원을 투입해 백신 연구개발과 세제 지원을 대폭 확대하고, 필수 소재·부품·장비 생산 기술을 자급화한다는 계획을 발표했다. 이어 2021년 9월 한미 백신 협력 협

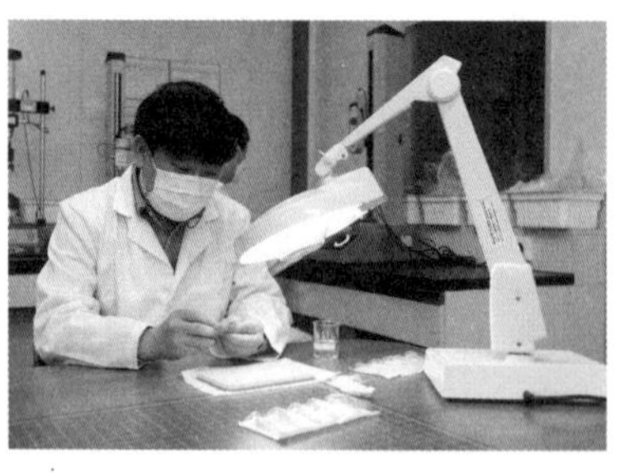

스마트 공장 구축 지원 사업을 통해 최소 잔여형 백신 주사기를 개발한 풍림파마텍

약식 체결, 한미 양국 기업과 연구소·대학 간 협약 체결을 통해 차세대 백신 개발에 대한 양국 간 협력을 강화하기로 했다. 싸이티바사는 한국에 아시아 백신 바이오 의약품 원·부자재 생산 기지 구축을 위해 2022년부터 2024년까지 3년간 총 5,250만 달러를 투자하겠다는 투자 신고서를 제출했다. 이는 해외 백신 기업의 첫 투자 유치 성과였다. 2021년 11월에는 싸토리우스사의 인천 송도 3억 달러 규모 바이오 설비 투자가 발표되는 등 투자 유치 성과가 이어졌다.

2022년 2월 24일에는 세계보건기구(WHO)로부터 '글로벌 바이오 인력 양성 허브'로 선정되어 글로벌 백신 허브 국가로서 국제적 공인을 받기도 했다. WHO는 낙점 이유로 세계 2위 수준인 국내 바이오 기업의 연간 생산 능력(60L 이상)과 정부의 적극적인 의지를 꼽았다. 앞으로 7개 기업, 4개 교육 기관이 중·저소득국의 백신 자급화를 위

뉴욕유엔총회 한미 백신 협력 협약 체결식(2021. 9. 21.)

한 교육과 훈련을 제공하는 역할을 맡게 될 예정이다. K-방역의 성과를 계기로 글로벌 백신 허브 국가로의 도약을 이끈 정부의 노력이 국제사회로부터 인정받은 결과였다.

위기 속에서 끊임없이 진화하는 K-방역

끝날 때까지 끝난 게 아니었다. 2020년 1월 최초 확진자 발생 이후 K-방역은 4번의 대유행과 오미크론 확산 등 큰 고비를 지나왔다. 특히 2021년 11월부터 단계적 일상 회복을 시작했으나 고연령층을 중심으로 위중증 환자와 사망자 급증으로 불가피하게 다시 강화된 거리 두기를 시행했다. 시급히 중증 환자를 줄이고 의료 역량을 확충하기 위한 의료 체계 정비를 진행했다. 그 결과 1월 말까지 추가로 약 7,000개의 병상을 확충했으며 중증 및 중등증 치료 병상 약 2만 5,000개를 확보했다. 오미크론 유행에 대비하기 위해 '먹는 치료제'도 조기에 도입했고, 재택 치료 역량을 대폭 확충했다. 검사 체계도 개편해 동네 병·의원에서도 전문가용 신속항원검사를 할 수 있도록 했다.

2022년 2월부터 오미크론 유행이 본격화되고 3월 대유행으로 이어지자 일각에서는 K-방역의 역설이라는 지적도 제기되었다. 그간 다른 국가들에 비해 현저히 낮은 감염률을 유지해온 탓에 오미크론의 피해를 훨씬 많이 입게 되었다는 것이다. 그러나 백신 접종이 제대로 이루어지지 않았던 시기에 치명률 높은 초기 우한주와 델타 변이의 대유행을 겪었던 국가들은 이루 말할 수 없는 막대한 피해를 입은 바 있다. 이에 반해 우리는 K-방역을 통해 대유행 시기를 지연시키면서 높은 백신 접종률과 '먹는 치료제'를 갖춘 상태로 치명률 낮은 오미크론을 맞이했다. 3월 말 기준 방역 당국과 전문가의 예측보다 적은 규모의 위중증 환자가 나오고 있는 것은 이 때문이다.

K-방역이 완벽하지는 않지만, 세계 모든 국가가 겪은 코로나 팬데믹의 충격에서 국민 피해를 최소화하는 데 결정적으로 기여했음은 부인할 수 없는 사실이다. 정부는 국민과 함께 오미크론 대유행을 넘어 완전한 일상 회복을 이룰 수 있도록 임기 말까지 노력할 것이다.

코로나19 공포에 질린 경제…
선제적 경제 방역으로

보건 방역만큼 경제 방역도 시급했다. 세계 경제는 극심한 침체와 구조적 대변혁을 마주했고 우리 경제도 어려움을 피해갈 수 없었다. 팬데믹 위기 전까지만 해도 글로벌 경기·교역 회복으로 성장세가 개선돼 '사람 중심 경제'로의 패러다임 전환이 빨라질 것으로 기대했으나 대공황 이후 최악의 글로벌 경제 위기는 대한민국에게도 예외가 아니었다.

2020년 2월 코로나19가 국내에 본격적으로 확산하면서 전 부문에 걸쳐 피해가 나타났다. 정부는 중소기업·소상공인, 관광·외식, 항공·해운 등 긴급 대응이 필요한 곳부터 지원해나갔다. 3월 19일 대통령이 직접 주재하는 비상 경제 회의 체제를 가동하여 부처 단위에서 추진하던 코로나19 대응 체계를 격상했다. 비상 경제 회의에서 추경을 포함해 코로나19 위기 극복에 필요한 핵심 정책 조치를 신속하게 결정하고 집행했다.

■ 2020년 코로나19 지원 대책

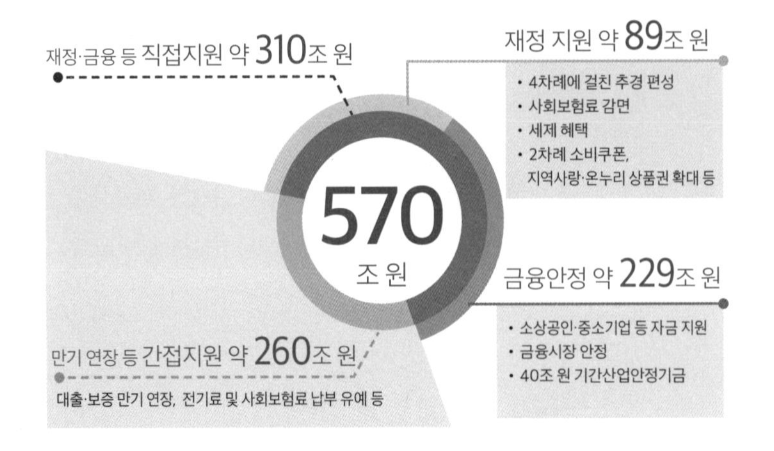

역대 최고 수준의 7차례 추경, 삶이 무너지지 않도록

2020년에만 310조 원 규모의 직접 지원 대책을 추진했다. GDP의 16%에 달하는 전례 없는 수준이었다. 정부의 지원책에는 재난 지원금·소비 쿠폰·고용 안정 패키지 등 실물 지원 대책, 소상공인 경영 안정 자금 대출·채권 및 증권 시장 안정 펀드·기간 산업 안정 기금 등 금융 안정 지원 대책이 포함되었다. 또 금융권 대출·보증 만기 연장·상환 유예, 사회보험료 납부 유예 등 민간 부담을 줄여주기 위한 간접 지원도 진행했다.

2021년에도 1·2차 추경 편성 등 적극적 재정 정책을 추진했다. 특히 코로나19 유행이 길어지면서 어려움이 커진 소상공인과 고용 취약 계층 등의 생계와 일상을 뒷받침하는 데 주력했다. 2021년 7월 24일 국회를 통과한 2차 추경 규모는 총 34조 9,000억 원으로 역대 최고 수준이었으며, 코로나 피해 지원, 백신 및 방역 보강, 일자리 등 국민 생

■ **2021년 1차·2차 추경 예산 주요 내용**

1차 추가 경정 예산: 14.9조 원	2차 추가 경정 예산: 34.9조 원
• **소상공인 긴급 피해 지원(7.3조 원)** 소상공인 버팀목플러스자금, 전기요금 감면 등	• **코로나19 피해 지원 3종 패키지(17.3조 원)** 소상공인 피해 지원(5.3조 원), 코로나 상생 국민지원금(11조 원), 상생소비지원금(0.7조 원)
• **고용 취약 계층 등 긴급 피해 지원(1.1조 원)** 특고·프리랜서, 법인 택시 기사 등 근로 취약 계층 고용 안정 지원금, 취약 계층 생계 지원금 등	• **백신·방역 보강(4.9조 원)** 백신 구매·접종·개발 지원, 방역 대응 보강
• **코로나 방역 강화(4.2조 원)** 코로나 백신 구매·접종, 진단·격리·치료 등 방역 대응, 의료 기관 손실 보상 등	• **고용 및 민생안정 지원(2.5조 원)** 고용 조기 회복 지원, 청년 희망 사다리 패키지, 문화·예술·관광 업계 활력 제고, 소상공인·취약 계층 안전망 보강
• **긴급 고용 대책(2.5조 원)** 고용 유지 지원, 취업 지원 서비스 제공, 청년·중장년·여성 맞춤형 일자리 창출, 근로 가구 돌봄·생활 안정 지원 등	• **지역경제 활성화(12.6조 원)** 지역 상권·농어가 지원, 지방 재정 보강

활에 필수적인 항목 중심으로 편성했다.

정부는 국가가 위기를 겪을 때 재정이 최후의 보루로서 역할을 해야 한다는 기조로 대응했다. 1997년 외환 위기와 2009년 글로벌 금융 위기 당시 GDP 대비 추경 규모가 2% 선이었던 데 비해 2020년에는 3%를 넘었다. IMF에 따르면 코로나19 위기 대응을 위한 우리나라의 재정 및 유동성 지원 규모는 GDP 대비 14.7%(2021년 3월 17일 기준)로, G20 국가 중 11위 수준이었다. 2022년에는 코로나19로 가장 큰 어려움을 겪는 소상공인과 자영업자의 고통을 덜기 위해 300만 원의 방역 지원금을 지급하는 것을 골자로 14조 원 규모의 추경 예산을 편성했고, 이는 1월 21일 국무회의에서 의결되었다.

코로나19 대응 기업·소상공인 긴급 금융 지원 현장 간담회(2020. 4. 6.)

'당일 신청, 당일 지급' 소상공인 재난 지원금

금방 끝날 줄 알았던 코로나19의 상황이 장기화하며 임대료·공공요금 등의 고정 비용 지출을 감내해야 하는 소상공인에 대한 지원책이 시급했다. 정부는 코로나19 여파로 경영 여건이 악화된 소상공인을 위해 2020년 9월부터 4차례에 걸쳐 약 1,025만 개 사업자에게 총 15조 8,000억 원의 재난 지원금을 지원했다.

이는 세계에서 유일하게, 별도 증빙 서류 없이 온라인 시스템을 통해 이루어진 비대면 서비스로 신속하게 지급된 사례였다. 이를 위해 국세청과 지방자치단체 등의 행정 정보를 미리 활용하여 지급 대상자를 선정했고, 온라인 시스템을 통한 '당일 신청, 당일 지급' 방식의 지급이 이루어졌다.

세계 유례없는 소상공인 손실 보상 제도화

재난 지원금은 소상공인이 어려움 속에서 조금이라도 숨통을 트

■ **소상공인 재난 지원금 지급 사업자 및 금액**

구분	새희망	버팀목	버팀목플러스	희망회복자금	계 (중복 포함)
지급 사업자(만 명)	251	301	291	188	1,031
지원 예산(조 원)	2.8	4.3	4.9	4.2	16.2

고 생업을 지켜나가기 위한 가뭄의 단비였다. 그러나 사업장별 손실 규모를 더 정확하게 산정해 맞춤형 보상을 하기 위한 손실 보상 제도의 필요성 또한 제기되었다.

정부는 집합 금지·영업 시간 제한 등 강도 높은 방역 조치가 장기간 지속된 만큼 소상공인들의 손실을 보상하는 제도를 법제화했다. 소상공인 손실 보상 제도는 집합 금지와 영업 시간 제한 조치를 이행한 소상공인 등에게 업체별 손실 규모에 비례한 맞춤형 보상금을 산정하여 지급하는 예측 가능한 보상 체계로 마련되었다. 특히 이러한 우리나라의 법제화 사례는 구호·지원(Relief, Grant) 등으로 명시한 미국·일본·영국 등에 비해 진일보한 것으로 평가되고 있다.

아울러 손실 보상금을 신속하고 효율적으로 집행할 수 있도록 보상금 사전 산정 방식을 도입했다. 국세청과 기초지방자치단체의 행정 자료를 최대한 활용하여 지급 대상자를 미리 데이터베이스화하였으며, 이를 통해 손실 보상 역시 '당일 신청, 당일 지급'이 가능하도록 했다.

방역과 함께 경제 성장도 '선진국 중 최고 수준'

우리 경제는 최악의 글로벌 경기 침체 속에서도 코로나19 위기의 충격을 최소화했다. 2020년에는 역성장(-0.9%)을 피하지 못했지만, 그

폭은 G20 국가 중 3위이자 OECD의 37개 회원국 중 5위로 제한적이었다. 또 코로나19 위기가 끝나지 않았음에도 2020년 3분기에는 플러스(+) 성장으로 돌아섰고, 이후 4개 분기 연속 성장세를 이어갔다. 이후 빠른 반등에 성공하면서 우리 경제 규모는 세계 10위권에 진입(2019년 12위 →2020년 10위)해 1인당 GDP도 G7 국가인 이탈리아를 사상 처음으로 추월했다.

2021년 들어서는 회복 흐름이 더욱 뚜렷해졌다. 1분기 실질 GDP는 전기 대비 +1.7% 성장하면서 경제 규모 10위권 내 선진국 중 처음으로 위기 직전(2019년 4분기) 수준을 뛰어넘었다. 2021년 2분기까지 회복 속도는 선진국 중 여전히 최고 수준을 유지했다. 그 결과 2021년 성장률은 11년 만에 최고인 4.0%를 기록하며 선진국 그룹보다 크게 높은 것으로 나타났다.

거시 경제 지표가 견고한 회복 흐름을 보이고 있지만, 이 온기를 국민 모두가 느끼는 '완전한 경제 회복'까지는 아직 갈 길이 남아 있다. 604조 원 규모의 2022년 예산은 그 회복의 마중물을 위한 노력의 결과다. 소득·일자리 지원 등 중층적 사회안전망 강화(83조 4,000억 원), 자산 형성, 주거 지원 등 청년 희망 사다리 패키지(23조 5,000억 원), 소상공인·전통시장 위기 극복·활력 회복(4조 5,000억 원) 등 경제 회복과 양극화 대응을 위한 대대적인 예산이 중점 반영되었다.

외신이 주목한 K-방역

'신속한/빠른', '투명/신뢰/개방', '성공/승리', '한국 모델/모범/교훈', '능력/역량', '광범위한', '극복', '성과', '정확한', '민주주의', '비결/열쇠', '뛰어난/놀라운', '최첨단', '찬사'….

K-방역을 평가한 외신들이 사용했던 긍정 어휘를 빈도수 높은 순으로 나열한 결과이다. 모두 K-방역에 대한 높은 관심과 방역 선진국으로서의 확고한 위상을 나타내는 키워드이다.

국민께서 함께 이루고 체감했듯, K-방역의 성과는 우리 내부를 넘어 전 세계의 비상한 관심과 찬사를 받았다. 정부의 신속하고 투명한 대응 기조와 창의적 방역 정책, 그리고 국민의 시민 의식이 연일 세계 언론에 보도되었다.

프랑스 《르몽드(Le Monde)》는 "한국의 코로나 대응 방법을 롤모델로 삼아야 한다(2020년 3월 19일)"고 했고, 미국 《포브스(Forbes)》는 "코로나 시대에 어떻게 대처했는지 OECD 국가의 본보기(2021년 1월 29일)"라고 평가했다. 영국 BBC는 "한국은 효과적 위기 대응을 보여주는 대표 사례(2020년 3월 28일)"라고 소개했다. 《가디언(Guardian)》은 "그간 이상적이었던 서구의 이미지는 산산 조각났고, 한국인들에게 이는 그들이 수년 동안 싸워온 소위 '한국형 모델'의 정당성을 입증하는 계기(2020년 4월 11일)"라고 호평했다.

특히 외신들은 대한민국의 방역 정책 그 자체를 넘어 일체의 봉쇄와 국경 폐쇄 없이 사회 시스템이 정상 가동된 유일한 나라였다는 점에 주목했다. 미국 《내셔널 인터레스트(National Interest)》는 "세계 각국에서 제품 사재기가 횡행하지만 한국과 중국에서 패닉으로 인한 대규모 사재기 현상은 없다(2020년 3월 22일)"고 집중 조명했고, 미국 《포브스》는 "봉쇄 없이 사회적 거리 두기…코로나19 확산을 통제하면서도 국민이 비교적 일상생활을 영위할 수 있도록 한 한국(2020년 4월 1일)"이라고 평가했다. 《유엔 뉴스(UN News)》는 스티븐 클링어빌 서울 정책 센터 소장의 말을 빌려 "흥미로운 점은 한국이 단 한 번도 다수의 유럽과 북미 국가가 시행한 것과 같은 봉쇄 조치를 하지 않았다"며 "한국의 대응은 매우 효율적이고 효과적(2020년 5월 3일)"이라고 전했다.

아울러 총선거, 프로 스포츠 개막 등 비교적 차분한 일상을 유지한 점도 외신의 높은 관심 대상이었다. 미국《뉴욕 타임스(New York Times)》는 "전 세계 갤러리들이 계속 문을 닫고 있지만 서울의 경우 오픈했다(2020년 4월 28일)"며 서울에서 열린 대규모 회화전 개최를 주목했다. 프랑스《AFP》는 K리그의 개막을 전하며 "아시아 주요 리그 중 활동이 재개된 것은 K리그가 처음(2020년 5월 6일)"이라며 의미를 부여했다. 미국《블룸버그(Bloomberg)》는 "최악의 코로나19 타격도 가린 한국의 사상 최저 실업률(2021년 9월 15일)"이라며 대한민국의 신속한 경제적 일상 회복에 주목하기도 했다.

특히 코로나19 초기 방역의 한가운데에서 치러진 2020년 총선거는 전 세계 외신의 극찬을 받았다. 영국《인디펜던트(Independent)》는 "한국 총선, 다른 나라에 횃불이자 영감의 원천(2020년 4월 15일)"이라고 보도했다. 미국《LA 타임스(LA Times)》는 "기록적 투표율로 민주주의가 코로나19를 이긴 한국(2020년 4월 15일)"이라며 추켜세웠다. 프랑스《르몽드》는 "총선, 보건 정책의 승리(2020년 4월 17일)"라고 소개했고, 독일《쥐트도이체차이퉁(Süddeutsche Zeitung)》은 "한국 총선, 민주주의가 살아 있다는 중요한 신호(2020년 4월 16일)"라고 호평했다.

일각에서 K-방역의 성과를 폄훼하려는 정치 공세가 있음에도, K-방역의 성과가 조금도 흔들릴 수 없는 이유는, 이렇듯 전 세계가 시시각각 목격하고 지속적으로 인정해온 무수한 기록이 남아 있기 때문이다. K-방역은 5,000만 국민의 위대한 참여와 희생으로 이루어낸 성과이며 이를 폄훼하는 것은 곧 국민의 헌신에 대한 폄훼와 다르지 않을 것이다.

#덕분에

물론 코로나19와의 싸움은 아직 진행 중이다. 방역 당국은 물론 우리 국민 모두 오미크론 바이러스로의 변이가 긴 터널의 마지막 구간이 되기를 간절히 소망하고 있다.

전대미문의 위기는 전 인류에게 혹독한 일상을 안겨줬다. 마스크 없는 우리의 일상은 이제 상상하기 어렵다. 백신 접종을 입증하기 위해 앱을 켜는 일은 익숙한 일이 되었다. 여전히 소상공인의 시름은 깊고, 학생들의 교육 공백 또한 간단치 않은 과제로 남아 있다.

그러나 한편으로 코로나19는 우리 안의 저력을 확인시켜준 계기

덕분에 캠페인(2020. 4. 22.)

이기도 했다. 온라인 수업을 통해 학사 일정은 멈추지 않았고 수능 시험과 각종 임용 시험도 차질 없이 진행되었다. 영국, 프랑스, 뉴질랜드, 폴란드 등 선거가 연기되었던 해외 국가들과 달리, 모두가 우려했던 2020년 총선거는 일체의 연기 없이 28년 만의 최고 투표율을 기록하며 치러졌다. 특히 이 모든 사회 시스템의 운영이 단 한 번의 봉쇄(락다운) 없이 이루어졌다는 점은 전 세계 어느 나라와 비교해도 독보적인 성과였다.

이 글을 빌려 정부는 국민께 거듭 감사와 존경의 말씀을 올릴 수밖에 없다. 계절을 넘어 땡볕과 강추위를 오가며 매일 같이 헌신하는 의료진들, 어려움 속에서도 모두를 위한 방역에 함께하는 소상공인, 그리고 이 지난한 방역의 시간을 묵묵히 협력해온 모든 국민까지. 지난 K-방역 2년은 위대한 국민이 만든 위대한 시간이었다. 위기의 고비마다 확인된 우리 안의 저력은 이내 위대한 회복에 이은 위대한 도약으로 나아가는 단단한 원동력이 될 것이다.

청와대 이야기

홍해 프로젝트

"정말 속이 터지고 열불이 나는 거지요. (…) 언제까지 이런 식으로 마스크 하나 해결 못 하고, 근거가 어떠니 계속 그러고 있습니까? (…) 뉴스를 안 보시던데, 현장을 못 보면 뉴스라도 보세요."

비공개회의 발언이었다지만 강한 질책이다. 좀처럼 감정을 드러내지 않는 것으로 유명한 문재인 대통령이었기에 더더욱 이례적이다. 대구를 중심으로 새벽부터 늘어선 마스크 구입 행렬 사진이 온·오프라인을 뒤덮기 시작할 때였다. 긴 줄을 기다려 마스크를 산 국민도, 구하지 못하고 돌아가는 국민도 모두 국가의 역할을 묻고 있었다.

전 세계가 가보지 않은 길을 걷고 있었다. 이제는 마스크를 착용하는 것이 매우 당연해졌지만, 당시만 해도 코로나 방역이 얼마나 계속될지 불분명했고 마스크가 핵심적인 방역 수칙으로도 통용되지 않을 때였다. 매일 집계되는 방역 현황은 일촉즉발의 상황이었고 전대미문의 사태를 지켜보는 국민의 마음은 신뢰와 불안 사이를 널뛰기

할 수밖에 없었다.

마스크가 필요했다. 많이 필요했다. 국민께 마스크가 제1의 방역 수칙이라고 보고드리려면 마스크 수급부터 폭발적으로 늘려야 했다. 칼바람 부는 겨울날 새벽부터 국민을 길가에 서 있게 할 수 없었다. 방역 마스크를 대량 보급하기 위한 '홍해 프로젝트'가 시작된 이유다.

2020년 2월, 청와대 노영민 비서실장이 김상조 정책실장과 몇몇 수석, 비서관을 불러모았다.

> "3월 25일까지 하루 2,000만 장을 공급하는 비상 프로젝트를 가동합니다. 비상 프로젝트 이름은 '홍해 프로젝트'라 명명합니다."

'출애굽'급 기적이 필요했던 절박함. 국민의 생명과 안전을 지키는 일은 정부의 제1책무이기도 하거니와 무엇보다 국가적 재난에 대한 대응은 근대 민주주의 국가가 국정 실력을 평가받는 최소한의 바로미터였다. '나라다운 나라'를 기치로 건 정부라면 실력을 보여야 했다.

> "3월 말 4월 초까지 하루 2,000만 장, 한 주로는 1억 장 이상 공급하는 겁니다. 모든 것에 우선해서 인력, 사무실, 예산을 지원할 테니 특단의 조치로 기적을 만들어야 합니다."

청와대 전체가 마스크와의 전면전에 달려들었다. 이를테면 디지털혁신비서관은 우체국 택배를 통해 어떻게 마스크를 보급할지 검토하고, 농림해양수산비서관은 농협과 하나로마트 유통망을 통해 어떻게 마스크를 공급할지 고민하는 방식이다.

제1과제는 마스크 생산의 대량 확대였다. 먼저 생산 시간 단축을

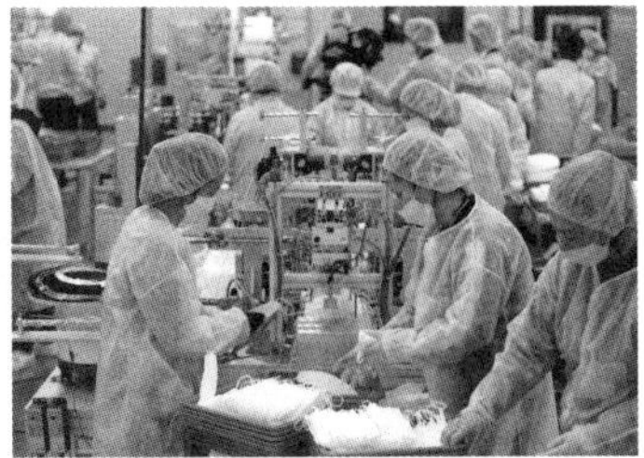

마스크 생산 대량 확대를 위해 생산 업체 현장을 방문하고 직원들을 독려한 문재인 대통령 (2020. 3. 6.)

위해 식품의약품안전처가 마스크 공장에 '대용량 포장'을 허용했고, 검사도 '선 출고, 후 검사' 방식으로 바꿨다. 정부가 고성능 '마스크 포장기' 등 생산 설비를 지원하고, 주말 추가 생산 시에 정부 매입 가격을 인상해 생산량을 늘렸다. 식품의약품안전처 소속 공무원(약사)을 모든 마스크 공장에 한 명씩 파견해 생산량을 체크하고 애로 사항을 바로 조치할 수 있도록 하기도 했다.

정부 예비비 예산으로 'MB 필터' 생산 업체의 노후화 설비를 교체하고 설비 확충을 지원했다. 무엇보다 자동차, 공기청정기의 에어필터나 여성용 클렌징 티슈 등에 쓰였던 MB 필터를 마스크용으로 전환하는 것이 관건이었다. 산업통상자원부가 나서 업체를 설득했고 동의를 끌어냈다. 정부, 기업, 현장의 모두가 한마음 한뜻으로 매달렸다.

늘어난 마스크는 80%를 조달청이 사들였다. 기존 50%에서 대폭 상향된 물량이었다. 마스크 5부제를 통해 1인당 일주일에 2매씩 살 수 있도록 날짜를 정했고 장애인, 장기요양급여 수급자, 어린이, 고령자의 경우에는 대리 구매할 수 있도록 했다. 판매처는 대형 마트가 아닌 약국으로 지정했다. 국민의 불안을 해소하기 위해서는 공평한 보급을 하고 있다는 믿음이 중요했다.

3월 6일 경기도 평택의 마스크 생산 업체를 찾은 문재인 대통령은

"상황이 안정되고 수요가 줄어들어도 남는 물량은 전량 정부가 구매해서 전략 물자로 비축할 것"이라며 생산 업체를 독려했다. 정부 최고 통수권자의 공개 발언이니 생산 업체 입장에서 이보다 더 분명한 보증은 없었다.

그렇게 한 달여 기간을 매달린 결과, 마스크 대란은 목표했던 3월 말~4월 초에 사그라들었다. 막막했던 코로나 방역의 바닷길을 미약하게나마 열었던 순간이다. '金스크'라는 조어도 사라졌고 온라인상에서 암표처럼 웃돈을 얹어 거래하던 모습도 어느덧 해프닝이 되었다. 불과 한 달 남짓 사이에 일어난 일이었다.

그 어떤 전격적인 정책도 청와대 혼자 할 수 없다. 본론과 결론은 부실하고 서론만 요란한 논문처럼, 컨트롤 타워의 강력한 의지가 곧 문제 해결의 충분조건이 될 수 없다. 전례 없는 긴급 상황에 두 팔 걷어붙이고 정부 정책과 함께한 생산 업체, 무한한 책임감으로 전국에 마스크를 보급했던 유통 업체, 종일 찾아오는 국민께 성의를 다해 마스크를 판매했던 약국, 그리고 한 달여 기간 동안 인내와 협조로 함께한 국민이 있었기에 가능한 일이었다. 청와대 내에서 홍해 프로젝트를 회상할 때마다 '국민이 모세였다'고 이야기했던 이유다.

2020년 7월, 마스크 5부제는 완전히 해제됐다. 공적 출고 의무, 수출 금지 조치도 풀렸다. 한 주 생산량은 2억 장을 넘겼고, 프로젝트 직전이었던 1월 30일 660만 장이었던 하루 평균 생산량은 3,000만 장을 웃돌았다. 이후 6·25 전쟁에 참전했던 전 세계 참전 용사들에게 원조 물품으로 전달하기도 했다. 위대한 국민이 만든 K-방역, 그에 걸맞은 시간이었다.

위대한 국민의 나라

마스크가 사람을 울립니다

위기는 때론 기회와 동의어로 읽혀서 우리 안에 내재한 저력을 확인시켜 주기도 한다. 눈에 보이지 않는 바이러스와 싸우는 동안에도 누구를 탓하기보다 서로를 보듬고 위로한 국민의 슬기는 그래서 든든하면서도 참으로 송구하다.

"TV에서 마스크를 사기 위해 줄 서 있는 분들을 봤어요. 우리끼리도 매일 '너는 마스크 구했어?'를 안부처럼 묻던 시기였거든요. 그래서 우선은 가까운 이웃과 나눌 마스크를 만들어보자고 시작했죠.
그런데 우리만 챙긴다고 되는 게 아니더라고요. 남들도 똑같이 어려운 상황이었잖아요. 그때부터 마을 활동가포럼에서 공식적으로 마스크를 만들어보자고 했던 거죠."

양금화(대전광역시 마을 공동체 대표)

늘 빈틈을 메워준 건 국민이었다. 겪어보지 못한 위기 앞에서 국민은 새로운 형태의 사회 공헌으로 자발적 방역 주체가 되었다. 이른바 '마스크 의병대'의 시작이다. 전국의 봉사 현장은 바쁘게 돌아갔다. 마스크 모양에 맞게 재단된 천 조각을 재봉틀로 박음질하고 다림질해 포장에 이르는 작업이 쉼 없이 반복됐다. 면 마스크는 비말 차단 효과가 떨어질 걸 우려해 원단을 겹쳐 최소한의 안전장치도 만들었는데, 꼼꼼하게 만드는 과정에선 웃지 못할 에피소드도 있었다.

"양면이 아니라 천을 하나 더 넣었거든요. 그걸 이웃 어르신에게 보냈는데, 코로나 걸리기 전에 숨 못 쉬어서 죽겠다고 하시더라고요. (웃음) 그래서 다시 연구해서 만드는, 그런 과정들도 있었죠."

양금화(대전광역시 마을 공동체 대표)

힘을 보태고자 어르신들도 재봉틀 앞에 앉아 의기투합했다. 성장의 역사 속 고된 노동의 상징과도 같았던 어머니들의 재봉틀이 이웃을 일으켜 세우기 위해 힘껏 돌아갔다. 부산에선 눈도 침침한 80대 기초생활수급자 어르신이 손바느질로 한 땀 한 땀 만든 누런 마스크가 국민을 울렸다. 마스크는 코로나 극복의 염원이 담긴 '국민 희망 백신'이었다.

이런 국민 또 없습니다

2020년 3월 17일 오전, 정부 서울청사에서 열린 제1차 비상경제회의. 참석자들 대부분이 흰색이나 하늘색 보건용 마스크를 착용한 이

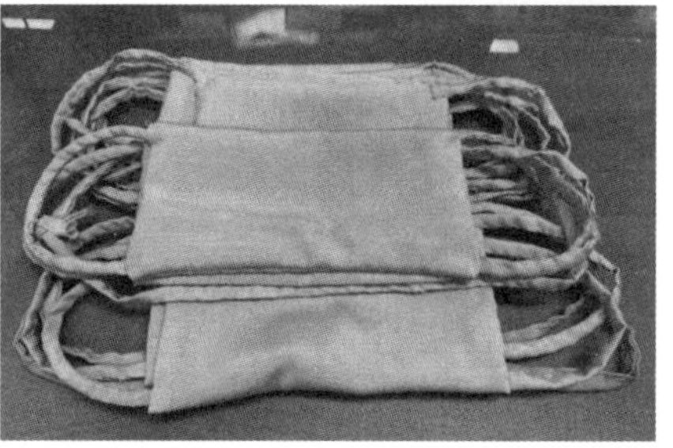

부산광역시 북구에 사는 한 기초생활수급자가 덕천1동 행정복지센터 직원들을 위해 손수 바느질한 면 마스크 20개를 선물했다(2020. 3. 6.).

날, 유독 문재인 대통령만이 노란색 면 마스크를 착용해 이목을 끌었다. 마스크 크기도 유달리 큰 데다 노란색인 탓에 세월호의 상징이라는 이야기가 도는가 하면, 당시 개발된 나노 섬유 필터 마스크 아니냐는 문의도 빗발쳤다.

의문이 커지자 청와대는 서면 브리핑을 통해 내막을 밝혔다. 대통령이 국무회의 때 착용한 마스크는 대전의 마을 공동체 활동가들이 만든 것으로, 공직 사회가 솔선수범해 면 마스크를 사용한다는 소식을 전해 들은 마을 공동체에서 보내왔다는 설명이었다. 대통령의 마스크 착용은 고마움의 표현이었던 것이다.

"환경을 생각하자는 뜻에서 면 마스크를 보내드렸어요. 재난복이 노란색이잖아요. 그 색에 맞춘 건데요. 사회 전반에 분위기가 침체해 있으니 밝은색의 마스크를 만들었어요. 대통령이 착용한 모습을 보고 참여했던 동료는 눈물이 그렁그렁하더라고요. 우리가 의미 있는 일을 하고 있구나 싶어서요."

임정애(대전광역시 서구 마을넷 대표)

대전광역시 마을 공동체가 만든 마스크

"마스크를 만드는 동안 '우리 같이 가는 거야' 이런 이야기를 자주 했거든요. 마을 속에 답이 있는 것 같아요. 그래서 서로 돌봄, 마을 돌봄이 필요하다는 생각도 했고요. 희망은 있다고 봐요. '나도 품 낼게', '나도 도울게' 이런 과정을 통해서 우리에게 위기를 극복하는 힘이 생기고, 희망이 생기는구나 하는 걸 느꼈죠."

양금화(대전광역시 마을 공동체 대표)

'위드 코로나'로 가는 길은 여전히 험난하지만, 어느새 환경과 마을 돌봄 문제에도 관심을 기울이게 됐다는 국민은 이미 코로나 이후를 내다보고 있다. 마스크가 표정을 가린 시대, 자연스레 서로를 멀리하고 경계한 가운데서도 연대의 끈을 단단히 맬 수 있었던 건 바로 이런 국민이 있었던 덕분이었다.

'줄서기 그만' 마스크 앱, 민관 협력의 기적

한 사람의 천재가 만들어내는 혁신보다 '평범한' 집단 지성의 참여가 훨씬 강력한 힘을 발휘할 때가 있다. 코로나19 초기 마스크 재고 정보를 제공했던 애플리케이션 개발 과정이 그랬다. 민관이 협력해 전문

당시 고등학생이었던 서형찬 씨는 마스크 재고 수량을 한눈에 볼 수 있는 앱 개발에 동참했다.

개발자는 물론 고등학생까지 기꺼이 지식 나눔에 동참했다.

"(2020년 당시) 코로나19로 3월 수업이 등교 대신 온라인으로 전부 바뀌었어요. 온라인상에서 친구들과 프로젝트 의견을 나누던 중 사회에 도움이 되는 공익적인 일을 해보자는 얘기가 나왔습니다. 당시는 마스크 품절 사태로 저도 불편을 느끼고 있었기 때문에 누군가는 해결 방안을 찾아야 하지 않을까 생각하던 차였거든요."

서형찬(고교생으로 마스크 앱 개발 참여)

그 무렵, 부처 합동 공적 마스크 대응반은 마스크 중복 구매 방지 시스템 구축과 판매처, 재고 수량 정보를 국민께 제공하기 위한 시스템 구축 방안을 논의 중이었다. 다양한 아이디어를 놓고 장단점에 대한 분석이 이뤄졌다. 민관이 협력하는 방식도 그 가운데 하나였다. 정부(심평원)가 보유한 공적 마스크 관련 데이터를 개방해 민간 개발자들이 자유롭게 활용할 수 있도록 유도하는 방안이었다.

마침 시민 개발자(시빅해커)들이 '코로나19 공공 데이터 공동 대응반'이라는 이름으로 온라인 국민 참여 플랫폼인 '광화문1번가'에 데이터 개방을 요구한 터였다. 정부가 데이터를 개방하면 시민 개발자들이 관련 정보를 활용해 빠르게 시스템을 구축할 수 있다는 제안이었다. 고민할 겨를이 없었다. 정부는 즉각 수용했다.

"행정안전부가 국민이 더 쉽게 공공 데이터를 공유하고 활용할 수 있도록 공공 데이터 포털(data.go.kr)을 운영하고 있는데요. 비개발자 분들은 이런 정보 자체를 모르고 있거나, 공유된다고 해도 접근이 쉽지 않아요. 그래서 공공 서비스를 타깃으로 모두가 쉽게 접근할 수 있는 서비스를 기획하게 됐습니다. 마스크 재고는 실시간으로 데이터를 주고받아야 하기 때문에 관련 공공 데이터 개방으로 실시간 재고 수집 파악이 가능했고요. 이러한 제안이 받아들여지고 활용할 수 있는 데이터가 늘어나면서 공공 데이터가 더 빛을 본 것이라고 생각합니다."

서형찬(고교생으로 마스크 앱 개발 참여)

공공 데이터 개방의 효과는 놀라웠다. 기업과 민간 개발자들은 공개된 데이터를 활용해 공적 마스크 재고 현황을 알 수 있는 앱 서비스를 잇달아 개시했다. 단 일주일 만에 이뤄낸 기적은 그간의 통상적 범위를 뛰어넘은 민간과 정부의 협업 덕분에 가능했던 일이었다. 오로지 국민 불편 해소를 위해 아무런 대가 없이 나선 국민의 헌신이 빛난 순간이었다.

"당시 3만 명 정도가 실시간으로 진입하는 그래프를 봤습니다. 그만큼 수요가 있다는 것을 확인하게 된 계기였습니다. 더 해보고 싶다는 동기 부여가 된 것 같습니다. 그래서 2021년 요소수 품귀 사태 때도 공공 데이터를 활용해 요소수 재고 파악 지도를 만들었어요. 그때도

공공 데이터로 공개가 되었거든요. 친구들은 '왜 그렇게까지 하느냐'
며 말리지만 그냥 놔두면 아무것도 변하지 않겠죠."

서형찬(고교생으로 마스크 앱 개발 참여)

공공 데이터를 매개로 한 민관 협업은 2021년 주유소별 요소수 재고 정보 서비스로 진화했다. 데이터를 집대성하는 '데이터 댐' 구축에 문재인정부가 힘을 쏟은 이유 역시 바로 이런 공공 데이터 개방의 힘을 알았기 때문이다.

2020년 당시, 고교생으로 마스크 앱 개발에 참여한 서형찬 씨는 현재 교육 양극화 해소를 위한 애플리케이션 개발자로 일하며 더 나은 사회를 프로그래밍하는 중이다. 경제적으로 넉넉하지 못해 누나들이 쓰던 부품을 모아 인터넷을 처음 접했다는 청년은 지금 이 순간에도 더 나은 사회를 만들기 위한 도전에 나서고 있다.

서형찬 씨가 만든 요소수 재고 알림 서비스 화면

고통도 고마움도 나눈, '착한 건물주'

"전주 한옥마을에서 시작된 건물주들의 자발적인 상가 임대료 인하 운동이 전주시 전역으로 확산하고 있다는 보도를 보았습니다. 전주시와 시민들께 박수를 보냅니다. '착한 임대인 운동'이 전국적으로 확산하길 기대합니다. 정부도 소상공인, 자영업자들을 적극 돕겠습니다."

문재인 대통령(대통령 SNS, 2020. 2. 17.)

대면을 피해야 하는 감염병 시대에 공동체 가치가 약해질 것이란 우려는 기우였다. 누구의 강요도 아니었다. 그저 이웃의 어려움을 모른 체할 수 없어 고통의 무게를 함께 짊어지겠다고 나선 임대인들은 '어려울수록 서로 돕는다'라는 환난상휼(患難相恤) 정신의 발로였다.

"저는 그냥 세입자의 입장을 생각한 것뿐인데 전국에 확산되고 일파만파 확장되는 것이 당황스럽기도 하고, 그런 것들이 우리 전주 한옥마을에서 시작됐다는 것이 정말 자랑스럽고 기분이 좋습니다. 저도 세입 생활로 사업을 10여 년 정도 했었거든요. 세입자 입장에서 생각하면 저보다 더 어렵다는 생각을 가졌기 때문에 망설임 없이 나섰죠."

김부영(임대 사업자 겸 카페 대표)

전주 한옥마을 건물주 14명이 쏘아 올린 '착한 건물주 운동'은 전국으로 확산했다. 그렇다고 임대인 자발성에만 의존할 수는 없는 일이었다. 건물주가 임대료를 인하하면 정부가 그 절반을 부담하는 '착한 임대인 세액 공제'를 추진했다. 임대료 인하 액수가 크든 작든 상관

없이 깎아준 임대료의 절반에 해당하는 금액만큼 임대인의 소득세와 법인세를 감면해주는 전례 없는 지원책이었다. 2020년 12월엔 세액 공제 수준을 50%에서 70%로 올렸고 기간도 연장해 세액 공제가 자칫 부유한 건물주에 집중될 수 있다는 우려도 보완했다. 더불어, 과감한 재정 지출을 통해 피해 소상공인과 자영업자들의 어려움을 덜어드리려 노력했다.

"저도 사실은 코로나19 때문에 영업에 많은 지장이 있거든요. 그렇지만 서로 상생할 수 있는 길을 찾는다면 코로나19 위기도 극복해나갈 수 있지 않을까요?"

김부영(임대 사업자 겸 카페 대표)

'대한민국'이라는 나라

"위대한 국민이 있었기에 가능했습니다. 우리 국민은 고난의 기나긴 터널 속에서도, 서로 인내하며 연대하고 협력했습니다. 세계가 부러워할 성숙한 시민의식을 보여주었습니다. 위기에 강한 대한민국을 재발견하고, 자부심을 갖게 된 것은 오직 국민 덕분입니다."

문재인 대통령(취임 4주년 특별 연설, 2021. 5. 10.)

1997년 IMF 경제 위기 때 장롱 속 돌 반지까지 찾아내 금을 보탠 국민이 있었다. 2007년 태안 기름 유출 사고 때 직접 찾아가 검은 재앙을 땀으로 닦아냈던 것도 국민이었다. 2020년 코로나19 위기도 마찬가지였다. '우리'를 지켜내기 위한 그 소리 없는 헌신의 총합이 곧 방역 선진국 대한민국의 진가였다. 그 위대한 국민께 거듭 무한한 존경의 말씀을 올릴 수밖에 없는 이유이다.

interview

"매 순간이 고비였지만 국민 협조로 극복해온 거죠"

정은경(질병관리청장)

"영웅이 되거나 역적이 되거나." 누군가는 국가적 재난 상황에 공직자들이 처한 운명을 이렇게 표현했다. 공명심에 섣불리 나섰다가 낭패를 본 이도 있었고, 오히려 위기 속에 리더십을 인정받은 경우도 있었다.

이제는 국민 모두에게 익숙해진 얼굴, 정은경 질병관리청장은 후자에 속했다. 늘 같은 시간, 같은 자리, 같은 목소리로 방역 상황과 수칙을 전하는 그에게 국민은 깊은 신뢰를 보냈다. 외신들은 '진짜 영웅', '바이러스 사냥꾼'이라며 그를 집중 조명했다.

충북 청주시 오송읍에 위치한 질병관리청은 고요했다. 정은경 청장을 만난 곳은 긴급 상황 센터 내에 마련된 허름한 임시 청장실이었다. 늘 보던 노란색 민방위복에 낡은 신발 차림. 희끗희끗해진 머리 색이 무색하게 특유의 또랑또랑한 목소리에는 변함이 없었다.

사스·메르스 경험이 만든 K-진단의 위력

코로나19와 함께한 일상이 어느덧 3년째입니다. 2020년 1월 중국 우한에서 처음 발견됐을 때, 이렇게까지 길어질 거라 예상하셨습니까?

처음에는 원인 불명 폐렴이었죠. 중국이 워낙 신종 감염병이 많거든요. 그래서 '그런 것 중의 하나겠구나' 하고 생각했기 때문에 초기에는 이렇게까지 오랫동안 전 세계 대유행으로 번질 것이라고는 예상하지 못했습니다. 다만 우리에게는 두 번의 코로나 바이러스 경험이 있었잖아요. 중국에서 시작한 사스와 중동에서 시작했지만 메르스도 다 코로나 바이러스거든요. 그 두 번의 경험이 있었기 때문에 호흡기 바이러스에 대한 대응 체계는 가지고 있었습니다.

가장 중요한 건 초기 '진단'이거든요. 진단을 해야 조치를 할 수 있으니까. 그래서 2018년 4월부터 '원인 불명 감염병 진단 분석 TF'를 만들고 첫 번째로 준비한 게 원인 불명 호흡기 증후군에 대한 진단 체계였습니다. 호흡기 감염병을 일으키는 많은 병원체를 신속하게 감별 진단할 수 있도록 진단 분석 알고리즘을 마련하고, 2019년 12월에 모의 훈련을 했습니다. 당시 모의 훈련 시나리오가 중국에서 발생한 신종 코로나 바이러스가 국내 유입되는 것이었고, 원인 규명을 위한 절차 등을 마련하는 연습을 시행했습니다. 그 결과 모든 코로나 바이러스를 다 잡아낼 수 있는 '판 코로나 검사법'이라는 진단법을 만들 수 있었습니다.

2015년 메르스의 경험과 교훈이 코로나19 대응에도 상당한 영향을 미친 거네요?

네 맞습니다. 메르스 경험이 상당히 컸어요. 메르스 특성이 해외에서 유입되는 호흡기 바이러스이면서 병원 감염으로 전파되는 것이었거든요. 당시 병원이 폐쇄되는 일도 있었는데, 사실 감염병 때문에 병원을 폐쇄한다는 건 그전에는 없던 일이거든요. 그런 경험들과 더불어 또 중요했던 건 국민과의 소통이었습니다. 메르스 대응 때는 소통이 부족했다는 평가가 있었기 때문에 그런 점들을 미리 매뉴얼로 준비해서 보완했던 거죠.

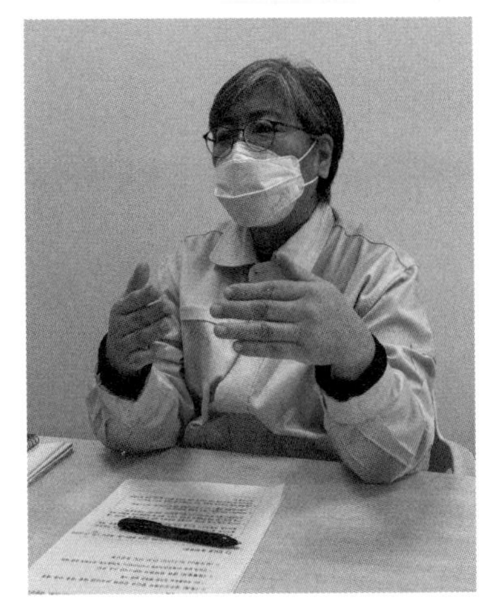

충북 청주시 오송읍에 위치한 질병관리청 긴급 상황 센터 내 임시 청장실에서 만난 정은경 질병관리청장.

매일 오후 2시, 국민 앞에 서다
불확실한 건 불확실한 대로 솔직하게 공유하기

▍ 이른바 '리스크 커뮤니케이션'도 남다르게 준비했던 거네요.

저희가 메르스를 경험하면서 가장 많은 지적을 받았던 게 말씀드린 소통 부족과 정보 미공개였어요. 그래서 메르스 이후 정보 공개를 위한 법적 근거를 마련했죠. '리스크 커뮤니케이션'이라고 위기 시에는 소통이 굉장히 중요한데, 메르스 이후 조직 개편을 해서 위기소통담당관을 신설했어요. 과거의 사례들을 복기하면서 어디까지 정보를 공개할 것인가 하는 매뉴얼을 만든 거죠.

신종 감염병 위기 시는 불확실성이 워낙 크기 때문에 불확실한 건 불확실한 대로 솔직하게 국민과 공유해야 합니다. 2018년에 메르스 환자가 한 명 발생했는데, 쿠웨이트에서 사업하시던 분이 입국하면서 확진된 사례였어요. 그때 소통 매뉴얼을 적용해서 확진되고 3시간 만에 브리핑을 했습니다. 신종 감염병의 특징은 여전히 불확실하잖아요. 그런 불확실성에 대해서 우리가 알고 있는 것과 모르는 것을 국민께 정확하게 말씀을 드리는 것이 신뢰를 얻을 수 있는 길이라고 생각했습니다.

매 순간이 고비…국민 협조 덕분에 위기 극복

> 방역 수장으로서 계속되는 고비 속에 심리적 압박감을 어떻게 이겨내고 있는지 궁금합니다.

돌아보면 매 순간이 고비였습니다. 고비가 아닌 적은 없었고요. 다만 고비의 내용이 계속 바뀌었던 것 같아요. 첫 번째 위기는 대구 신천지 사태로 확진자가 대거 발생했을 때였어요. 당시 생활치료센터도 만들고, 드라이빙 스루도 만드는 등 굉장히 혁신적인 시도가 있었는데요. 국민께서 많이 협조해주셔서 그 위기를 잘 극복한 거죠.

그다음엔 요양병원 집단 감염인데요. 이 문제는 현재도 진행 중인데, 요양병원은 기저 질환이 많은 고령 어르신들이 밀집하게 집단생활을 하시기 때문에 감염병에 매우 취약합니다. 많은 어르신이 돌아가셔서 안타까웠던 부분이고요.

백신 수급도 고비였죠. 어쨌든 저희는 안전하고 효과적인 백신을 최소 비용으로 확보하는 게 원칙이니까 백신 개발 상황을 계속 보면서 계약을 했던 건데, 백신 수급이 늦다는 지적을 많이 받았습니다.

위기를 겪을 때마다 압박감을 느끼는 건 저뿐만 아니라 중앙방역대책본부 식구들도 다 마찬가지일 거예요. 다만 현재 위기 대응 컨트롤 타워인 중앙재난안전대책본부, 중앙사고수습본부, 중앙방역대책본부의 협력 체계가 굉장히 잘 작동되고 있어서 각 부처, 지자체, 전문가 의견 수렴을 통해 의사결정을 하고 있습니다.

늘어난 흰머리와 수척해진 모습에 국민의 응원도 쏟아졌습니다.

2020년 초반 한 6개월 정도 힘들었던 거 같아요. 매일 브리핑하고 모든 지침을 다 만들어야 했으니까요. 지금은 지자체가 하는 일이 굉장히 많고 보건소가 가장 고생을 하고 있습니다. 검사나 확진자 관리, 접촉자 조사 관리 같은 모든 행정 업무와 의료 업무를 다 보건소가 하고 있기 때문에 보건소가 번 아웃 상태예요. 휴직자들도 많이 생기고 있고요.

저도 보건소에서 5년 정도 근무를 했는데요. 보건소 직원들은 특히 30~40대 연령층이 많은데 다들 가정이 있기 때문에 굉장히 어려울 거라고 생각해요. 오미크론을 잘 견디고 나면 재정비하고 쉴 수 있는 기간이 왔으면 좋겠는데, 그걸 희망하고 있습니다.

다른 나라에 비해 덜한 안티 백신 문화?
'내 건강보다 가족의 건강 챙기는 마음' 때문

한결같은 자세로 국민들에게 코로나19 방역 상황과 수칙을 전해온 정은경 청장은 "적극적으로 협조해주신 국민 여러분께 늘 감사하다"고 전했다.

> 비교적 늦게 시작한 우리나라의 백신 접종률이 세계 최고 수준을 기록하고 있는데, 전 세계와 비교해 우리나라의 접종률이 높은 이유는 무엇일까요?

2000년 홍역 대유행을 계기로 500만 명 정도를 대상으로 학교 단체 예방 접종을 했습니다. 2009년 신종 플루 대유행 때도 단체 백신 접종과 항바이러스제를 투약했는데요. 사실 우리나라는 안티 백신 문화가 다른 나라보다는 조금 덜한 편입니다. 검사도 그렇고 예방 접종도 그렇고, 내 건강보다는 가족의 건강, '남에게 피해를 주면 안 된다'고 하는 공동체 의식이 굉장히 강해 접종률도 상당히 높은 편이라고 생각합니다.

방역 수칙도 다른 나라보다는 훨씬 많이 수용해주셨죠. 또 역학 조사에 대한 협조도 잘 해주셨고요. 하지만 이제 시간이 길어지다 보니까 다들 많이 지치고 한계에 봉착하셨을 것이라 생각합니다. 접종률이 올라도 여전히 유행은 지속되고, 마스크는 너무 답답하고, 거리 두기로 소상공인들과 자영업자분들의 어려움이 너무 많이 누적되니까…. 그 점이 가장 어렵고 늘 아프고 송구한 부분입니다.

직접 질병관리청 찾아 임명장 전달한 대통령
질병관리청 직원 전체에 대한 격려로 생각

> 질병관리본부가 질병관리청으로 격상되고 대통령께서 직접 임명장을 수여하러 오셨습니다. 당시 분위기는 어땠나요?

대통령께서는 재난 위기로부터 국민의 안전과 생명을 지키는 컨트롤타워 역할을 잘 해달라는 당부 말씀을 해주셨고요. 당시 대통령께서 직접 질병관리청을 방문해주셨기 때문에 직원들의 사기도 높아졌습니다. 사실 개인적으로는 굉장히 부담스러웠습니다. 임명장을 대통령이 오셔서 주신다는 건 상상할 수 없는 일이잖아요. 그 임명장의 의미가 저 한 사람의 격려라기보다는 질병관리청 직원들에 대한 격려와 컨트롤 타워로서 굳건히 역할을 해달라는 당부의 취지였다고 생각합니다.

> 늘 차분했던 정은경 청장이 웃는 모습을 처음으로 봤던 게 2020년 어린이날 행사였어요. 당시 굉장히 즐거워하셨던 기억이 납니다.

위기 때는 웃기가 어렵죠. 웃을 일이 없기도 하고요. 2020년 어린이날 행사를 준비하면서 대변인이 '어린이날 특집 브리핑을 하자', 그리고 '아이들한테 질문을 받아 보자'고 해서 좋은 아이디어다 싶어 전문가들을 모시고 브리핑을 했어요. 그런데 제가 상상하지 못했던, 어린이다운 질문이 나오더라고요. '생일잔치를 해도 될까요?' 이런 질문들요. 너무 귀엽고 상상을 초월해서 그때 오셨던 소아감염 전문의 선생님 두 분도 계속 웃으면서 답변했던 거 같아요. 굉장히 기억에 남은 브리핑입니다.

"공공을 위해 일한다는 자부심과 보람…
그만큼 무거운 책임감"

> 청장님의 카드 사용 내역에서 확인된 소박한 식사, 남루한 신발 등이 국민께 울림이 되었습니다. 청장님께 공직이란 무엇입니까?

저는 원래 지역사회 의학이나 1차 의료 쪽에 관심이 많았어요. 공중보건(public health)에 대한 관심이 공무원을 선택한 배경이었고요. 공공의 목적을 위해서 일을 한다는 게 가장 큰 매력입니다. 내가 만든 정책이 사회를 조금 더 발전시키고 좋은 성과를 내는 거에 대한 보람이죠. 그만큼 책임감이 굉장히 무겁기도 하지만, 그걸 잘했을 때 느끼는 보람이 계속 공직을 유지하게 하는 동기가 되는 것 같습니다.

제일 힘든 것이 거리 두기 정책
소상공인께 항상 송구

> 마지막으로 방역의 최전선에서 국민께 꼭 하시고 싶은 말씀이 있다면 해주세요.

코로나19 유행이 너무 오래 지속되면서 국민께서 많이 지치고 힘들어하시는 거 충분히 알고 있습니다. 그럼에도 예방 접종과 방역 수칙 준

수, 거리 두기에 적극적으로 참여해주셔서 정말 감사하다는 게 첫 번째 마음이고요.

제일 힘든 게 거리 두기 정책입니다. 저희도 소상공인, 자영업자분들과 회의를 하는데, 뵐 때마다 항상 송구하고 죄송하죠. 오미크론이 현재 유행이지만 다행히 중증도가 낮아서 이 유행의 정점을 잘 넘기면 일상 회복으로 다시 갈 수 있을 거라 생각합니다. 우리나라는 3차 접종도 상당히 많이 해서 위중증률을 많이 감소시키고 있고요. 병상도 확충하고, 먹는 치료제도 도입해서 투약하고 있기 때문에 국민이 조금 더 도와주시면 이 위기를 잘 극복할 수 있을 거라고 생각합니다. 너무 불안해하시지는 마시되, 그래도 경각심을 가지고 정부와 같이 이번 오미크론 위기를 잘 극복했으면 좋겠습니다.

브리핑룸에 선 정은경 청장은 늘 같은 모습이었다. 무표정한 얼굴로 자신이 알고 있는 정보를 또박또박 담담히 전했다. 더하지도 덜하지도 않은, 딱 데이터와 사실에 기반한 만큼이었다. 국민이 그를 사랑한 건 그 변함없는 일관성 때문이었을 것이다.

어린이날 브리핑을 이야기하며 활짝 웃던 것처럼 정은경 청장의 웃음이 다시 돌아올 수 있기를. 그날이 곧 국민 모두가 코로나19에서 벗어나 활짝 웃는 날일 것이다. 정은경 청장을 비롯해 지금 이 순간에도 방역의 최전선에서 사투를 벌이고 있는 공직자, 의료진들께 정중한 감사의 인사를 전한다. #덕분에 여기까지 왔고 #덕분에 앞으로 나아갈 수 있을 것이다.

평화를 향한 치열한 전진

"남측으로 오셨는데, 나는 언제쯤 넘어갈 수 있겠습니까?"

문재인 대통령

"그럼 지금 넘어가 볼까요?"

김정은 국무위원장

남북 정상은 손을 잡고 북측으로 군사 분계선을 넘었다. 예정에 없던 문재인 대통령의 '깜짝 10초 방북'에 생중계를 지켜보던 전 세계인의 탄성이 터져 나왔다.

2018년 4월 27일, 분단 후 처음으로 남과 북의 정상이 군사 분계선에서 두 손을 맞잡았다. 분단은 그저 10cm 콘크리트 경계석에 지나지 않았다. 한 편의 무성 영화 같았던 두 정상의 도보다리 친교 산책은 65년 기나긴 휴전의 심리적 거리감을 좁히기에 충분했다.

그날의 새 소리와 바람 소리가 전한 '평화'가 비현실적인 느낌마저 불러일으켰던 이유는 불과 1년여 전 무력 충돌을 넘어 전쟁을 운운할

2018년 판문점 '평화의 집' 일원에서 열린 남북 정상 회담. 평화로운 분위기 속에서 두 정상은 군사 분계선을 넘으며 대담을 이어갔다(2018. 4. 27.).

정도의 긴박했던 한반도 상황 탓이었다. 2017년 5월 10일 인수위원회도 없이 출발한 정부가 맞닥뜨린 절체절명의 과제는 격화된 한반도 위기 관리였고, 평화였다.

한반도 평화 프로세스의 시작, '신 베를린 선언'

정부는 악조건 속에서도 완전한 비핵화와 항구적 평화 정착을 위한 한반도 평화 프로세스의 여정을 시작했다. 관계는 저절로 회복되지 않았다. 대화 없이 평화는 난망했다. 남북뿐만 아니라 주변 국가들과의 관계도 한반도 평화의 주요 함수였다. 2015년 말 개성에서 열린 차관급 대화 이후 남북 대화는 끊어져 있었고 미국 오바마 정부는 '전략적 인내'로 사실상 대북 문제에서 한 발짝 떨어지는 전략을 취해왔다.

물꼬를 터야 했다. 취임 두 달 후 독일 쾨르버 재단의 초청으로 베를린을 방문한 문재인 대통령은 새로운 한반도 평화 비전을 발표한다. 이른바 '신 베를린 선언'이다. 과거 김대중 전 대통령이 남북 정상 회담의 기틀을 마련한 곳에서 뗀 대화의 첫발이었다.

대통령은 '신 베를린 선언'에서 북한 체제 안전을 보장하는 한반도 비핵화, 종전과 한반도 평화 협정 체결, 한반도 신경제 구상, 이산가족 상봉과 민간 교류 지원 등을 제시했다. 북한의 붕괴를 바라지도, 흡수 통일을 추진하지도, 인위적 통일을 추구하지도 않을 것이라는 이른바 '대북 3노(No) 원칙'도 재확인했다. 독일 출국 하루 전 대륙간탄도미사일을 쏘아 올린 북한이 미국의 '레드라인(군사 행동 한계선)'을 자극했음에도, 흔들림 없는 '대화 기조'를 강조했다.

북한이 화답할 명분과 계기가 절실했던 상황에서 극적 전환을 가져온 건 평창 동계 올림픽이었다. 이듬해 1월 김정은 국무위원장은 육성 신년사를 통해 평창 동계 올림픽 참가 의사를 밝히는 한편, 남북관계 복원 의지를 천명했다. 물론 여기까지 오는 데는 우리의 보이지 않는 노력도 있었다. 그렇게 비로소 '한반도 운전석'에 앉아 우리의 힘으로 평화를 선도할 기회가 찾아왔다.

"반갑습니다." 문재인 대통령이 평창 동계 올림픽 개막식을 찾은 김영남 최고인민회의 상임위원장과 악수하는 순간, 개막식장에 떠나갈 듯한 박수가 쏟아졌다. 김여정 부부장이 미소로 화답하고 있었고, 펜스 미국 부통령, 아베 일본 총리 등 세계 각국에서 온 고위급 대표단도 박수를 아끼지 않았다. 곧이어 〈아리랑〉 선율에 맞춰 남북 선수들이 공동으로 입장했고, 선수들은 환한 표정으로 한반도기를 흔들었다. 2018년 2월, 그렇게 평화의 봄을 재촉하는 평화의 눈이 내렸다.

판문점의 봄이 평양의 가을로

대화의 물꼬가 터지니 시계가 빨리 움직였다. 2018년 4월 27일, 판문점 남측 지역 '평화의 집'에서 정상 회담이 열리고, 이 자리에서 '한반도의 평화와 번영, 통일을 위한 판문점 선언'이 채택된다. 판문점 선언에는 '완전한 비핵화' 문구가 명시됨으로써 김정은 위원장의 비핵화 의지가 담겼다. 북미 정상 회담으로 가는 징검다리가 놓인 것이자, 전쟁 위기 상황이 1년 만에 반전되는 순간이었다.

같은 해 5월 2차 정상 회담에 이어 9월에는 문 대통령이 직접 평양을 방문했다. 김정은 위원장은 이곳에서도 비핵화를 약속했고, 남북 정상이 백두산에 올라 천지가 내려다보이는 곳에서 맞잡은 손을 들어 올렸다. 남측 수행원들이 고대하며 맛본 옥류관 평양냉면의 맛 등 수많은 이야깃거리가 회자되었다. 그간 3차례의 만남 속에 쌓아온 신뢰의 결과이자, 그 모든 순간 국민께서 함께 기뻐하고 성원해주셨기에 가능한 일이었다.

특히 문재인 대통령이 남측 대통령 사상 처음으로 평양 시민을 향해 진행한 연설은 국내외의 큰 주목을 받았다. 10분도 안 되는 짧은 연설이었지만 객석을 가득 메운 15만 평양 시민들은 큰 박수로 화답했다. 당시 야당에서도 "이 큰 변화의 물결에 보수 진영이 함께해야 한다"는 반응이 나왔다.

남측 대통령 사상 처음으로 평양 5·1 체육관 평양 시민들 앞에서 연설하는 문재인 대통령 (2018. 9. 19.)

'네고시에이터(negotiator) 文', 손 맞잡은 남북미 정상

한반도 평화를 위해서는 남북뿐 아니라 북미 관계를 푸는 것도 핵심이었다. 문 대통령 스스로 운전자 역할을 자처하며 형성해온 북미 정상 간의 신뢰는 2018년 6월 싱가포르에서 열린 최초의 북미 정상 회담으로 현실화되었다. 이어 2019년 베트남 하노이에서 2차 북미 정상 회담도 진행되며 한반도 평화에의 기대를 밝혔다. 그러나 결과는 기대에 미치지 못했다. 북미 정상은 빈손으로 각자의 귀국길에 올랐다. 첫술에 배부를 수 없다는 말로도 아쉬움을 다 표현하기에 부족했다.

그럼에도 평화를 위한 치열한 노력은 이어져 2019년 6월 30일에는 판문점에서의 역사적 남북미 3국 정상 회동이 성사되었고, 트럼프 전 대통령은 군사 분계선을 넘은 최초의 미국 대통령이 되기도 했다.

미국 바이든 행정부가 들어서자 정부는 다시 신발 끈을 조였다. 문재인 대통령은 미 바이든 대통령의 두 번째 방미 초청 정상으로 2021년 5월 워싱턴을 방문했고, 양 정상은 판문점 선언과 싱가포르 공동 성명 등 기존 합의에 기초한 북한과의 대화 의지를 표명했다.

11월 유럽 순방에서는 첫 일정부터 '한반도 평화 프로세스' 추진

2019년 판문점에서 열린 남북미 3국 정상 회동. 트럼프 미 전 대통령은 군사 분계선을 넘은 최초의 미국 대통령이 되었다(2019. 6. 30.).

동력을 얻기 위한 다자 외교에 총력을 기울였다. 바티칸을 방문한 대통령은 프란치스코 교황의 방북 의사를 다시 한번 확인했고, DMZ 철책으로 만든 '평화의 십자가'도 전달했다. 십자가가 된 철조망은 일련의 군사적 긴장 완화의 결과물이기도 했다.

종착지를 향해, 오직 평화를 향해

"두만강 푸른 물에 노 젓는 뱃사공을, 볼 수는 없었지만
그 노래만은 너무 잘 아는 건, 내 아버지 레퍼토리
그중에 십팔번이기 때문에, 십팔번이기 때문에
고향 생각 나실 때면, 소주가 필요하다 하시고
눈물로 지새우시던, 내 아버지 이렇게 얘기했죠
죽기 전에, 꼭 한 번만이라도, 가봤으면 좋겠구나, 라구요"

2018년 4월 1일, 가수 강산에 씨의 노래 〈라구요〉가 평양 동평양대극장에 울려 퍼졌다. 부모님의 이야기를 담아 쓴 노랫말이었다. 스스로를 북측 말로 '놀새떼(날라리)'라고 소개한 YB의 공연도 평양 시민의 큰 호응과 함께 진행됐다. 남북은 그렇게 소리 없이, 한 발짝씩, 분단의 장벽을 녹여가고 있었다.

꿈결 같은 시간이었다. 매 순간이 전례 없는 긴장의 순간이자 감격의 시간이었다. 정부의 모든 관계 공직자들이 초긴장 상태로 분초를 다투었고 성과의 희비에 따라 천당과 지옥을 오갔다. 송구하지만 국민께도 평화에의 큰 기대와 기쁨만큼, 짙은 아쉬움을 드리기도 했다.

백두산 장군봉에 오른 두 정상 내외(2018. 9. 20.)

꽉 막혔던 길에 수풀을 베고 평화의 오솔길을 냈지만 아직 종착지에 다다르지는 못했다. 지난 5년을 숨돌릴 틈 없이 달려오며, 전쟁 위기를 넘어 '군사'를 '대화와 외교'로 돌리기도 했지만 흔들리지 않는 '평화'까지 이르지 못한 아쉬움이 있다. 이제 '평화'를 위한 치열한 전진은 다음 정부의 몫으로 넘겨졌다. 대북 정책이 이념과 색깔론이 아닌 철저히 평화를 위한 전략적 차원에서 다루어지기를, 그것이 어떠한 전략이든 오직 한반도의 번영을 향한 담대한 전진이 되기를 간곡히 기원할 뿐이다.

interview

"한반도 평화 프로세스는 '평화를 과정으로 보는 것'입니다"

문정인(전 대통령 통일외교안보특보)

안보는 늘 논쟁적이다. 70년이 넘는 분단국가의 숙명이다. 대한민국 근현대사 내내 많은 이들이 부당한 색깔론에 맞서야 했고, 북한을 대하는 태도, 이른바 대북관은 늘 정치인을 평가하는 주요 요소 중 하나로 간주되고 있다.

이 서늘한 논쟁의 장을 수십 년간 지킨 노교수는 조금도 지친 기색이 없었다. 북한의 연이은 미사일 발사가 뉴스를 오르내려도 평화를 향한 원칙과 현실주의자로서의 정세 판단에는 변함이 없었다.

김대중·노무현 대통령 재임 시절 햇볕 정책, 동북아 균형자론, 국방 개혁 2020 등 주요 안보 정책 수립에 깊숙이 관여했다. 문재인 대통령의 평화외교안보 특별보좌관으로서 '한반도 평화 프로세스'에도 주요한 역할을 했다. 정부를 넘나들며 모든 남북 정상 회담에 참여한 유일한 학자이기도 했다.

묻고 싶은 질문이 많았다. 안보 정책, 평화 정책은 여전히 치열한 담론장의 한가운데에 있었다. 지난 5년간 쉼 없이 달려온 한반도 평화의 시계

를 점검하고 앞으로의 길을 모색하는 시간이었다.

이전 정부에서도 외교안보 정책에 직간접적으로 관여해오셨지만 문재인정부의 '한반도 평화 프로세스'에는 특히 더 심혈을 기울이셨습니다. '한반도 평화 프로세스'가 역사에 어떻게 기록될지 총론적 평가를 부탁드립니다.

'한반도 평화 프로세스'를 간단히 정리하면, 평화를 '과정'으로 보는 것입니다. 현 정부 내에서 평화를 다 이루겠다는 게 아니고, 평화로 향해 가는 긴 여정에서 중요한 주춧돌들을 놓으면서 여건을 만들어가겠다는 것이죠. 3가지 축이 있습니다. 첫 번째는 군사적 억제력과 한미 동맹을 통해 전쟁을 막겠다는 '평화 유지(peace-keeping)'입니다. 두 번째는 긴장 완화, 신뢰 구축, 정전 체제의 평화 체제로의 전환을 통한 '평화 만들기(peace making)'입니다. 세 번째가 평화 경제를 통해 항구적인 평화를 만들어내겠다는 '평화 구축(peace-building)'입니다.

첫 번째 '평화 유지'의 경우 성공적 임무를 달성했다고 볼 수 있죠. 국방비 증액을 통해 대북 억제력도 착실히 구축했고, 한미 동맹도 공고히 해왔다고 봅니다. 문재인정부 출범 직후인 2017년 7월부터 11월 말까지 북한은 15차례의 탄도 미사일 시험 발사와 6차 핵 실험을 감행했습니다. 이러한 북의 공세적 태도를 보고 문 대통령께서는 '평화 유지'에 대한 마음을 굳히신 것 같아요. 말로 하는 평화보다 힘에 기반을 둔 평화가 필요하고, 그러려면 강력한 군사력과 한미 동맹의 결속이 중요하다는 것을 절감했던 것 같습니다. 이게 한반도 평화 프로세스의 첫 번째 축이지요.

두 번째 '평화 만들기'는 평화 유지의 토대 위에서 북한과 긴장 완화와 신뢰 구축을 도모하고 종전 선언의 채택을 통해 정전 협정을 평화 협정으로 전환하고자 했지요. 그 과정에서 비핵화 협상을 동시에 진전시키자는 겁니다. 문재인정부의 한반도 비핵화와 평화 체제 동시 추구 원칙은 바로 '평화 만들기'의 요체라 할 수 있습니다. '평화 만들기'는 절반의 성공이라 봅니다. 어려운 여건 속에서도 4·27 판문점 정상 회담, 6·12 북미 정상 회담, 9·19 평양 정상 회담을 성사시키고 9·19 남북 군사 합의를 끌어낸 것은 의미가 크지요. 한반도 평화와 비핵화의 로드맵을 제시한 것입니다. 아쉽게도 절반의 성공인 이유는 비핵화에 진전을 보지 못했다는 점이겠죠.

마지막으로 세 번째 '평화 구축'의 축은 전혀 진전을 보지 못했습니다. 평화 경제에 필수적인 경제, 철도, 에너지 부분 협력이 국제사회의 대북한 제재 때문에 구조적으로 봉쇄되었던 것이지요. 이것은 '한반도 평화 프로세스' 그 자체의 문제라기보다는 국제 여건으로 말미암은 측면이 크죠.

이렇게 보면 문재인정부의 '한반도 평화 프로세스'에는 성공과 실패, 빛과 그림자가 동시에 존재합니다. 일각에서 폄훼하는 시각이 있지만 그럴 때마다 저는 바로 수치를 갖고 이야기합니다. 문재인정부 이전인 2010~2017년 기간 중 북측은 27차례의 침투와 237차례의 국지 도발을 감행한 바 있습니다. 그러나 남북 간 9·19 군사 합의 이후에는 북한의 2019년 창린도 해안포 사격과 2020년 철원 지역 아군 GP로의 총격 이외에는 어떠한 위반 사항도 발생하지 않았습니다. 이는 9·19 남북 군사 합의를 통해 남북의 물리적 충돌과 인명 손실이라는 결정적 파국이 관리 혹은 통제돼왔음을 의미합니다. 저는 어느 정부, 심지어 보수 정부가 들어서도 '한반도 평화 프로세스'라는 이 역사적 궤적에서 벗어날 수 없다고 봅니다. 이 궤적을 떠난 한반도의 평화, 비핵화는 현실적으로 불가능해요. 그런 점에서 역사의 중요한 한 획을 그은 것은 분명합니다. 이제 이를 어떻게 지속해나가느냐가 과제이겠죠.

곤혹스러웠던 2017년 종군 기자들 인터뷰
성대 결절 수술을 남긴 4·27 킨텍스 브리핑
가장 기억에 남는 건 9·19 당시 평양 고려호텔 브리핑

> 지난 5년간 큰 변화의 물결마다 현장에 계시면서 느꼈던 현장의 소회가 남다르셨을 것 같습니다.

2017년 5월부터 2021년 2월까지 대통령 통일외교안보특보로 있으면서 외신 인터뷰나 국내외 강연을 300차례 이상 했던 것으로 기억합니다. 그중 가장 곤혹스러웠던 때는 2017년 7월부터 9월 초까지죠. 임기 초 남북 관계가 가장 안 좋았을 때입니다. 그때 외신 종군 기자들이 서울에 20~30명씩 상주했어요. 전쟁의 가능성이 크다고 판단해서 그런 거지요. 그분들과 개별적으로 인터뷰를 거의 다 했어요. 이구동성으로 "전쟁 나는 거 아니냐"고 물어왔고, "그렇지 않다. 우리 대통령은 어떠한 상황에도 대응할 준비가 되어 있지만, 분명히 평화의 반전을 만들어낼 것이다"라고 답했는데 결과적으로 그렇게 되었지요. 하지만 당시에는 참으로 난처했습니다.

4·27 판문점 정상 회담 때 기억도 새롭습니다. 이틀 동안 킨텍스에서 외신 기자 60여 명 정도와 인터뷰했던 것 같습니다. 일일이 만나서 전후 맥락과 의미를 설명했죠. 이 정상 회담이 얼마나 큰 의미가 있는지를 이야기하며 한국이 창의적 외교를 통해 북미 간에 물꼬를 틀 수

판문점 남북 정상 회담에 참석한 문정인 특보(2018. 4. 27.)

있다는 점도 강조했습니다. 결국 성대 결절이 와서 8월에 수술까지 했지만 (웃음) 저에게는 아주 보람 있던 순간이었습니다.

마지막으로 가장 기억에 남는 순간은 2018년 9·19 평양 정상 회담 때인데, 옥류관에서 냉면을 먹고 있는데 대변인이 와서 급하게 언론 브리핑하러 가야 한다는 겁니다. 제가 회담에 참여한 것도 아니고, 자료 하나 안 받았는데 뭘 갖고 얘기하냐 물으니 지금 서울에서 기사 안 온다고 아우성이라는 거예요. 그래서 일단 평양 고려호텔에 가서 당시 최종건 평화기획비서관과 브리핑을 했죠. 비공개 브리핑인 줄 알았는데 서울 DDP에 있는 3,000~4,000명의 내외신 기자들에게 생중계 했더라고요. (웃음) 다행히 실수는 안 했는데 지금 생각해보면 아찔하면서도 뿌듯하기도 했어요.

작은 성공 축적하지 못한 아쉬움 "이제는 실행해야 합니다"

사실 평화의 길은 녹록하지 않았습니다. 수많은 넝쿨을 지나 산 넘고 물 건너 여기까지 왔는데요. 지난 5년의 시간에서 얻을 수 있는 교훈은 무엇일까요?

2018년 3월 특사단이 평양을 가면서부터 모든 게 잘 풀려서 우리는 한반도 평화 체제와 비핵화 그리고 북미 정상 회담 주선 등 계속 큰 사안에 매달렸지요. 그런데 아쉬운 것은 작은 성공들을 만들어내지 못했다는 점입니다. 이를테면 개성공단 완전 재개는 어렵다 해도 부분 재개를 한다든가, 입주자 대표들이 개성공단에 있는 자기 시설들을 점검할 기회는 만들어주었어야 했지 않았나 봅니다. 이산가족 재상봉, 금강산 개별 관광 등 국민적으로 호응을 얻고 희망을 보여줄 수 있는 작은 성공을 만들어야 했지 않았을까 하는 아쉬움이 남습니다. 2018년에 큰 성공이 있었는데 그 후에 남북 관계의 작은 성공들이 몇 개가 이어졌다면 국민적 공감대도 두터웠을 거고 남북 관계도 지금보다 나았을 것 같습니다.

사실 저는 세 번의 평양 정상 회담에 특별 수행원으로 참여하는 행운을 누렸습니다. 2000년 정상 회담은 탐색형 정상 회담이었거든요. 6·15 선언을 보면 상당히 총론적인 내용이 많아요. 2007년의 10·4 정상 선언은 내용이 상당히 길어집니다. 각론적 성격이 강한 거죠. 반면에 9·19 공동 평양 선언을 보면 실행 중심적입니다. 6·15 총론, 10·4 각론, 9·19 실행인 셈입니다.

북측에서는 특히 문 대통령에 대한 신뢰와 기대감이 무척 높았습니다. 20년 이상 알아 온 북측 통일전선부 담당자들도 "문 선생님, 절호의 기회입니다. 이번엔 뭔가 돼야 합니다"라는 말을 많이 했어요. 2018년 9월 18일 평양 목란관 만찬 행사 중 김정은 위원장하고 얘기할 기회가 있었습니다. 그는 정말 심각한 표정을 지으면서 "선생님들 우리가 얼마나 어렵게 여기까지 왔습니까? 이제 퇴행이 있어서는 안 됩니다"라고 말했습니다. 저는 그 말이 가장 기억이 남습니다. 이어서 "이제는 실행해야 합니다"라는 말을 두 번씩 강조해서 얘기했거든요.

그 실행이 잘 진전되지 않은 것이 가장 안타깝고 아쉬운 거죠. 하노이 노딜이 두고두고 뼈아픕니다.

"평화를 거부하는 정부? 현실적으로 불가능한 이야기예요"

앞으로 평화의 역사적 물줄기가 계속 나아가게 하기 위해서는 어떻게 해야 할까요?

사실 정답은 이미 나와 있습니다. "전쟁은 안 된다, 평화를 향해 가야 한다, 그 과정에 한미 동맹을 소중하게 여기고, 중국과 전략적 협력 동반자를 계속 유지해나가자." 결국, "한반도의 위태로운 안보 상황이 남북한 문제 때문에 생기는 거니 북측하고는 지속적 대화를 하고 설득해나가자." 다음에 어떤 정부가 와도 이러한 문재인정부의 정책과 크게 달라지지 않을 거라고 봅니다.

평화를 거부하는 정부가 가능합니까? 북한하고 전쟁할 거예요? 북한하고 대화 안 하면 미국하고 같이 북한에 군사 행동할 건가요? 사드 추가 배치하고 미국 중거리 탄도 미사일 도입하면 어떻게 될까요? 중국이 둥평 미사일을 한반도를 향해 겨냥하고, 칭다오에 있는 북해 함대가 서해에서 우리 통행의 자유를 위협한다고 상상해보세요. 게다가 1958년에 북한에서 철수한 이래 중국이 북한에 무기를 공여한 적이 한 번도 없는 것으로 압니다. 만약 중국이 북한에 무기 공급하고 석유 등 병참 지원을 한다면 우리는 북한의 핵미사일뿐만 아니라 강화된 재래식 위협에도 직면하게 되는 거지요. 보수 정부라고 그걸 감당할 수 있겠어요? 현실적으로 불가능한 이야기입니다.

이명박 정부 예를 들어보지요. 이명박 대통령도 '비핵 개방 3000' 대북 강경책을 쓰다 2009년 8월 김대중 대통령 장례식에 파견된 북측 조문 사절단의 서울 방문을 계기로 북한과의 대화를 모색하지 않았습니까. 박근혜 대통령도 통일준비위원회를 구성하는 등 북과의 관계 개선을 모색했었지요.

지금 '안미·경중(안보는 미국, 경제는 중국)'이라는 이야기를 하는데 정확하지 않은 말입니다. 경제 때문만이 아니에요. 북한 비핵화시키고 한반도 평화와 안정을 가져오는 데 중국과의 협력은 필수적인 겁니다. 중국이 북한, 러시아와 함께 북방 삼각 동맹을 맺기 시작하고, 우리가 미국, 일본과 남방 삼각 동맹을 강화하게 되면 한반도는 다시 냉전의 고도가 되는 겁니다.

"엘리트는 주역이 아닙니다"

> 지난해 말 강연 중에 "평화는 시민이 나서야 지켜진다. 엘리트는 주역이 아니다"라고 말씀하셨습니다. 말씀하신 국민적 공감대의 중요성과도 관통하는 지점이 있는 것 같습니다.

아니, 전쟁이 나면 누가 가장 희생을 봅니까? 전쟁 나서 가장 큰 피해를 보는 것은 일반 시민들입니다. 그리고 대한민국이 어떤 나라입니까? 민주공화국입니다. 임명된 자나 선출된 자, 모두 국민의 공복입니다. 평화는 우리의 삶에 바로 영향을 줍니다. 나의 실존과 직결된 문제예요. 누가 대리할 수 있는 것이 아닙니다. 그래서 "평화의 주역은 엘리트가 아니라 시민이다"라고 말씀드렸던 겁니다.

최고의 지상 명제…
"평화를 원하면 평화를 준비해야죠"

마지막으로 간단한 질문으로 마치겠습니다. 그럼에도 불구하고 왜 평화입니까?

제일 중요한 건 전쟁이 있어서는 안 된다는 겁니다. 그건 최고의 지상 명제입니다. 노무현정부와 문재인정부는 '평화'와 '번영'을 강조해왔습니다. 이 둘은 샴쌍둥이(siamese twins)와 같습니다. 결합 쌍둥이기 때문에 평화가 죽으면 번영도 죽습니다. 또 번영이 어려워지면 사회적 또는 국가 간 갈등이 폭증하면서 평화를 위협합니다.

전쟁이 나면 번영은 끝나는 겁니다. 전쟁의 기운만 생겨도 번영은 흐트러지기 시작해요. 보수 일각에서는 로마의 역사가 베게티우스나 독일의 전략가 클라우제비츠를 인용하면서 "평화를 원하면 전쟁을 준비하라"라고 하는데, 저는 동의하지 않습니다. 그 논리는 예전 봉건시대 때 작은 국가들끼리 싸울 때나 적용되는 말입니다. 지금처럼 전쟁 한번 일어나면 모든 걸 잃어버리는 시대에는 맞지 않지요. 평화를 원하면 평화를 준비해야 합니다.

본래 문정인 교수의 전공은 중동 정치였다. 학자로서 레바논, 리비아 등 중동 정치의 현장을 누볐다. 중동에서의 경험은 평화를 향한 열망을 더욱 강화했다. 전쟁의 참상, 쉽게 재건될 수 없는 비극의 현장을 생생히 목격해온 그였다. 만약 또 한 번의 전쟁이 일어나면 우리가 이룬 모든 것이 잿더미로 변할 것이라 말하는 그에게 평화는 '업'이 아니라 곧 실존적 생존의 주제였다.

평가는 간명했다. 평화 유지는 성공, 평화 만들기는 절반의 성공, 그리고 평화 경제는 미답. 그러나 그는 어떤 정부도 이 역사적 궤적에서 벗어날 수는 없을 것이라 말했다. 평화는 선택의 대상이 아니라 반드시 가야 할 길이라는 확신이었다.

그런 의미에서 문재인정부의 '한반도 평화 프로세스'는 앞으로도 현재진행형이다. '전쟁은 안 된다'는 명제는 모든 순간 가장 중요한 지상 명제이기 때문이다.

interview

"진심일 때 우러나는 울림, 마음을 다하면"

윤재관(청와대 국정홍보비서관, 전 의전비서관실 행정관)

지난 2018년 한 해에만 3차례 열린 남북 정상 회담은 잃어버린 남북 관계 10년을 복원하는 과정이자, 우리 스스로 평화의 길을 만들어간 당당한 행진이었다.
4·27 남북 정상 회담의 '도보다리 회담'을 처음부터 끝까지 준비했던 윤재관 비서관은 "역사 앞에서 마음을 다했다"라고 했다. 그러면서 사소해 보이는 소품 하나하나에도 사활을 걸고 준비했던 날들을 담담히 소회했다.

문재인 정부의 핵심 국정 과제 가운데 하나가 '평화와 번영의 한반도'였어요. 먼저 지난 5년을 평가해주신다면요?

2018년 한 해에 남북 정상 회담이 3번 열렸습니다. 남북미 판문점 회담까지 하면 남북 정상이 만난 게 1년 반 사이에 4번이었는데요. 이런 시대는 대한민국의 역사에서 없었습니다. 안타깝게도 2022년 지금의 상황은 국민의 기대만큼 진전하지 못했습니다. 송구스러운 일입니다. 하지만 '평화의 일상화'는 어느덧 깊숙이 우리의 삶으로 들어왔습니다. 북한 리스크로 주식 시장이 요동치거나 외신에 전쟁 가능성이 보도되는 등의 불안은 없었으니까요.

문재인정부 남북 관계의 지향점은 '평화'였습니다. '통일은 대박' 같은 말로 치장하지 않았습니다. '평화의 일상화'는 대기 중의 공기와 같다고 생각해요. 잘 인식하지 못하지만 생존에 필수불가결한, 공기와 같은 평화를 이룬 것은 분명히 평가받을 일이라 생각합니다.

김여정 '백두 혈통' 사상 첫 남한 방문…정상급 의전
북한 김창선 부장과의 KTX 줄다리기

> 2018년 연초부터 남북 관계가 급물살을 탔습니다. 특히 평창 동계 올림픽 개막식 참석을 위해 '백두 혈통'으로서 처음으로 김여정 부부장의 방남이 결정됐을 때 청와대 내부 분위기는 어땠나요?

놀랐죠. 당시 의전 서열로는 김영남 최고인민회의 상임위원장이 1위이기 때문에 그분이 올 거라는 건 어느 정도 예상을 했지만, 백두 혈통인 김여정 부부장이 올 거라고는 상상하지 못했습니다. 강한 시그널이잖아요. 김정은 위원장이 대화를 원하고, 새로운 시대를 열겠다는. 어떻게 해야 하나 고민을 많이 했는데, 사실 그렇다고 뾰족한 수는 없었습니다. 일단 오면 원칙대로 우리가 손님 대접하던 대로 하면 된다고 생각했어요. 이동할 때 육로가 아닌 비행기를 타고 인천공항으로 들어왔는데, 올림픽을 계기로 만든 KTX 노선을 탔기 때문에 빠른 시간에 이동할 수 있었습니다. 의전 측면에서도 리스크가 확 줄어든 거죠.

북측 인사들과 문재인 대통령과의 첫 만남은 평창 동계 올림픽 개막식이었습니다. 우리 대통령이 주최국의 정상이기 때문에 가운데를 중심으로 왼편과 오른편에 누가 앉게 될지도 뜨거운 관심사였어요.

당시 미국에서는 부통령(마이크 펜스)이 오셨어요. 일본에선 아베 신조 총리가, 중국에서는 한정 정치국 상무위원이 참석했고, 러시아에서도 왔고요. 주변 4강에서 다 온 겁니다. 그런데 김영남 위원장은 서열이 1위인 거예요. 김여정 부부장은 의전 서열이 몇 위인지도 가늠하기가 어려웠고요. 자국의 서열로 따지면 김영남 위원장이 최고죠. 당시 정상 자리는 12개였는데, 우리 정상 내외와 통역을 빼면 아홉 자리가 남았어요. 이 아홉 자리 배치를 통해 평화 올림픽이 실현되었다는 것을 대내외에 증명해야 했습니다. 대단히 어려웠죠.

최종적으로 대통령 바로 옆에는 미국 부통령 내외분이 앉았고요. 대통령 바로 뒷자리에는 김영남 위원장과 김여정 부부장이 앉았습니다. 이걸 설득하는 과정이 만만치 않았습니다. 북한 의전 담당인 김창선 부장과 1시간 40분을 KTX로 이동하면서 대화했는데 1시간 30분이 지나도록 북측에서 납득을 못 하시더라고요. 왜 우리가 뒷자리에 앉느냐는 거죠. 애가 탔죠.

1시간 30분 동안의 세밀하게 설명하는 방식으로는 해결이 안 되겠다는 생각이 들었습니다. 그래서 들고 있던 설명판을 덮고 "그냥 저 믿어주시면 안 됩니까? 얼마 만에 북측에서 손님이 오셨는데, 더욱이 올림픽에 오셨는데 우리가 섭섭하게 하겠습니까. 걱정하지 마시고 믿어주세요"라고 말했습니다. 놀랍게도 그제야 문제가 풀리기 시작했습니다. 지금 생각하면 아찔합니다. 기차가 거의 평창에 다 왔을 때 설득에 성공했습니다. 제 인생에 가장 피 말린 시간이었습니다.

문재인 대통령 내외 뒤에 자리한 북측 김영남 최고인민회의 상임위원장과 김여정 부부장

▌ 결과적으로 북측도 만족하게 된 거죠?

서울에 와서 이틀째 된 날이었는데, 김창선 부장과 항상 아침 7시 반에 만나서 하루 일정을 쭉 이야기했거든요. 그런데 다 듣고 나서 저한테 "고맙다"라고 하더라고요. 불편한 거 없었다며 고맙다고요. 마지막 날 떠나시는 날 아침에도 일정을 설명하는데, 저보고 사진 한 장을 찍자고 해서 같이 찍었죠. 그 사진을 4·27 실무 회담할 때 액자에 넣어서 선물했더니 굉장히 좋아하더라고요.

▌ '카운터파트'였던 북측 김창선 부장과 소통이 잘됐나 봐요?

연세가 일흔이 넘으신 분이었거든요. 평양 정상 회담 때 일인데, 백두산 장군봉에서 천지로 내려가는 케이블카가 있어요. 사실상 그걸 타야지만 내려갈 수 있는데, 시간 제약 때문에 소수만 내려갈 수 있거든요. 저는 의전 행정관으로 내려가실 분과 장군봉에 남아 계실 분을 나눠 잘 설명드리고, 천지로 잘 내려갈 수 있도록 돕는 역할을 했죠. 천지로 내려가실 분들이 다 케이블카에 탑승한 뒤 서 있는데, 김창선 부장이 제 손을 딱 잡더니 케이블카를 타라고 하더라고요. 그러고는 멈췄던 케이블카를 다시 운전시켰어요. 저와 같이 있던 후배들 세 명이 그걸 타고 천지로 내려갔습니다. 덕분에 천지 물에 손도 담가보고, 먹어도 보고 했습니다. 천지의 웅장함을 온몸으로 느꼈고요. 그날 김 부장께 '감사합니다'는 말을 했어야 했는데 기회가 없어 못 했습니다. '곧 다시 만나겠지, 그때 꼭 감사했다고 말해야지' 했는데 지금까지 못 만났네요. 제가 이럴 진데, 다시 만날 거라고 생각했던 가족을 70년이 넘도록 다시 만나지 못한 이산가족의 가슴은 얼마나 미어질지 한 번 더 생각하게 되었습니다.

도보다리 막전막후,
'의전은 의미를 부여하는 일'

> 4·27 남북 정상 회담 당시, 의전비서관실 소속으로 '도보다리 회담'을 기획하신 것으로 알려져 있습니다. 어떤 부분에 중점을 두고 기획했나요?

사실 먼저 꼭 말씀드리고 싶은 것이, 도보다리의 감동은 오롯이 두 정상께서 만드신 것이라는 점입니다. 그 정도의 감동은 사람의 머리에서 기획할 수 있는 게 아니거든요. 연출이나 기획이라는 조미료로는 그 같은 감동을 만들 수 없습니다. 한반도 평화를 위한 두 정상의 있는 그대로의 진심이 만들어낸 것입니다. 그래서 걸작이 된 것입니다.

제가 한 일은 도보다리와 한반도 평화, 2018년 남북 정상 회담을 연결하는 접점을 찾고 그 의미를 살릴 수 있게 꼼꼼히 준비하는 것에 불과했습니다.

판문점은 크게 세 파트로 구성되어 있습니다. 회담을 위한 회의실이 있는 중앙 공간, 왼쪽에 '돌아오지 않는 다리', 그리고 오른쪽에 '도보다리'와 중립국감독위원회. 행사를 준비하면서 양쪽 모두 현장에서 점검했는데, 왼쪽에 있는 '돌아오지 않는 다리'는 1976년 도끼 만행 사건이 발생했던 곳이잖아요. 인명 사고가 난 공간에서 두 정상이 뭔가를 한다는 것 자체가 불가능하다고 판단했습니다. 그러면 선택지는 오른쪽밖에 없었죠. 그런데 중립국감독위원회 건물은 별다른 의미를 부여하기 어렵고, 결국 조한기 의전비서관과 행정관들 모두 판문점 중앙에서 도보다리까지 산책 일정을 제안하는 것으로 의견을 모았습니다.

그런데 사실 도보다리라고 처음엔 뭐가 있지는 않았습니다. 원래 판문점 중앙과 중립국감독위원회 사이의 땅이 늪이어서 만든 다리였거든요. 폭이 1.2m밖에 안 돼서 두 사람이 나란히 걷기도 어려웠습니다. 그래서 일단 폭부터 1.7m로 늘리기로 결정했는데 진짜 문제는 여전히 해결되지 않았던 거죠. 남북 정상이 만나 도보다리를 걷는 게 무

평화로운 새소리만 가득한 곳에서 두 정상은 도보다리를 걸으며 40여 분간 회담을 나눴다 (2018. 4. 27.).

슨 의미가 있을지 아무리 생각해도 딱히 없는 거예요. 좀 뜬금없어 보이기도 하고. 스토리텔링이 안 되는 거죠.

도보다리 옆 101번째 MDL 표지판, '그래 저거다'

그래서 어떻게 할까 생각하면서 별수 없이 몇 바퀴 걷다 보니까 표지판이 하나 눈에 띄더라고요. 멀리 늪의 맨 가장자리에 있던 거였는데 당시만 해도 도보다리가 연결되어 있지 않아서 갈 수도 없는 곳이니 더 궁금했습니다. 철판으로 된 표지판이었는데 글자는 없어졌지만 판문점에 있으니 예사 물건은 아닐 거잖아요. 확인해보니 1953년 7월 27일 정전 협정을 체결하고 군사 분계선을 그어야 하는데 선을 그을 수 없으니 표지판을 만들어서 말뚝을 박은 거였습니다. 그것의 101번째 군사 분계선(MDL) 표지판이었죠.

'그래 저거다. 걸어서 저기까지 가시도록 해보자.' 두 정상이 1953년에 남북을 갈라놓은 저 표지판 앞에 함께 가시는 것만으로도 '이제 1953년 체제를 극복하자'라는 4·27 판문점 정상 회담의 의미를 정확히 전달할 수 있을 것이라 생각했습니다. 그러면 왜 여기까지 걸어왔는지도 스토리텔링이 되는 거죠.

모두의 마음과 마음이 모여 이뤄진 도보다리 회담… '지금도 가슴 벅차'

도보다리 옆 군사 분계선 표지판 앞에 선 두 정상(2018. 4. 27.)

> 당시 도보다리 회담의 생중계도 신선했어요. 두 정상의 대화는 안 들리는데 평화로운 새소리는 들리고…. "한 편의 무성영화 같았다"는 평이 많았습니다.

야외에서 무려 약 40분간이나 그렇게 긴 시간 동안 대화하실 거라고는 아무도 예상하지 못했습니다. 그 많은 새가 어떻게 그곳에, 딱 그 시간에 올지도 누가 알았겠습니까?

사실 오롯이 두 정상만 도보다리 끝 101번째 군사 분계선(MDL) 표지판 앞에서 대화하실 수 있도록 여러 조치가 있었습니다. 일자로 되어 있던 도보다리를 101번째 표지판까지 연결하려면 T자로 변형해야 했는데, 표지판 앞에서 두 정상이 서면 취재도 해야 하니 전망대 데크처럼 넓은 공간을 만들자고 제가 의견을 냈어요. 그래서 설계도를 당시 조한기 비서관에게 보고했죠. 그랬더니 기자들이 조금 떨어져 취재할 수 있도록 중간에 기자용 데크를 추가로 만들자는 겁니다. 그리고 대화가 본격적으로 시작되면서부터는 아예 원거리에서만 취재할 수 있도록 했어요. 카메라가 가까이 갔으면 아무래도 두 정상이 허심탄회한 이야기를 못 하지 않았겠습니까? 권혁기 춘추관장, 이주용 행정관이 취재 기자들과 상의해 두 분의 대화를 방해하지 않는 곳에 생중계 카메라가 설치되도록 챙겼습니다.

그 모든 정성이 모이고 모여 완벽한 영상이 전 세계로 송출될 수 있었습니다. 누가 시키지 않아도, 말하지 않아도, 한반도 평화를 위한 마음이 모여진 결과라고 생각합니다. 그렇지 않고서야 어떻게 모든 게 그리 완벽하게 이루어졌겠습니까.

대통령의 주문 "외교도 사람의 마음을 얻는 것"

> 나중에 대통령께서도 "정말 조용하고, 새소리가 나는, 그 광경이 참 보기 좋았다"라며 호평하셨더라고요. 평소에 의전에 대해 따로 말씀하신 적이 있었나요?

그 당시 저는 행정관이어서 대통령께 직접 주문 사항을 받을 위치는 아니었습니다. 다만 판문점 회담이 있기 한참 전에 있었던 지시 사항은 항상 기억하고 있었어요. 대통령께서 2017년 11월 우즈베키스탄 대통령 방한 때 의전 비서관실에 숙제를 하나 주신 것인데, "외교도 사람의 마음을 얻는 거다. 딱딱한 정상 회담만 하는 외교 말고, 서로 친해지는 계기를 마련해야 서로 말이 잘된다. 그러니 친교 일정을 꼭 고안해봐라"였습니다. 그래서 당시 우즈베키스탄 대통령과 국립중앙 박물관을 함께 관람하는 일정을 급히 추가했던 적이 있습니다. 그 이후부터 '친교 일정'이 외교 현장에 계속 포함되기 시작했습니다. 도보다리 산책의 출발에는 다섯 달 전 대통령님의 지시 사항이 있었던 거죠.

> 대통령이 말씀하신 '사람의 마음을 얻는 일'이 남북 관계에도 그대로 적용된 거네요.

진심은 어디서든 통하는 법이죠. 작은 것 하나도 정성을 다하면 상상할 수 없는 일을 현실로 만들 수 있구나, 매 순간 느꼈죠. 마운드 위에서 볼 하나하나 전력을 다해 던지는 투수처럼 말입니다.

한가지 추가로 꼭 말씀드리고 싶은 건 국가 정상의 몸에 밴 배려도 무척 중요하다는 점입니다. 문재인 대통령님이 그 정확한 예인데요. 2018년 김여정 부부장이 청와대에 왔을 때 김여정 부부장 입장에서도 처음으로 하는 외교 행위인데 얼마나 긴장을 했겠습니까. 양측 사이에 테이블이 있던 채로 친서를 건네주는 겁니다. 다소 엉거주춤한 포즈가 된 거죠.

그 상황에서 대통령이 "나오시죠, 좋은 곳에서 사진 찍읍시다" 하시더라고요. 예정에 없던 일이어서 순간 당황했는데, 그렇게 해주시니 긴장했던 손님의 얼굴이 그때부터 펴더라고요. 그날 오후에 아이스하키 경기가 강릉에서 열렸는데 김여정 부부장이 오겠다고 연락이 왔습니다. 원래 계획엔 없었거든요. 대통령 가시는데 같이 가겠다는 거였죠.

재미있는 게 좌석 변화를 보면 당시 첫날 올림픽 개막식장에서 김여정 위원장은 대통령 뒤에 있었습니다. 둘째 날 강릉 경기장에서는 두 칸 띄어 앉아 있었고, 마지막 날 국립극장 공연은 바로 옆자리에서 관람했습니다. 이 3일 동안의 김여정 부부장의 좌석 변화가 남북 관계를 상징하는 것이었습니다. 하루하루 시간이 갈수록 가까워지는 좌석 위치가 앞으로의 남북 관계를 예견할 수 있도록 한 것이죠. 특히 대통령의 세심한 배려가 손님의 긴장을 풀어줬고 마음을 녹여서 거리를 좁혔던 거죠. 이건 몸에 밴 배려잖아요. 그 배려가 남북 관계에서도 빛을 발하는구나, 생각할 수밖에 없었습니다.

인터뷰 말미, 윤 비서관은 남북 시차와 관련된 작은 에피소드를 소개했다. 4·27 정상 회담의 '소확행' 성과 중 하나인 '남북 간 시차 일치'와 관련된 후일담이었다.

회담 사이사이 휴식을 위해 북측 대기실에 벽시계를 두 개 달았다고 했다. 소파에 앉으면 무조건 볼 수 있는 자리에 하나는 서울 시각, 다른 하나는 30분이 다른 평양 시각에 맞추어서 말이다. 당시 분초를 다투던 준비 현장에서는 "꼭 2개를 달아야 하냐"라고 물어오기도 했단다. 담당자였던 의전비서관실 최원순 행정관은 지체 없이 답했다. "반드시 달아야 한다, 꼭 설치해주시라."

놀랍게도 행사가 끝나고 북측이 먼저 자신들이 변경했던 시차를 재조정하겠다고 밝혔다. 작은 배려와 존중, 그 애틋한 정성이 빛을 발한 순간이었다. 열흘 뒤 5월 5일부터 남북의 시계는 같은 시각을 가리키기 시작했다.

'진심', '정성' 인터뷰가 진행되는 동안 윤재관 비서관이 가장 많이 사용한 말이었다. 어떤 빛나는 연출과 기획도 진심을 따라갈 수 없다고 했다. 전대미문의 한반도 평화의 봄은 그렇게 모두의 진심과 정성이 응축되어 꿈결처럼 찾아올 수 있었다.

평화의 오솔길을 내다, '9·19 군사 합의'

"최선의 무기는 함께 앉아 나누는 대화."

넬슨 만델라

2018년 9월 19일, 평양에서 열린 남북 정상 회담에서 문재인 대통령과 김정은 국무위원장은 한반도 평화를 향한 또 하나의 이정표를 세운다. 두 정상이 임석한 가운데 송영무 국방부 장관과 노광철 인민무력상이 '판문점 선언 이행을 위한 군사 분야 합의서'에 서명한 것이다. 일명 '9·19 군사 합의'였다.

발상의 전환이었다. 반세기 이상 총부리를 겨눠온 남북 군인들이 만들어낸 합의. 한반도 평화에 군이 선두에 선 첫 번째 사례였다. 우발적인 충돌 한 번으로 그동안의 모든 대화와 합의가 무력화되던 전례를 막기 위한 조치였다. 쉬운 합의는 아니었다. 수십 년 대치해온 군을 움직여야 하는 일이었고, 이는 북측은 물론, 남측에게도 비상한 변화가 필요한 일이었다.

9·19 군사 분야 합의서 서명식(2018. 9. 19.)

"남과 북은 오늘 전쟁을 일으킬 수 있는 모든 위협을 없애기로 합의했습니다."

문재인 대통령

"조선반도를 핵무기도, 핵 위협도 없는 평화의 땅으로 만들기 위해 적극 노력해나가기로 확약하였습니다."

김정은 국무위원장

적대 행위를 중단하다

남과 북은 2018년 11월 1일 0시부로 지상, 해상, 공중에서 상대방에 대한 일체 적대 행위를 전면 중지했다. 지상에서는 군사 분계선(MDL)을 기준으로, 남북으로 각각 10km 폭의 완충지대를 형성해 각각 5km 안에 포병 사격 훈련 및 연대급 이상 야외 기동 훈련을 멈췄다. 그리고 해상에서는 동·서해상 NLL 일대(덕적도~초도, 속초~통천) 일정 구역을 완충 구역으로 설정해 포 사격 및 해상 기동 훈련을 중지했다. 공중에서는 군사 분계선(MDL)을 중심으로 기종별 비행 금지 구역을 설정해 우발적 충돌 가능성을 차단했다.

무엇보다 9·19 군사 합의가 과거의 군사 합의와 달랐던 것은 사안별로 검증절차를 명시했고, 실제 상호 검증이 이뤄졌다는 점이다. 일회성 합의에 그치지 않고 실천과 이를 검증하는 과정을 분명히 함으로써 합의의 지속 가능성을 높인 것이다.

65년 만에 열린 오솔길

"처음 내려갈 때는 일단 정신없이 내려갔죠. 점점 MDL에 가까워지는데 '저 선을 내가 진짜 넘는단 말인가' 하는 느낌이 들었죠. '북측의 인원들은 어떻게 어느 쪽에서 나타날까 처음에 어떻게 대응을 할까' 그런 생각도 들고요.

제가 갔던 곳은 6·25 전쟁 때 상당히 치열하게 마지막 전투를 했던 지역입니다. 내려가면서 보니까 그 당시에 싸웠던 흔적들이 꽤 많이 남아 있더라고요. 그걸 보면서 정말 역사적으로 뭐가 많이 바뀌는구나. 뭔가 새로운 게 생기는구나. 또 군 생활하면서 이런 경험을 해보는구나 싶었습니다."

류의걸(육군 대령, 제3군단 작전처장)

정전 협정 이후 65년 만에 열린 오솔길이었다. 군사 분계선으로부터 1km 이내에 각각 11개 GP를 시범적으로 철수·철거하기로 한 결과였다. 류의걸 대령이 수행했던 임무는 이후 남북 각 11개 조 154명으로 구성된 현장 검증반이 GP 철거가 잘됐는지 상호 검증하는 일이었다.

이 모든 과정은 당시 참여했던 장병들의 몸에 착용했던 '보디캠' 카메라에 생생히 기록됐다. 당시 현장 검증에 참여했던 류의걸 대령은 모든 가능성을 염두에 두고 검증에 나섰다고 했다.

> "지하 시설을 확인할 수 있는 특수 장비가 있었습니다. 그런 것도 가지고 갔었고, 조금이라도 이상하면 들춰보고, 파보고 다 확인을 했습니다. 그것도 모자라서 위치를 바꿔가면서 볼 수 있는 건 다 체크해봤죠. 결론적으로 시설(GP)은 다 파괴되거나 철거가 되어 있는 상태였고요. 지하가 의심된다는 지점은 다른 쪽에서 들어가는 입구가 없는지도 확인시켜줬어요.
> 저희가 고민했던 것 중 하나가 북측에서 우리의 요구를 막으면 어떻게 할 것이냐였습니다. 그러면 어떻게 설득해야 할지도 고민했었는데, 의외로 얘기가 잘 통했습니다. 그때 만난 북측 인사들과는 재밌는 얘기도 나눴는데요, 딸 이야기도 해주더라고요. 다시 만나면 밥 한 끼 먹었으면 좋겠습니다."

65년 만에 돌아온 국군 유해

65년 만에 불린 이름 '박재권'. 1953년에 전사할 당시 그의 나이는 23세였다. 21세의 나이로 입대해 이듬해 7월 전투 중지가 선언되기 바로 전날 안타깝게 전사했다.

왼쪽: 화살머리고지 인근 국군 전사자 유해 유품 발굴(2020. 5. 1.). 오른쪽: DMZ 내 유해 유품 발굴 작전 출정식(2021. 4. 5.)

늦게나마 고 박재권 이등중사의 유해를 찾을 수 있었던 것 역시 9·19 군사 합의의 결과였다. 6·25 전쟁 당시 격전지였던 DMZ 내 전사자들을 가족 품으로 돌려보내기 위해 지뢰와 폭발물 제거 작업이 시작됐다. 한여름에도 방호복을 입은 장병들은 땀을 비 오듯 쏟으며 정성을 다해 유해를 수습했다.

DMZ 내 화살머리고지 우리 측 지역에서 국군 전사자 유해 3,092점(잠정 유해 424구)과 유품 10만 1,816점을 발굴했고, 이 중 고 박재권 이등중사 등 국군 전사자 9명의 신원을 확인했다. 발굴 과정에서 중국군으로 확인된 201구의 유해를 중국 측에 송환하기도 했다.

2021년 9월부터는 화살머리고지 인근 백마고지에서 DMZ 내 유해 발굴을 시작했다. 지금까지 유해 총 37점(잠정 유해 22구)과 유품 8,262점을 발굴했고, 백마고지 최초로 국군 전사자 1명(고 김일수 하사)의 신원을 확인하기도 했다.

권총·탄약 사라진 JSA, DMZ는 평화가 채웠다

JSA 내 초소와 병력, 화기를 철수하는 비무장화도 2018년 말 완료

한반도 평화 무드가 조성되면서 국민의 판문점 견학 기회도 늘어났다.
왼쪽: 판문점에서 기념 촬영하는 방문객. 오른쪽: 판문점 도보다리를 살펴보는 방문객

됐다. CCTV를 재배치하고 공동 근무 초소 통신 선로를 설치함으로써 신뢰의 기틀을 마련했기에 가능한 조치였다. 이제 남북 측 병사들 모두 서로를 응시하지 않고 각자의 방향을 바라본다. 이 또한 '9·19 군사 합의'의 내용이었다. 남북 정상이 나란히 걷고 한반도 평화에 대해서 대화를 나눴던 JSA 도보다리도 국민께 개방되었다. 2021년 12월까지 총 3만 1,000여 명의 내외국인이 JSA에서 평화를 체감했다.

시범 철수한 GP는 국민이 채웠다. 2019년 4월 고성, 6월 철원, 8월에는 파주까지 총 3개 접경 지역에 'DMZ 평화의 길'을 조성해 국민께 개방했다. 2021년 12월까지 총 1만 5,000여 명의 국민이 평화의 길을 걸었다. 앞으로 DMZ 이남 민통선 일대의 강화, 연천, 인제 등 지역별로 7개 테마 노선을 조성해 개방할 예정이다. 그리고 민통선 이남을 중심으로 한 동서 횡단 노선(고성~강화)은 2022년 10월 개방을 목표로 정비 중이다.

남북 정상 회담과 '9·19 군사 합의'를 계기로 평화 경제 기반의 구축도 지속되었다. 철도·도로 현대화를 위한 북측 구간 공동 조사와 착공식을 진행하고 관련 자료를 교환했다. 우리 자체적으로 추진할 수 있는 동해북부선 단절 구간 복원 사업도 실행했다. 2018년 국제철

동·서해선 철도 도로 연결 및 현대화 착공식(2018. 12. 26.)

도협력기구에 정회원으로 가입해 중국 횡단 철도와 시베리아 횡단 철도를 포함한 28만 km에 달하는 국제 노선 운영에 참여할 수 있는 기반도 마련했다. 한강 하구 공동 이용 수역에 대한 공동 수로 조사, 금강산 지역 병해충 공동 조사, 개성 소나무 재선충병 공동 방제 등도 실시했다.

포기할 수 없는 꿈

한번 뿌린 씨앗은 언젠가 열매를 맺기 마련이다. 햇볕을 가리지 않는다면 평창에서, 판문점에서, 평양에서 심은 씨앗은 울창한 나무로 자라 평화의 길을 우거지게 할 것이다. '9·19 군사 합의'가 열어낸 변화의 시작이 머지않아 평화의 땅 DMZ 또한 열어내기를, 총부리가 내려진 자리에 뿌려진 평화의 씨앗이 번영의 숲으로 다시 태어나기를 소망한다.

interview

"'평화의 일상화'… 정성을 기울이면 되는구나"

최종건(외교부 1차관, 전 청와대 평화군비통제비서관)

지난 2018년, 남북 정상들이 합의한 판문점 선언과 평양 공동 선언의 큰 성과 가운데 하나가 '9·19 군사 합의'다. 분단 후 70여 년간 지속해온 적대 관계 종식을 위한 실질적이고 구체적인 이행이자, 남북 국민 모두의 삶에 '평화의 일상화'를 돌려드리겠다는 약속이었다.
당시 청와대 평화군비통제비서관으로서 군사 합의 실무 작업을 담당한 최종건 외교부 1차관은 "안보는 산소와 같다"고 했다. 너무나 당연한 것이어서 평소엔 존재조차 잊어버리지만 부족하면 그 소중함을 비로소 깨닫게 되는. 오늘의 '일상의 평화'는 '숨'을 불어넣기 위한 부단한 노력의 결과였다.

2018년 당시 평화군비통제비서관으로 '9·19 군사 합의' 실무를 담당하셨습니다. 단도직입적으로 어떤 합의였습니까?

중요한 합의죠. 합의 이전에는 군사 분계선을 중심으로 DMZ, 비무장

지대가 불안했거든요. 그런데 지금은 안정됐죠. 안정되었다는 것은 예측 가능성이 커졌다는 의미인데요. 판문점 선언 직후에 남북 양측이 확성기를 다 떼버려서 조용해졌습니다. 그리고 9·19 평양 공동 선언 이후에는 비무장 지대 본연의 목적인 비무장화를 위한 남북 간의 여러 이행 사업을 진행했죠. GP도 철거하고 한강 하구에서 수로 조사도 하고 판문점에서 경비를 서고 있는 군인들의 무장을 다 해제했죠. 분단에 가장 첨예한 긴장 구역을 완화했다는 겁니다. 이게 중요한 거예요. 안보라는 것이 산소 같은 거니까요.

남북, 판문점 JSA에서 CCTV 영상 공유
상호 신뢰 강화 위해 유해 발굴 시작

▎9·19 군사 합의의 내용과 이행 측면에서의 평가가 궁금합니다.

군사 합의서를 어떻게 정의하냐면 지상이나 해상, 영공에서의 군사 행위를 규정한 겁니다. 남북 간에 우발적 군사 충돌을 방지한다는 개념이죠. 지상에서는 판문점을 비무장화했고, 상호 1km 안에 포함된 모든 GP를 불능화시키고 철거했단 말이에요. 영공은 비행 금지 구역을

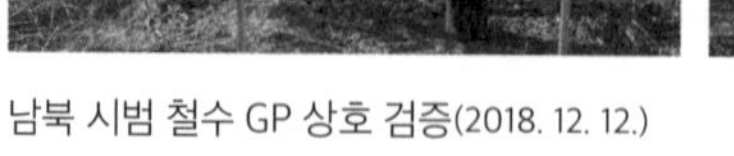
남북 시범 철수 GP 상호 검증(2018. 12. 12.)

6·25 전쟁 전사자 추정 유해 발굴(2020. 4. 24.)

설정했고, 해상은 NLL 지역에서의 해군 간 무력 충돌을 사실상 불능화시킨 거죠. 북한의 해안포 포문을 닫게 하고 우리도 해군 함정의 포를 내리고 가림막을 씌웠어요. 즉 이 3가지를 합치면 더 이상 북측이든, 남측이든 서로 적대 행위를 하지 않겠다는 의지를 표명한 겁니다.

상호 신뢰를 강화하자는 측면에서 유해 발굴도 시작됐어요. 저희가 '화살머리고지' 지역을 선정했고, 북이 합의하면서 남과 북 사이에 도로를 놓은 거예요. 길이 뚫린 거죠. 원래 우리는 '서쪽은 파주에서 개성으로 가는 길이 있고 동쪽으로는 제진에서 금강산까지 가는 길이 있으니 이번엔 중앙에 남북을 관통하는 길을 뚫자', '남북 간 교류가 활발해지면 중부 전선에도 남북이 통행하는 길을 확보해보자'라는 의도가 있었는데, 그게 여전히 미완입니다. 그럼에도 한국전쟁 이후 최초로 비무장 지대에서 유해를 발굴해서 유족에게 돌려드렸다는 의미가 있는 거죠. 유해 발굴은 백마고지까지 확대했고요.

또 중요한 것이 판문점 지역에서 우리 측, 북측 모두 감시 카메라,

CCTV를 설치한 겁니다. 서로 영상을 보고 있으면 투명성이 강화되겠죠. 말 그대로 JOINT. JSA(Joint Security Area)가 되는 거죠.

다른 분야에 비해 군사 분야는 합의 도출이 쉽지 않은데요. 그럼에도 왜 다른 여러 가지 중에 군사 분야 합의였던 겁니까?

중요한 건 비핵화를 하든, 평화 협상을 하든, 종전 선언을 하든, 남북 간에 우발적 사고가 나면 중요한 협상이 교착되거나 위기를 맞이하게 된다는 겁니다. 그걸 원천적으로 봉쇄하는 장치가 필요했던 거죠. 그게 무엇이냐고 했을 때는 '군사 합의'로 귀결된 거죠.

북측과 협의 과정은 어땠습니까?

우리는 협상에서 우위를 유지하기 위해 노력했습니다. 북한이 9월 19일 평양 정상 회담의 '호스트'로 정해진 순간 북한도 뭔가 실질적 성과가 필요했을 겁니다. 그래서 서로 아주 세게 '밀당'을 한 거죠. 9월 13일에서 14일로 넘어가는 새벽 3시쯤이었던 걸로 기억하는데요. 군사 합의 문서가 30장이 넘는데, 새벽 2시쯤에 북측이 "처음으로 돌아갑시다" 그래요. 그래서 우린 "끝까지 밀어붙이고 안 되면 철수하자"라고 한 적까지 있어요. 사실 협상 기법이었죠. 그런데 북측이 무슨 전갈을 받았는지, 상호 간의 쟁점 대부분을 수용하겠다고 입장을 선회했습니다. '북측의 결단이 있었구나'라는 생각이 들긴 했습니다.

양측 군이 선도적으로 긴장을 낮춘 첫 번째 사례
'군이 긴장을 조성한다'는 잘못된 가설
"내가 이대로 평양에 돌아가면 항복 분자가 됩니다"

▌ 협상 과정에서의 고민이 합의문에는 어떻게 반영된 겁니까?

비행기가 다닐 수 없는 공간, 그리고 서로 훈련을 할 수 없는 지역을 합의하는 게 제일 어려워요(동부 40km, 서부 20km, 회전익 10km). 왜냐하면 우리 군도 북한군도 서로 이 개념이 다를 거고, 의지도 다를 거 아녜요. 우리 내부적으로는 육해공, 국방부, 합참, 또 해병대도 있고, 게다가 우리는 주한미군도 있는데, 그 의견을 수렴하는 게 가장 어려웠죠.

이거야말로 톱다운(Top-Down)이 아니라 보텀업(Bottom-Up) 접근이 필요한 거예요. 최고 지도자의 결단이 아니라 각 군이 운영하는 운영 체계에 맞게 "40km면 될 것 같습니다", "20km면 될 것 같습니다" 이렇게 합참을 중심으로 합의를 해서 안을 가지고 오면 정무적 판단, 전략적 판단에 따라 늘리고 줄이는 겁니다.

북이 했던 말 중 하나가 "내가 이대로 평양에 돌아가면 항복 분자가 됩니다"였어요. 그만큼 북도 내부 합의를 도출하는 데 애를 쓴 것 같습니다. 북도 최고 지도자의 의지가 중요하지만, 얼마만큼 그 의지를 군 내부 협의를 통해 숫자로 구현하느냐는 다른 문제였죠. 이걸 대통령께서 "나 무조건 이거 해야 돼"라고 하셔도 군이 받쳐주지 않았다면 어려웠을 거예요. 군사 합의의 1등 공신은 양쪽의 군 당국이라고 봐야 할 겁니다.

결국 서로의 안을 협상하는 협상팀과 협상 자체를 정무적으로 뒷받침해줬던 청와대팀이 삼위일체가 된 거죠. 이미 군에서도 상당히 연구가 되어 있었고 그걸 실현하고자 하는 정치 세력이 등장하면서 실제로 협상을 할 수 있었던 거예요. 갑자기 도깨비방망이 뚝딱, 이렇게 해서 나올 수 있었던 건 아니었습니다.

대결과 긴장을 상징하는 남북의 군이, 한반도 평화의 초석 역할을 한 셈이네요?

중요한 건, 남북 간에 긴장이 군에 의해서 직접적으로 완화된 첫 케이스라는 겁니다. 그러니까 역설적으로 대결과 긴장을 대비하는 양측 군이 선도적으로 긴장을 낮춘 첫 번째 사례예요. 북한 입장에서도 보면 접경 지역에 긴장도가 낮아지면 자신들이 필요한 경제 현장 등에 군을 투입할 수 있거든요. 그래서 군사 합의의 효과로 철거된 지역의 군인들을 후방으로 배치할 수 있었던 겁니다. 우리도 마찬가지죠. 즉 '군이 긴장을 조성한다', 이것은 잘못된 가설입니다. '군이 오히려 평화를 원한다'는 가설이 이제는 더욱 설득력을 가지게 된 것입니다. 그건 남이나 북이나 비슷한 심경인 것 같습니다.

문재인 대통령과 열띤 토론도 가져
"이러면 우리 국민의 안보에 문제는 없겠습니까?"
영양 주사 한 대 맞은 느낌…든든했다

협상 과정에서 문재인 대통령의 주문은 무엇이었습니까?

어떤 건 마음에 안 드셨는지 계속 토론을 요구하시기도 했고요. 열띤 토론이 있었어요. 그렇다고 협상에 크게 간섭하시거나 그런 건 아니었어요. 확인하는 작업을 하신 겁니다. "이러면 우리 국민의 안보에 문제는 없겠습니까?"라는 질문은 늘 하셨습니다. "군과 협의된 겁니까?", "이거는 왜 10km, 20km밖에 안 됩니까?" 이런 식으로요. 워낙 디테일에 강하신 분이라 저보다 끊임없이 더 높은 곳에서 생각하신 거예요. 당시 대통령님 집무실에 들어갔다 나오면 늘 자신감 얻었어요. 왜냐하면 '가장 든든하게 이 협상을 지원하는 분이 대통령님이다. 두 번째, 대통령의 가장 최고 관심 사안이다. 세 번째, 지금까지 해오고 있는 방향성에 대통령이 동의하셨다'라는 생각이 든 거죠. 가장 효과 좋은 영양 주사 한 대 맞고 온 거죠. 당연히 힘이 나고 소명 의식이 커졌죠.

문재인-김정은 양 정상이 지켜보는 가운데 남북의 군 수뇌부(송영무, 노광철)가 합의문에 서명하고 이를 교환했습니다. 이행 의지의 표현이었을까요?

그건 우리의 주장을 북이 정확하게 수용한 겁니다. 서명식 자체가 중요한 의지의 발현이기 때문에 양측의 최고 지도자 임석 하에 군 수뇌부가 직접 사인함으로써 이것이 합의에 그치지 않고 이행하도록 만드는 거죠. 군 수뇌부뿐만 아니라 양측 지도자의 의지가 담긴 겁니다. 북쪽이 이걸 받았다는 건 그만큼 북한이 군사 합의에 확실한 의지를 가지고 있었다는 의미죠. 그 근거는, 비록 몇 가지 우발적 사고가 있었지만 북한이 이 합의를 위반하지 않았다는 거예요.

남북 GP 상호 검증 '오솔길 프로젝트'…청와대 위기관리센터 첫 '웃음'

군사적 긴장 완화가 실제로 이행이 잘 되고 있는가를 설명하는 사례를 소개해주시면요?

GP는 서로 1km 안에 있는 10개가 다 철거됐어요. 비무장 지대가 이론적으로 2km, 2km, 총 4km란 말이에요. 그런데 그 안에 있는 초소가 상호 1km 안에 있는 거면 매우 가까운 거리잖아요. 어떤 건 500여 m였어요. 정말 가까웠죠. 그것을 들어냄으로써 우발적 충돌 지점을 빼낸 거예요. 그뿐만 아니라 그 철거된 GP를 서로 검증했단 말이죠. 그 당시에 있었던 프로젝트가 '오솔길'이었는데요. 철거한 GP를 서로 왔다 갔다 하면서 보자고 한 거예요. 양측 군인들만 수색하려고 수풀에 조그만 오솔길을 낸 건데, 거긴 한 번도 길이 안 난 곳이에요. 남북이 GPS 좌표를 서로 공유해서 "거기에 노란색 수기를 꽂아놔, 그럼 내가 그쪽 길을 향해 가겠다" 그렇게 해가며 길을 만든 건데요. 검증 날짜가 2018년 12월 12일입니다. 그때 청와대 위기관리센터에서 찍은 사진이 있는데, 그곳에서 하는 회의는 통상 심각한 회의입니다. 웃을 수가 없는 공간인데, 하지만 그때 찍은 사진에선 다들 미소를 띠고 있죠. (GP 상호 검증을 위해) 우리 측 군인들이 바디캠을 달고 들어갔어요. 실황 중계를 한 거예요.

군사 합의서가 이끄는 '평화의 일상화'
"평화의 혜택 국민께 돌려드려야" 대통령의 신념

국민이 체감할 수 있는 변화라면 판문점 견학 기회가 확대되고, DMZ 평화의 길을 걸을 수 있게 된 점 아니겠습니까?

DMZ나 민통선은 애초부터 쉽게 접근할 수 없는 곳인데요. 분단을 체감하면서도 서로 소통과 체험, 그리고 언젠가는 자유 왕래가 가능하다는 평화의 가능성을 보여주는 지역으로 탈바꿈하고자 매우 노력했어요. 9·19 군사 합의의 결과로써 GP가 철거되고 나서, "일반 시민들이 제한적이나마 하이킹할 수 있도록 평화의 길을 내서 분단의 모습을 가감 없이 보여드리자" 그리고 "남북 간의 합의로 인해 서로 평화를 진전시키는 모습의 결과를 보여드리자"라고 한 거예요. 국민께 혜택을 돌려드려야 하니까요. 그것은 안보 분야도 예외가 될 수 없다는 것이 대통령님의 신념입니다.

▌문재인정부 이후에도, 9·19 남북 군사 합의가 지속적으로 보완·발전할 수 있을까요?

다음 정부 사람들은 이 합의를 면밀히 보고받고, 우리나라 한반도, 나아가서는 동북아, 그리고 한반도 비핵화에 매우 필요한 합의라는 것을 인식할 필요가 있습니다. 그럼 이것이 문재인정부에서 타결되었다는 걸 고마워할 것입니다. 매우 어려운 일을 한 거거든요. 0에서 1을 만드는 것이 가장 어렵습니다. 1에서 1.5, 2.0, 3.0은 상대적으로 쉽다고 봅니다. 한반도라고 하는 스마트폰에 군사 합의라고 하는 앱을 만든 거고요. 그것은 계속 업그레이드가 될 겁니다.

적막의 공기. 'What is next?'
한반도 평화 프로세스 여정, 정성을 기울인 시간

▌한반도 평화 프로세스의 여정을 돌아보면, 소회가 어떻습니까?

판문점에서 서울을 오가는 버스 안, 그리고 백두산에서 서울로 오는 공군 2호기의 공통점이 있었습니다. 그 안이 무척이나 조용했어요. 다들 피곤한데 자는 사람도 없었어요. 왠지 알아요? '다음에 이걸 어떻게 하지?' 이 생각을 하는 거예요. '이걸 어떻게 이행할 것이냐.' '이게 과연 북한의 비핵화에 어떤 역할이 될 것이냐.'

한반도 평화 프로세스를 초기부터 참여했던 사람으로서 대략 3가지 한반도 평화 프로세스를 요약할 수 있을 것 같습니다. 첫째, 정성을 기울이면 일이 된다. 이게 무슨 뜻이냐 하면, 정말 치밀한 계획과 아무리 상황이 어려워도 다음을 볼 줄 아는 시각이 필요하다. 그런데 그것은 대통령의 지도력과 노력이 있을 때 가능하다는 것입니다. 두 번째는 가능성이 보였을 뿐만 아니라 일부는 성과로 남겨놓을 수 있다. 가능성이라고 하는 것은 평화에 신념 있는 정부가 들어서면 오히려 군이 앞장서서 한반도의 평화를 만들 수 있다는 거죠. 세 번째는 이건 학자적 식견이기도 한데요. 잘 기록해서 우리 후대에 기록으로 남겨야 한다는 점입니다. 40대 중후반에 있는 우리는 김대중, 노무현의 평화를 향한 노력들을 직접 경험했기 때문에, 문재인의 유산도 잘 기록해서 후대에 잘 알려질 수 있어야 한다는 생각이 들어요. 절대 좌절하지 않는다는 것이 중요한 것 같아요.

청와대 군비통제비서관 시절, 최종건 차관이 속한 단체 대화방 이름은 '종전'이었다. '끝날 때까지 끝난 게 아니다'는 말처럼, 그는 인터뷰 내내 이뤄낸 성과에 조금도 안주하는 기색이 없었다.

그가 공개한 비화처럼, 역사적인 남북 정상 회담을 마칠 때마다 판문점에서 서울로 오는 버스, 그리고 백두산에서 서울로 오는 공군 2호기 안은 적막으로 가득했다. 최선을 다해 마련한 성과에 기뻐할 틈도 없이

'다음'을 고민한 사람들. 세계 어느 나라 외교안보팀에 이런 밀도 높은 사명감이 감돌 수 있을까. 통한의 분단 역사는 이렇게 모두를 결연한 전략가로 만들었다.

걸어온 길만큼 가야 할 길도 많다. 김대중, 노무현이 내어온 길, 문재인이 전진한 길. 그의 말처럼 평화의 길에 '좌절'은 사치다. 정성을 기울여야 할 시간이 아직 남아 있다.

3부

포용국가

2017~2022

세계가 부러워하는 문재인케어

'포용적 복지'의 탄생

지난 60년간 대한민국이 이룩한 성과는 눈부셨다. 산업화와 민주화를 동시에 이뤄냈을 뿐만 아니라 숱한 위기를 기회로 바꾸며 세계가 인정하는 '선진국'으로서의 위상도 확보했다. 그러나 함께 만든 놀라운 성과에도 불구하고 극심한 경제 불평등으로 인한 양극화는 급속히 공고화되어왔다. "나라는 부자인데 국민은 가난하다"라는 말은 정부가 가장 뼈아프게 새겨야 할 말이었다.

새로운 패러다임이 필요했다. 성장과 복지를 두고 선후를 논하며 갑론을박하는 시대를 넘어야 했다. 세계 각국도 전 세계적 저성장 추세를 극복하기 위해 새로운 성장 동력 마련에 주력하고 있었다.

문재인정부가 제시한 답은 '혁신적 포용국가'의 길이었다. 정부의 목표는 포용적 복지 확대가 혁신을 촉진하는 선순환 구조를 만드는 일이었다. 실업, 질병, 은퇴 등 생애 주기별로 발생할 수 있는 사회적 위

문재인정부 포용국가 비전과 전략(2018. 9. 6.)

험에 대한 안전망을 충분히 제공하고, 개인은 실패에 대한 걱정 없이 혁신을 위해 도전하며, 혁신의 결과는 경제 성장으로 이어져 다시 포용적 복지 확대의 기반을 마련하는 구조다.

포용적 사회 보장 제도가 잘 갖추어진 국가일수록 경제 구조 변화 시기에 안정적으로 대응할 수 있다. 기업은 고용 규모를 유연하게 조정할 수 있고, 노동자는 빈곤의 위험 없이 재교육을 통해 성장 분야로 이동할 수 있다. 경제적 여유가 있는 계층의 국민이 그렇지 않은 계층의 국민에게 시혜를 베푸는 것이 아닌, 서로가 서로의 지지대가 되어 더 많이 이루고 누리는 나라. 문재인정부가 '포용적 복지'의 닻을 올린 이유이다.

특명, 건강보험 보장성을 강화하라

> "아픈 것도 서러운데 돈이 없어 치료를 제대로 받지 못하는 피눈물 나는 일이 없도록 하겠습니다."
>
> 문재인 대통령(문재인케어 발표문, 2017. 8. 9.)

포용적 복지를 향한 '문재인케어'의 철학은 간명했다. 돈이 없어 병원에 갈 수 없는 서러움이 없는 나라. 건강보험 하나로 대부분의 질병을 큰 비용 부담 없이 치료할 수 있는 나라. 2016년 기준, 국민 65만 명이 연간 500만 원 이상의 의료비를 지출하고 있었다. 가계 직접 부담 의료비 비중은 33%로 OECD 평균 20.3%를 웃돌고 있었다.

아프면 그 자체로 서럽지만 가족들의 마음도 무너진다. 고가의 병원비는 모두를 잔인한 시험에 들게 한다. 가족에게 부담을 주고 싶지

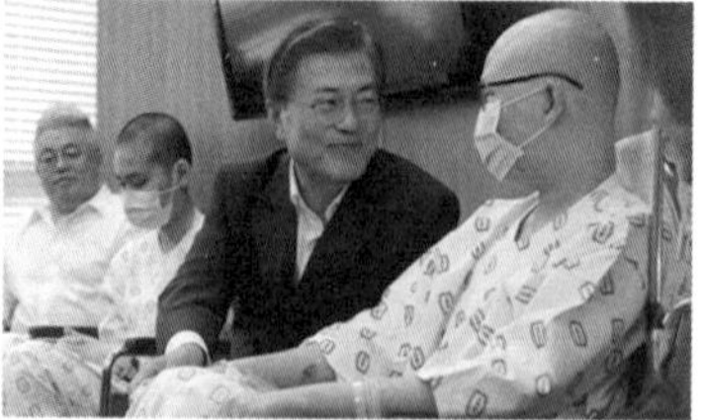

건강보험 보장성 강화 대책 2주년 성과 보고 대회(2019. 7. 2.)

않은 환자의 마음도, 비용 앞에 무너지는 가족도 황폐화한다. 그렇게 고액 병원비의 늪이 가계를 무너뜨리는 일이 빈번하다. '문재인케어'는 이 비극의 고리를 반드시 끊어내겠다는 결연한 각오를 담은 여정이었다.

3대 비급여 개혁: 선택 진료, 상급 병실, 간병

3대 비급여 개혁부터 시작했다. 먼저 고질적인 부담으로 여겨졌던 '선택 진료비'를 전격 폐지했다. 기존에는 선택 진료 의사에게 진료를 받는 경우 약 15~20% 추가 비용을 환자가 부담해야 했다. 전면 폐지한 결과 연간 5,000억 원의 의료비 부담이 줄었다.

2~3인 병실에도 건강보험을 적용했다. 그동안 일반 병실의 자리가 없으면 고가의 상급 병실을 이용해야 했다. 그런데 건강보험이 적용되지 않아 울며 겨자 먹기식 부담이 상당했다. 건강보험 적용으로 2인실의 1일 평균 입원료가 15만 원에서 8만 원, 3인실은 9만 원에서 5만 원으로 대폭 경감됐다.

간병비 부담도 개혁 대상이었다. 그동안은 간병비를 보호자가 사적으로 해결해왔다. 적지 않은 경우 일가친척들이 돌아가며 밤을 새워 간병했으며 이는 환자도 가족도 지치는 구조였다. '간호·간병 통합 서비스' 병상 규모를 대폭 확대했다. 적용되는 병상 수를 2018년 3만 7,000개에서 2021년 6만 4,000개, 투입되는 간호·지원 인력은 2만 7,000명에서 2021년 4만 9,000명으로 늘렸다.

국민 3,900만 명, 약 12조 1,000억 원 의료비 혜택

3대 비급여 항목 외에도 환자가 비용을 전액 부담해야 했던 비급여 진료를 적극 건강보험으로 급여화했다. MRI, 초음파처럼 중증 환자 치료에 필요한 비급여 진료와 검사도 건강보험의 테두리 안에 들어왔다. 항암제·희소 질환 치료제 등 의약품도 중증 질환 치료제 중심으로 적용했고, 전방위적 적용 확대로 환자 의료비 부담이 2분의 1에서 4분의 1 수준으로 경감되었다.

아이들 충치 치료, 어르신 틀니와 같은 치아 치료에도 건강보험 적용이 확대됐다. 입원이 필요한 어린이 환자, 중증 치매 환자도 종전의 절반 비용으로 치료를 받을 수 있게 했다. 한방 분야에서도 건강보험 적용을 확대했다.

저소득층은 연간 최대 100만 원 이하의 비용으로 언제든 치료를 받고, 소득 하위 50%는 최대 3,000만 원까지 의료비 지원을 받을 수 있게 되었다. 난임 가정의 성공적 임신과 출산을 위해 2019년 7월부터는 기존 만 44세였던 난임 치료 시술의 건강보험 적용 대상 연령 제한을 폐지했으며, 급여 인정 횟수를 확대하고, 본인 부담률을 50%로 적용했다.

그 결과 2017년 9월부터 2020년 12월까지 약 3,900만 명의 국민이 무려 12조 1,000억 원의 의료비 혜택을 받은 것으로 나타났다. '의료비 폭탄'으로 인해 그동안 얼마나 많은 국민께서 고통받아왔는지 여실히 확인할 수 있는 통계였다.

재난적 의료비 지원 대상 확대

'재난적 의료비 지원' 정책은 소득에 비해 과도하게 발생한 의료비 일부를 국가가 지원하는 방식이다. 의료비가 가계 파산의 원인이 되지 않도록 하기 위해 반드시 확대해야 할 정책이었다. 대상 질환을 4대 중증 질환에서 모든 질환으로 확대하고, 지원 대상도 소득 하위 40%에서 50% 이하, 연간 최대 지원 금액도 2,000만 원에서 3,000만 원으로 늘렸다. 2018년 8,687건이었던 지원 건수는 2020년 1만 3,476건으로 55% 늘었고, 지원 금액은 210억 원에서 341억 원으로 62% 증가했다.

■ **재난적 의료비 지원 확대 현황**

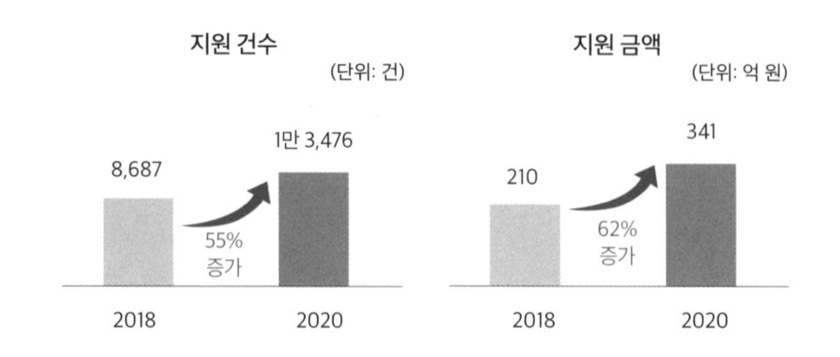

“저에게 기적이 일어났습니다”

국민의 즉각적인 반응이 나타났다. 그중 희소 질환을 앓고 있는 4살 딸의 아버지 최원용 씨의 사연은 많은 국민의 마음을 울렸다.

“매우 희소한 질환이어서 지방에서는 임상 경험이 있는 분이 별로 없어 서울대 병원에서 치료를 결심했습니다. 먼저 수술받으신 분들에게 여쭤봤더니 1번 수술에 300만 원 정도 들었다고 하셨습니다. 제 딸은 적어도 10번 이상의 수술을 받아야 하거든요.
그런데 정말 저에게 기적이 일어났습니다. 많은 분이 경험하신 것처럼 병원비가 예상하지 못할 정도로 정말 적게 나왔거든요. 특진비가 사라졌고, 입원 진료비 부담 비율이 줄어들면서 전해 들었던 금액보다 훨씬 적은 30만 원이 나왔습니다.
사실 희소 질환 부모들은 어떻게 아이를 치료할까 걱정하지만 치료비 걱정도 매우 큽니다. 자녀 병원비로 걱정하는 스스로에게 자책감을 느끼기도 합니다. 든든한 울타리가 되어주는 기적 같은 국민건강보험이 되기를 기대합니다. 그리고 정말 감사합니다.”

최원용(희소 질환자 가족)

“문재인케어는 반드시 성공할 수 있습니다”

지난 2019년 7월, 국민께 문재인케어의 성과를 보고드리는 대통령의 목소리에는 큰 자부심이 묻어 있었다. 앞서 건강보험 보장성 강화를 체험한 환자 가족들의 먹먹한 이야기를 들은 직후였다.

"최소한의 건강을 지켜주는 건강보험에서 최대한의 건강을 지켜주는 건강보험으로 가고자 합니다. 국민건강보험 하나만 있어도 국민 한 분 한 분 모두 건강을 지킬 수 있고, 가족의 내일을 지킬 수 있는 것이 목표입니다. 전 국민 전 생애 건강 보장은 우리 아이들이 더 건강하게 살아갈 수 있도록 준비하는 정책이자, 노년의 시간이 길어질 우리 모두의 미래를 위한 정책입니다. 그럴 수 있을 만큼 우리의 국력과 재정이 충분히 성장했다는 자신감 위에 서 있습니다."

문재인 대통령(건강보험 보장성 강화대책 2주년 대국민 성과 보고, 2019. 7. 2.)

청와대 이야기

직면하는 용기

어느 정부나 자부심이라고 할 만한 정책이 있다. 누구보다 대통령의 의지가 확고하고 국민 성원 또한 뜨거웠던 정책. 정책 결정권자의 애틋한 마음이 반드시 성과를 담보하지 않지만 때로 필요조건이 절실하면 국민의 지지라는 충분조건을 견인하기도 한다. 문재인정부에게 '치매 국가 책임제'가 그런 정책이었다.

빼곡한 메모 사이에서

2016년 가을, 문재인 대선 후보는 공식 출마 선언을 준비하고 있었다. 국민께 신뢰를 드릴 만한 비전이 필요했고, 구체적인 정책 청사진도 제시해야 했다. 연일 전문가들과 토론하며 정책 준비에 한창이던 때, 씽크탱크 격인 '정책공간 국민성장'의 창립일이 10월 6일로 결정됐다. 언론에서는 이 행사의 기조연설이 '출사표'가 될 것으로 여겨 관심

서울요양원을 방문한 문재인 대통령은 치매 국가 책임을 약속했다(2017. 6. 2.).

이 집중됐다.

긴 내부 토론 끝에 기조연설문 초안이 정리되고 마지막 수정이 시작되었다. 보통 대통령의 최종 수정은 문장을 다듬는 것이 주였다. 어휘, 어조 등 국민께 더 사려 깊은 표현 방식을 고르는 일. 이번엔 달랐다. 여러 대목에 대통령의 자필 메모가 빼곡했다. 그중 '치매 환자에 대한 국가 지원을 강화' 대목에도 밑줄이 그어져 있었다. 바로 밑에 연필 글씨로 '치매 국가 책임제'라는 메모와 함께였다. 문재인정부의 대표적인 복지 정책인 '치매 국가 책임제'라는 말이 처음 등장한 순간이었다.

정책의 이름은 많은 경우 정책 담당자, 홍보 전문가 등이 모여 논의 끝에 결정된다. '치매 국가 책임제'는 달랐다. 대통령이 술회하길, 오랜 기간 고민한 말이었다고 한다. 치매라는 개별 질병에 국가 책임을 분명히 하는 이름을 부여할 만큼, 고령 사회를 맞아 분명히 직면해야 하는 질병이라고. '이것만큼은 국가에서 반드시 책임진다'라는 신뢰를 드리고, 실제로 실천으로 이어지면 국민께서 정치 효능감을 느끼실 것이라는 말도 덧붙였다. 그만큼 애정과 의지가 가득 담긴 정책이었다.

치매, 국가가 가족이 되어 함께합니다

공약은 바로 정책이 되었다. 취임 한 달도 채 되지 않은 2017년 6월 2일, 문재인 대통령은 서울요양원을 전격 방문한다.

> "64세 이상 어르신 열 분 가운데 한 명꼴은 치매 환자인데 치매는 가족의 문제이기도 하고 전 국민의 문제이기도 합니다. 지금 추경 예산을 추진하고 있는데 약 2,000억 원 정도를 반영해서 하반기부터 시작하겠다는 약속을 드립니다."
>
> **문재인 대통령**(서울요양원 방문, 2017. 6. 2.)

2017년 9월 '치매 국가 책임제'가 발표됐다. 치매를 '국가가 책임져야 할 사회 문제'로 선언했다. 예방부터 돌봄, 치료, 가족 지원 등 국가 차원의 전 주기적 관리 체계를 구축하는 계획이었다. 다음 해 예산을 기다릴 수 없었다. 출범 첫해에 추경 예산을 확보하기로 했다. 당·정·청이 한 몸이 되어 백방으로 움직였다. 치매안심센터와 치매안심병원 설치 예산 등이 그해 편성됐다.

집행 과정은 더 험난했다. 많은 지방자치단체에서 치매안심센터를 신·증축하기 위한 부지 확보에 어려움을 겪었고, 공사 기간이 지체되거나 인력 채용에 애를 먹기도 했다. 보건복지부 전체 간부가 나서 지자체를 직접 방문해 2017년 말까지 치매안심센터를 조기 설치하도록 호소했다.

실천은 결과가 되었다. 2021년 기준 256개소 모든 시군구에 치매안심센터가 설치되었다. 치매안심병원 7개소, 치매 전담형 노인 요양 기관 115개소, 기존 보건 지소 등을 활용한 치매안심센터 분소 204개소

금천구 치매안심센터를 방문한 문재인 대통령 내외(2019. 5. 7.)

도 운영되고 있다. 높은 접근성으로 358만 명(2021년 9월 16일 발표)의 국민께서 조기 검진을 받고 약 20만 명이 치매를 조기에 발견할 수 있었다.

건강보험·장기요양보험 제도를 개선해 치매 의료비·요양비 부담을 크게 줄였다. 진단 검사비의 본인 부담을 50% 수준으로 경감했다. 신경 인지 검사 비용은 약 30만~40만 원에서 15만 원으로, MRI 검사는 약 60만 원에서 14만~33만 원으로 감소했고, 건강보험 산정 특례를 적용해 중증 치매 환자의 본인 부담률을 최대 60%에서 10%로 낮췄다. 그 결과 2021년 9월 기준, 1인당 의료비 부담은 126만 원에서 54만 원으로 대폭 떨어졌다. 치매 환자와 가족을 지원하는 치매안심마을이 전국 664곳에서 운영 중이며, 환자의 권리 보호를 위해 치매 공공 후견 제도도 시행하고 있다. 간병을 위한 가족 휴가제도 기존 6일에서 8일로 확대했다.

용기를 틔우기 위하여

2021년 8월 리서치앤리서치 여론조사에 따르면 83%의 국민께서 치매 국가 책임제를 긍정적으로 평가했다. 치매안심센터 이용자의 서비스 만족도는 2018년 88.9점, 2019년 89.3점 등 매해 높은 점수를 기록하고 있다. 절박하게 움직였던 정부의 마음이 국민의 호응으로 이어진 만큼 정부 담당자들의 기쁨과 보람도 매우 컸다.

모르면 두렵다. 직면하면 아프지만 두려움은 덜해진다. 여기에 연대의 마음이 더해지면 용기가 싹튼다. 국가가 그 고통을 외면하지 않는다는 믿음, 당신의 아픔이 모두의 아픔과 다르지 않고, 그렇게 우리는 연결되어 있다는 위로. 그래서 '치매 국가 책임제'는 어쩌면 질병에 직면하는 용기를 정책화하는 과정이었는지도 모른다.

2021년 9월 티타임 참모 회의, 대통령은 '치매'라는 용어도 새롭게 검토할 때가 됐다고 제안했다. 어리석을 '치' 자에, 어리석을 '매' 자가 붙은 말. 어떤 증상도 질환의 결과일 뿐 가치 평가의 대상이 될 수 없다. 누구에게나 찾아올 수 있는 질환임을 인정하고 동행하며 극복해 나가는 것. 정부의 임기가 끝나도 '치매 국가 책임제'가 굳건히 걸어가야 할 방향이다.

복지, 권리이자 경제 정책입니다

기초연금 인상, 상식의 확대

여기 온 생애를 다해 국가와 가족에 헌신한 세대가 있다. 전쟁의 참상을 겪은 후에 산업화의 선두에 서고 언제든 국가의 부름에 주저하지 않았다. 당신들께서 겪은 가난의 고통을 다음 세대에 물려주지 않기 위해 온몸을 바쳐 근면과 성실로 일했다. 그 헌신의 결과, 대한민국은 세계 10위권 경제 대국이 되어 문화 강국으로 전 세계를 호령하고 있다.

국가를 위해 온몸으로 희생했지만, 국가는 그들에게 그렇게 하지 않았다. 앞만 보고 달리다 찾아온 노후 앞에 대부분이 속절없이 멈추어 섰다. OECD 최고 수준의 노인 자살률과 빈곤율에는 오늘날 대한민국을 만든 주인공들의 처참한 절규가 담겨있다.

기초연금은 이를 타개하기 위한 최소한의 출발이었다. 1988년 도입된 국민연금이 있지만, 노인들은 가입할 기회조차 없었거나 기간이

짧아 월 36만 원 수준의 평균 급여액이 전부였다. 마침내 2014년 도입된 기초연금 제도는 소득 하위 70%의 65세 이상 노인에게 매월 20만 원 내외의 연금을 지급하는 내용이었다. 국민연금과 기초연금 20만 원을 통해 조금이라도 생활에 보탬이 되시도록 하는 일이었다.

상식은 계속되어야 했다. 문재인정부는 2018년 9월 기초연금 기준 연금액을 25만 원으로 인상했다. 2019년 4월에는 소득 하위 20%(156만 명) 어르신이 받는 기준 연금액을 30만 원으로 올렸고, 2020년 1월에는 소득 하위 40%(325만 명), 2021년 1월부터는 모든 기초연금 수급자(소득 하위 70%, 572만 명)에게도 30만 원을 지급하는 단계적 인상을 시행했다. 이는 당초 국정 과제를 통해 목표했던 시점(2018년 9월 25만 원, 2021년 30만 원)을 앞당긴 것으로, 그 결과 기초연금을 받는 어르신은 2014년 435만 명에서 2021년 9월 기준 593만 명으로 대폭 증가했고, 2022년에는 약 628만 명까지 증가할 것으로 예상되고 있다.

역진 불가능한 정책이 되려면 가파른 인상보다 책임 있는 확대

■ **연도별 기초연금 수급자**

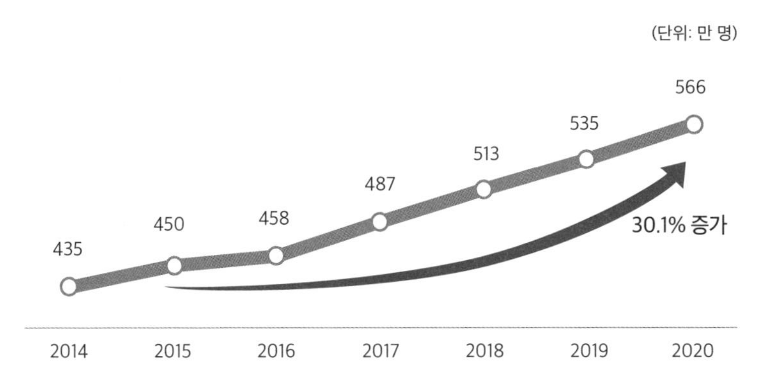

자료: 국민연금공단

발달 장애인 평생 케어 대책 발표(2018. 9. 12.)

가 되어야 했다. 다행히 기초연금에 대한 국민의 평가도 높아졌다. 국민연금공단이 실시한 2020년도 기초연금 만족도 조사에 따르면 약 91%의 어르신이 생활에 도움이 된다고 응답했다. 식비와 의료비, 주거비에 주로 사용되었고 병원비 부담이 조금이나마 줄었다는 응답이 주를 이뤘다.

앞으로도 상식의 확대는 계속되어야 한다. 근현대사의 질곡 속에 국가를 위해 온몸으로 헌신한 국민께 국가가 드릴 수 있는 최소한의 예의이다.

31년 만에 폐지된 장애 등급제

장애 등급제는 1988년 도입된 이래 오랜 비판의 대상이었다. 장애 등급제는 장애를 의학적 기준에 따라 1~6등급으로 나눠 차등적으로 복지 혜택을 제공하는 제도다. 기존 등급제의 획일적 지원에서 벗어나 개별적 욕구와 환경을 고려한 수요자 중심 지원 체계가 강력히 요구되고 있었다.

2019년 7월 1일부터 기존 장애 등급제를 폐지했다. 장애 정도에 따

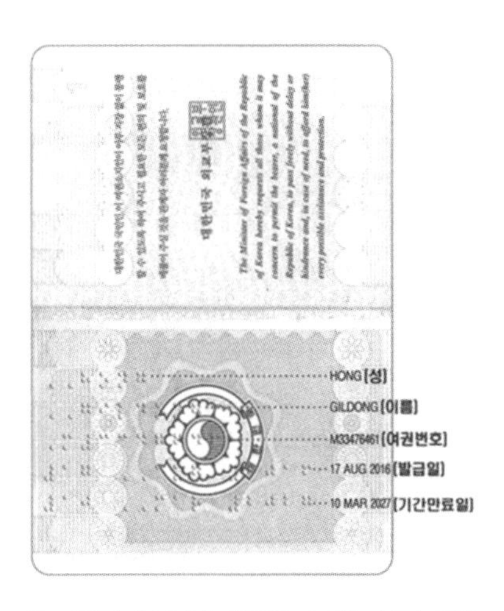

모든 시각장애인에게 발급하고 있는 점자 여권. 2017년부터 세계 최초로 발급을 시작해 2019년 7월부터는 대상을 확대했다(자료: 외교부, 2019. 7.).

라 '정도가 심한 장애인(기존 1~3등급)'과 '정도가 심하지 않은 장애인(4~6등급)'으로 구분했다. 서비스 지원 대상자를 1~3등급 장애인에서 경증을 포함한 모든 장애인으로 확대하고, 서비스 제공 구간을 장애 정도·생활 환경·개인별 욕구 등을 반영하여 기존 4구간에서 15구간으로 늘렸다.

그 결과 2021년 활동 지원 서비스를 이용한 장애인은 10만 명을 넘었고, 월 최대 서비스 시간도 480여 시간으로 증가했다. 2007년 장애인 1만 5,000명이 월 최대 80시간의 서비스를 받았던 활동 보조 서비스와 비교하면 비약적인 확대이다. 투입 예산도 연간 2조 원을 넘었다. 장애인 실태 조사에서도 장애인 활동 지원 서비스 이용자들의 만족도가 높은 것으로 나타났다.

31년 만에 족쇄는 풀었지만 미완의 과제도 남겼다. 매해 예산은 확대되었으나 여전히 장애인 국민에 대한 복지 서비스는 충분한 수준에 이르지 못하고 있다. 2017년 월 20만 원이었던 장애인연금이 2019년 30만 원으로 오르는 등의 성과도 있었으나, 선진국에 걸맞은 장애인 복지를 완전히 구현하지 못한 점은 미완의 과제로 남게 되었다.

'최초' 아동 수당제 도입

가끔은 사회의 변화가 속담의 뜻을 확장시키기도 한다. "한 아이를 키우려면 온 마을이 필요하다"라는 나이지리아 속담 속 '마을'은 점차 담장 너머 국가의 역할로 확대되어 갔다.

아동 수당은 글로벌 스탠더드이기도 했다. 우리나라와 미국, 터키, 멕시코 등을 제외한 OECD 회원국 대부분이 아동의 보편적 권리를 보장하는 '아동 수당'을 지급하고 있었다. 대한민국의 GDP 대비 가족 관련 지출 규모는 OECD 주요국의 절반 수준에 불과했고, 이마저도 보육 서비스 지출에 집중되어 있었다.

정부는 출범 직후 아동 수당의 조속한 도입을 추진했다. 2018년부터 아동 수당 지급을 결정하고 0~5세 아동 전체에게 월 10만 원 지급을 7월부터 시행하기로 했다. 2017년 8월 국무회의에서 이를 의결하고 국회에 관련 예산 1조 1,000억 원을 편성한 2018년 예산안과 아동수당법 제정안도 제출했다.

단번에 되는 것은 없었다. 정부안은 국회 논의 과정에서 축소됐고, 결국 국가와 지방자치단체의 재정 부담 등을 고려해 소득 하위 90%에게만 선별 지급하는 최종안이 마련되었다.

놀랍게도 2018년 11월까지 전체 대상 아동의 96.1%인 240만 명이 신청했다. 이 중 일부 부적격자를 제외한 221만 명에게 아동 수당을 최초로 지급했다. 제도 시행까지 준비 기간이 짧았지만 정부와 지방자체단체의 적극적인 홍보가 주효했다. 저소득 복지 수급 가구 아동 600여 명을 전수 조사해 정보 부족으로 신청하지 못했던 358명의 신청을 받기도 했다.

아동 수당 도입 과정의 드라마틱한 변화는 또 있었다. 소득 상위

국민 전 생애 기본 생활 보장과 온종일 돌봄 정책을 약속한 문재인 대통령

10%와 하위 90%를 선별하는 행정 비용이 상위 10%에게 지급하는 아동 수당 비용보다 많았던 것이다. 복지 정책 집행에서 행정 비용이 감안되어야 한다는 점이 주요하게 제기된 사례였다. 결국 논란 끝에 100% 지급이라는 국민적 합의가 만들어졌다. 2019년부터는 아동 수당을 소득·재산 기준과 상관없이 보편적으로 지급하고, 대상 연령도 만 7세 미만으로 늘릴 수 있게 되었다.

2022년 아동 수당 예산은 1,845억 원 증가한 2조 4,039억 원으로 통과되었다. 아동 수당 지급 대상을 만 7세 미만에서 만 8세 미만으로 확대한 안이다. 2022년부터는 최초로 출생하는 모든 아동에 '첫 만남 이용권' 200만 원 바우처를 지급하고, 만 1세 이하 가정 양육 아동에 월 30만 원의 '영아 수당'도 지급하게 되었다. 개별 가정이나 '마을'을 넘어 '국가'가 보육의 책임 주체가 되는 정책 패러다임의 변화는 앞으로도 계속되어야 할 것이다.

온종일 돌봄 체계 구축

정부는 양육 환경의 변화에 맞춰 부모가 귀가할 때까지 학교와 마

■ 마음 돌봄과 학교 돌봄 확대

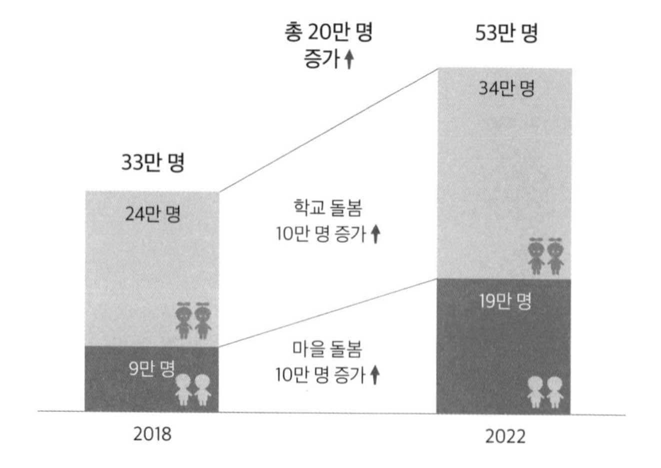

을이 아이를 보살피는 온종일 돌봄 체계를 구축해왔다. 특히 초등학생을 키우는 맞벌이 가정에서는 학교를 마친 뒤 부모가 집에 돌아올 때까지 '방과 후 돌봄 공백' 시간을 해결하지 못해 일을 포기하는 사례가 빈번했다. 초등학생 대상 돌봄 서비스의 확대가 복지 정책이면서 경제 정책이었던 이유이다.

지속적인 확대와 내실화를 진행하여 2020년 기준, 교실 1만 4,200여 실에서 28만 5,500여 명의 학생들이 초등 돌봄 교실을 이용하고 있다. 또 일반 교실 등과 겸용하던 기존 돌봄 교실을 전용 교실로 전환하고 낡은 돌봄 교실을 새단장하는 등 환경 개선도 진행했다.

지자체와 지역사회 등이 협력해 아이를 돌보는 마을 돌봄을 위해 '다함께돌봄센터', '지역아동센터', '청소년방과후아카데미'를 구축했다. 2020년 마을 돌봄 확대 이용자 수는 12만 9,000여 명으로 목표치 12만 6,000명을 초과 달성했다.

온종일 돌봄 정책 발표(2018. 4. 4.)

국공립 보육 시설 확충

믿고 맡길 수 있는 국공립 유치원의 확대는 학부모들이 가장 바라는 정책 중 하나이다. 특히 2018년 사립 유치원 대상 감사에서 크고 작은 비리가 적발되면서 국공립 유치원에 대한 수요가 폭발했다. 이에 따라 정부는 국공립 유치원 확충 목표를 상향 조정했다. 2020년 기준으로 당초 목표(600학급)의 1.4배 이상인 총 885개의 학급을 확충해 학부모 수요에 부응했고, 양적 확대 외에도 통학 버스 지원을 늘려 불편을 최소화하는 등 국공립 유치원 서비스의 질적 개선에도 매진하고 있다.

국공립 어린이집에 대한 수요는 오래전부터 높았지만 인프라가 수요를 따라가지 못하던 상태였다. 2017년 전체 어린이집 중 국공립 어린이집 비율은 7.0%에 불과했다.

정부는 공공 보육 인프라 확충 목표를 꾸준히 높였다. 사회 공헌

사업 MOU 체결과 생활 SOC 복합화 사업 참여로 재정 부담 경감을 추진하고, 국공립 어린이집 설치 시 국·공유 자산의 무상 대부 등 적극적 조치로 뒷받침했다. 그 결과 2016년 기준 2,859개소였던 국공립 어린이집이 2021년 7월에는 5,237개소로 크게 늘었고, 공공 보육 인프라의 수혜를 받는 아동 비율은 35%로 4년 새 12% 증가했다.

'17년만' 고교 무상 교육 시대 열렸다

2019년 1학기까지만 해도 고등학교에 다니는 자녀가 1명 있다면 한 해 학비로 약 160만 원을 써야 했다. OECD 회원국 중 유일하게 고등학교 무상 교육을 하고 있지 않은 나라의 풍경이었다. 고교 진학률이 99.7%에 달해 사실상 보편 교육이 실현된 점을 감안하면 의아한 상황이었다.

고교 무상 교육에 대한 국민의 지지도 높았다. 대국민 설문 조사 결과 고교 무상 교육 추진이 바람직하다는 응답이 86.6%에 달했다. 관건은 연간 약 2조 원이 드는 예산을 어떻게 마련하느냐였다. 정부와 교육청, 지자체가 함께 머리를 맞대야 결과를 만들 수 있는 과제였다.

2019년 4월 9일 당·정·청 협의를 통해 고등학교 무상 교육 실현 방안을 확정했다. 고교생 1인당 연 160만 원의 학비를 지원하기로 하고, 여기에 드는 재원은 2024년까지 국가와 교육청이 각각 47.5%씩 내고, 지자체가 5%를 부담하기로 했다. 애초 국정 과제 추진 계획보다 1년 빠른 2019년 2학기부터 첫발을 내딛기로 했다. 국민의 정책 효능감을 위한 조치였다.

2019년 2학기, 고3 학생 44만 명을 대상으로 고교 무상 교육이 시행됐다. 2020년에는 고교 2·3학년 85만 명, 2021년에는 전 학년 124만 명이 무상 교육 혜택을 받았다. 그리고 마침내 2021년 고교 전 학년 무상 교육이 시행되면서 초중고 전면 무상 교육이 완성되었다. 2004년 참여정부에서 중학교 무상 교육을 시행한 이후 17년 만의 일이었다.

무상 교육 시행으로 고교생 자녀가 있는 가구는 1인당 연 160만 원의 학비 부담을 덜게 되었다. 매달 13만 원을 아끼게 돼 그만큼 소비할 수 있는 여력이 늘어났다. 특히 직장에서 교육비를 지원받기도 했던 대기업 임직원들과 달리, 자영업자와 소상공인, 영세 중소기업 등의 정책 효능감이 크게 나타났다.

국민의 권리가 커지는 만큼

복지를 '시혜'라고 여기던 때도 있었다. 때로 복지 대상자 국민을 두고 '노력하지 않은 사람들', '실패한 사람들'이라 손가락질하던 이들도 있었다. 이제 여야를 불문하고 복지 확대를 말하는 것이 새롭지 않다. 복지가 주권자로서의 '권리'라는 인식은 상식이 되었다.

국민의 삶이 무너지면 국가도 무너진다. 바닥이 깊을수록 밧줄은 길고 두터워질 수밖에 없다. 방치할수록 더 많은 비용으로 청구되어 돌아온다. 그래서 복지는 그 악순환의 고리를 끊는 가장 효과적인 경제 정책이다. 격차를 해소하고 소비를 진작시켜 성장으로 나아갈 수 있는 지름길이기도 하다.

여전히 복지의 방식을 둘러싼 논쟁은 첨예하다. 선별과 보편이 대립하고, 재정의 건전성을 우려하는 주장과 절박한 국민의 삶을 살펴야 한다는 주장이 강하게 부딪힌다. 문재인정부의 복지 정책 5년은 두 주장 사이에 길을 내어 최선을 다해 달려온 시간이었다. 때로 충분치 않은 속도였음을 비판받기도 했고, 반대로 나라 곳간을 함부로 운용한다는 비판에 마주했다. 그럼에도 국민의 권리가 커지는 만큼 대한민국이 전진한다는 믿음으로 묵묵히 걸어온 시간이었음을, 모쪼록 주권자 국민께서 평가해주시길 청하고자 한다.

청와대 이야기

60년 족쇄를 끊는 여정

아픈 문턱이었다. 문턱 너머에는 복지가 마땅히 가닿아야 할 국민의 삶이 있었다. 홀로 지내며 기초연금 30만 원으로 생계를 충당하는 할머니. 누구보다 공적 온기가 필요한 국민이지만 왕래가 없는 아들의 근로소득이 '부양 의무자 기준'을 초과하면 대상이 될 수 없었다. 아들이 일반 재산 없이 부채만 가득해도 마찬가지였다. 기막힌 현실이 방치되고 있었다. '부양 의무자 기준 폐지'를 둘러싼 공방이 계속되는 사이, 가장 절박한 국민의 삶이 무너지고 있었다.

"납득하기 어렵습니다."

대통령이 답답한 마음을 쏟아냈다. 2019년 2월 수석보좌관 회의에서의 일이다. 대통령은 이전에 보고되었던 내용을 다시 확인해 전후 맥락을 재구성하곤 했다. 그날도 그랬다.

"재원 문제 때문에 단계적으로 줄여나가기로 로드맵을 세운 것 아닙니까? 돈이 얼마나 더 들지를 파악조차도 하기 어렵다고 해서 조금은 안전한 방식으로 나누어 설계했는데, 이미 조치가 이루어지고 난 이후에 수혜를 본 분들이 얼마나 되는지 파악이 잘 안 됩니까?"

대통령 공약이었다. 기초생활보장급여의 수준을 현실화하고 부양 의무자 기준을 단계적으로 폐지하는 일. 대통령의 답답함에는 국민과의 약속을 지킬 수 없을지 모른다는 강한 위기감이 배어 있었다.

정부는 집권 첫해인 2017년부터 부양 의무자 기준의 단계적 주요 국정 과제로 선정해 추진했다. 60년의 족쇄였다. 1961년 생활보호법이 제정될 때부터 수급자 선정의 기준으로 사용되어왔던 기준이다. 국민의 삶을 국가가 아닌 가족에게 오롯이 전가했던 낡은 패러다임의 결과였다.

결국 예산의 문제였다. 단계적 폐지를 목표로 로드맵을 짰다. 많은 예산이 필요한 생계 급여는 단계적으로 폐지하기로 했다. 2018년 주거 급여의 부양 의무자 기준부터 폐지했다. 2019년에는 부양 의무자 가구에 중증 장애인뿐 아니라 노인이 포함된 경우도 함께 폐지했다.

대통령의 질책은 2019년 2월에 나왔다. 3번에 걸친 개편에도 수급자에 대한 정확한 통계와 추이가 파악되지 않은 점에 대한 지적이었다. 대통령의 이례적인 질책에 청와대는 물론 담당 부처인 복지부도 발칵 뒤집혔다. 더욱 속도감 있는 변화와 촘촘한 현황 파악이 요구되었다. 부양 의무자 기준 폐지 관련 분기점이 되는 순간이었다.

마침내 2021년 10월, 추경 예산 476억 원을 확보하며 생계 급여 부양 의무자 기준이 완전히 폐지됐다. 추경 예산이 결정된 2021년 7월 24일, 대통령은 안도의 한숨을 내쉬었다. 겨우 한 발 내디딜 수 있었음을 크게 감사해했다.

2017년부터 2020년까지 생계 급여 17만 6,000명, 의료 급여 7만 4,000명, 주거 급여 73만 5,000명의 국민이 추가로 복지의 울타리 안으로 들어왔다. 2021년에도 연말까지 약 20만 7,000가구가 추가로 생계 급여를 받을 것으로 예상된다.

모두가 부자가 되는 세상이란 실현 가능하지도, 지속 가능하지도 않을 망상일 것이다. 그럼에도 최소한 '없이 살아' 서럽지는 않은 세상을 만들 수 있다면.

"먹는 것, 입는 것 이런 걱정 좀 안 하고, 더럽고 아니꼬운 꼬라지 좀 안 보고, 그래서 하루하루가 좀 신명 나게 이어지는 그런 세상."

국회에 처음 들어간 노무현 대통령이 대정부 질의에서 밝혔던 그 꿈.

정치는 자주 현실의 거대한 벽을 암벽 등반하듯 힘겹게 넘어야 했다. 수많은 이들을 설득해야 했고 때로 비굴한 타협의 유혹도 뿌리쳐야 했다. 언제나 그렇듯 선의가 결과를 담보하지 않았다. 그럼에도 앞으로 나아가야 했다. 오늘의 한 걸음이 내일의 두 걸음이 될 것이라는 믿음으로, 주어진 소명에 직면하는 것이 주권자의 대리인으로서 마땅한 소명이었다.

생계 급여 부양 의무자 기준을 폐지했다고 거대한 벽을 완전히 넘었다고 볼 수 없다. 60년의 족쇄는 끊어냈지만 여전히 더 많은 국민의 삶 속으로 나아가야 할 과제 앞에 있다. 눈앞의 길은 뻗어 있고 다음 정부가 뚜벅뚜벅 이어 걷기를 바랄 뿐이다.

대통령은 지독한 현실주의자였다. 막중한 책임 앞에 최대한 사적

포용국가 사회 정책 대국민 보고(2019. 2. 19.)

감정을 삭제하고 공적 개인으로 사는 것에 익숙해진 이였다. 그런 그도 고단한 국민의 삶의 현장을 마주할 때면 고요한 마음의 강물에 큰 돌덩이가 풍덩 소리를 내며 파장을 일으켰다. 개혁의 속도가 미진할 때 나왔던 대통령의 질책은 그 물결의 결과였다. 청와대 참모들은 대통령의 질책이 있을 때마다 강물에 커다란 돌이 떨어졌음을 직감했다.

함께하는 성장, 공정한 경제

공정은 시대적 화두였다. 모든 경제 주체가 일한 만큼 정당한 보상을 받을 수 있고, 대등한 위치에서 경쟁할 수 있는 경제 구조를 만드는 일. 문재인정부는 소득 주도 성장, 혁신 성장과 함께 공정 경제를 3대 경제 정책 방향으로 설정했다. 4가지 전략을 세웠다. 기업 지배 구조 개선, 대·중소기업 간 상생 협력 촉진, 갑을 문제 해소, 소비자 권익 보호가 국정 과제로 채택됐다.

감사위원 '3% 룰'…순환 출자도 해소

2020년 12월, 공정 경제 3법(개정 상법·공정거래법, 금융복합기업집단감독법)을 공포했다. 개정 상법에서 핵심은 '감사위원 분리 선출제' 도입이었다. 상장사의 감사위원 중 최소 1명을 이사와 별도로 선출하도록 한 것이다. 의결권은 제도 도입 당시부터 3%로 제한해 1주 1표의

공정 경제 전략 회의(2018. 11. 9.)

예외를 두었다. 이는 특정 주주의 이해관계에 맞는 감사나 감사위원이 선출되는 것을 사전에 방지하기 위한 것이었다. 지난 2009년 '일괄 선출제'의 도입으로 의결권 제한 없이 선임한 이사 중에서 감사위원을 선임해 의결권 제한을 사실상 무력화했는데, 감사위원 분리 선출로 실질적으로 작동하도록 한 것이다.

그 결과 상법 시행 이후인 2021년, 코스피 상장사 가운데 206곳이 감사위원을 선임했다. 감사위원 분리 선출로 대주주의 의결권이 제한되면서 소액주주들의 지지를 받은 감사위원을 선임한 사례가 일부 확인되었고, 일각의 우려와 달리 3% 룰로 인해 감사위원 선임이 부결되거나 해외 투기 자본이 경영권을 위협하는 혼란스러운 상황은 발생하지 않았다.

과거 우리 대기업집단의 가장 큰 문제로 지적받아온 순환 출자 구조도 상당 부분 해소되었다. 정부는 시장의 감시 기능을 강화해

■ 대기업집단의 가장 큰 문제로, 점차 해소되고 있는 '순환 출자' 현황

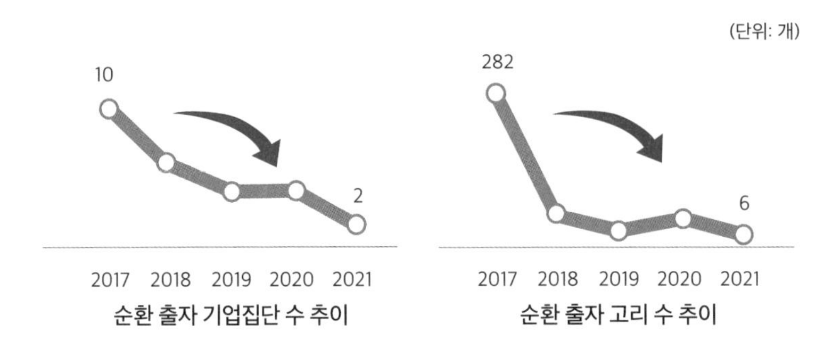

대기업집단(그룹)이 지배 구조를 자율적으로 개선하도록 유도했다. 2017년 282개였던 공시 대상 대기업집단의 순환 출자 고리는 2021년 8월 기준 6개로 크게 줄었다.

'갑질' 없는 사회를 향해

'갑을 문제' 해소를 위해 하도급, 가맹, 유통 등 취약 분야에서 감시·감독을 강화했다. 시정 명령 17건, 경고 122건, 358건에 과태료를 부과했다. 을의 권리를 보호하기 위한 제도 개선을 거듭했고 2020년 거래 관행 만족도 조사에서 "거래 관행이 전반적으로 개선되고 있다"라고 응답한 가맹점주와 납품 업체의 비율이 각각 87.6%, 93.0%였다. 이는 2017년 대비 각각 14.2%, 8.9% 상승한 결과였다.

중소기업의 가장 큰 어려움 중 하나인 대금 미지급 문제도 해결해 왔다. 대금 체불 방지를 위한 '하도급 직불제'를 확대했고, 원사업자와 하도급 업체 사이에서 은행이 대금 지급을 보증하는 상생 결제 시

■ 중소기업의 가장 큰 어려움인 '대금 미지급 문제' 해결 현황

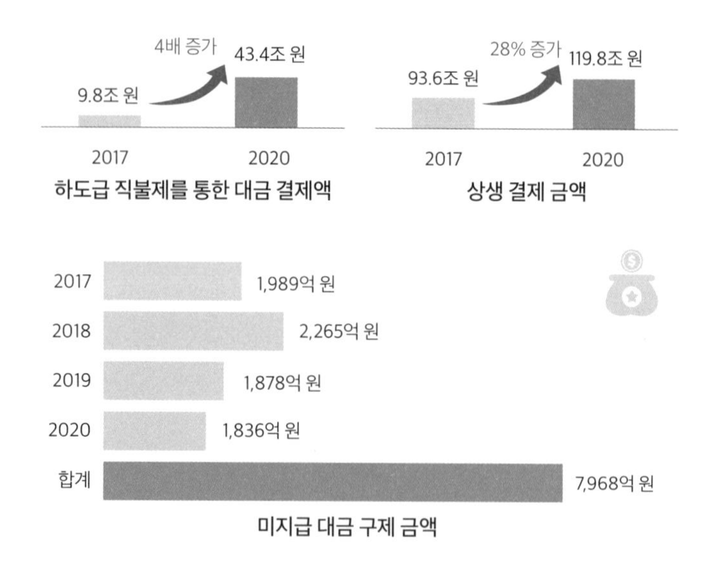

스템도 확대했다. 사후적으로 불가피하게 발생한 대금 미지급 문제에 대해서는 불공정하도급신고센터, 공정거래조정원의 조정 등을 통해 2017년부터 2020년까지 총 7,968억 원의 미지급 대금을 받을 수 있도록 했다.

인센티브 형식인 '공정 거래 협약 참여 기업'을 크게 확대했다. 이 협약은 대기업이 중소기업에 자금·기술 등을 지원하거나 법이 정한 수준보다 높은 거래 조건을 적용하기로 사전에 약정하고 이행하면 공정거래위원회가 이를 평가해 인센티브를 주는 제도이다. 공정 거래 협약 참여 기업은 2017년 229개에서 2020년 343개로, 수혜 기업은 2017년 4만 1,653개에서 2020년 8만 311개로 2배 가까이 증가했다. 대기업이 무상 자금 제공·저리 대여 등 중소 협력사에 지원한 금액은 2017년부터 2019년까지 총 21조 2,723억 원에 달했다.

■ **공정 거래 협약 제도 현황**

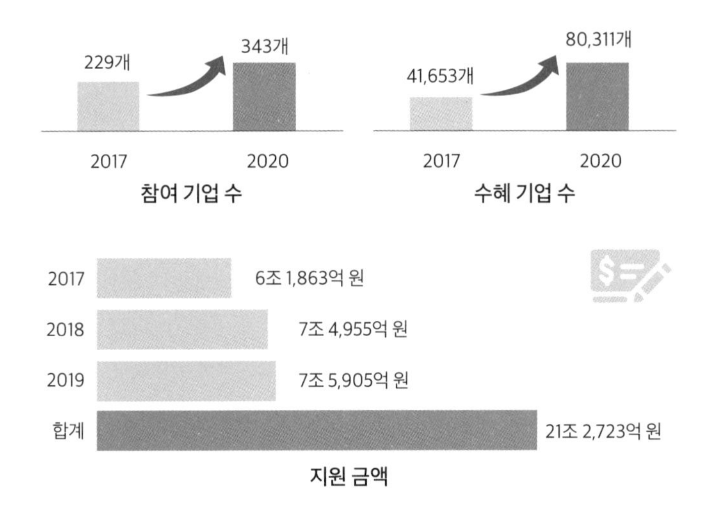

위기 극복의 동력, 국가 균형 발전

수도권과 비수도권이 골고루 잘사는 대한민국을 만드는 것도 함께 하는 성장의 핵심 과제였다. 정부는 저성장, 인구 절벽, 지방 소멸 등 위기를 극복하는 동력으로써 지역에 주목했다. 특히 이전 정부와 달리 주민의 체감이 우선되어야 한다는 점, 그리고 지역이 주도해야 한다는 점을 주요 목표로 내걸었다.

지역 발전 전략의 9대 핵심 과제 중 하나인 '도시 재생 뉴딜'은 2021년 9월까지 전국 198개 지자체에서 총 456곳의 사업지가 선정되어 활발히 진행 중이다. 노후 주거지와 쇠퇴한 구도심을 지역 주도로 활성화하고 일자리를 만드는 '뉴딜' 수준의 범정부적 재생 정책이다. 자금력이 부족한 도시 재생 지역의 중소·벤처기업에는 '도시 재생 모태 펀드'를 지원해 지역 일자리 창출을 뒷받침했다.

국가 균형 발전 비전 선포식(2018. 2. 1.)

아울러 '생활 SOC'는 문재인정부의 대표적 정책 브랜드 중 하나였다. 기존 SOC가 도로, 항만, 철도 등 공간·개발 중심이었다면 생활 SOC는 상하수도·가스 등 기초 인프라, 문화·체육·보육·복지 등 생활 편익에 집중하는 방식이었다. '생활 SOC 3개년 계획'에 따라 공공 도서관, 생활 문화 센터, 주거지 주차장, 주민 건강 센터, 미세 먼지 저감을 위한 도시 바람길 숲 조성 등 국민이 체감할 수 있는 시설을 대폭 확충했고, 3년간 약 23만 5,000명의 고용 창출 효과도 거뒀다. 특히 과거 톱다운(하향식) 방식이 아닌 보텀업(상향식) 방식으로 지역이 주도하는 새로운 형태의 추진 체계를 마련했다는 의미도 있다.

여기에 더해 2019년 1월 발표한 '국가 균형 발전 프로젝트'를 통해 지역별 대표 사업 23개(24조 1,000억 원 규모)의 예비 타당성 조사를 면제했다. 지역발전의 기틀이 될 수 있음에도 경제성 부족 등으로 추진이 힘들었던 사업들이 대상이었다. 이 역시 사회적 논란이 있었지만 지역 주민들의 생생한 소회와 지지가 정책 추진의 큰 힘이 되어 선정 사업들이 속도감 있게 진행될 수 있었다.

국민 생활 SOC 현장 방문(2018. 9. 4.)

"동네의 낡은 도서관이 입구부터 확 바뀌었습니다. 수유실도 생겨서 어린 아기를 데리고도 도서관을 올 수 있게 되었어요. 주로 열람실에서 책을 빌려 옥상 야외 벤치에 앉아 읽는데 지하 1층에 카페도 생겼더라고요. 사실 해가 바뀌는 겨울이면 지자체가 멀쩡한 도로를 파내는 걸 자주 봤거든요. 정말 해마다 손봐야 하는 건가 궁금하기도 했어요. 그런데 도서관이나 문화 시설에 예산이 투여되는 것이 정부의 계획인지 몰랐습니다. 당연히 대찬성입니다. 저는 매우 좋습니다."

김기옥(대전광역시 유성구 주민)

'초광역 협력', 균형 발전의 개념을 바꾸다

'초광역 협력'을 국가 정책화한 것도 정부가 집중했던 과제였다. 광역과 기초지자체가 수도권과 경쟁할 수 있는 단일 경제·생활 권역을 만드는 전략이었다. 이전 정부에서도 추진한 적 있지만 중앙정부가 주도한 하향식이었고, 기존 행정구역 위주의 경직된 권역 설정 등이 한계로 남아 있었다.

정부는 국가 균형 발전 특별법과 국토 기본법에 추진 근거를 마련

■ 국민 생활 편익을 향상시킨 '생활 SOC' 추진 현황

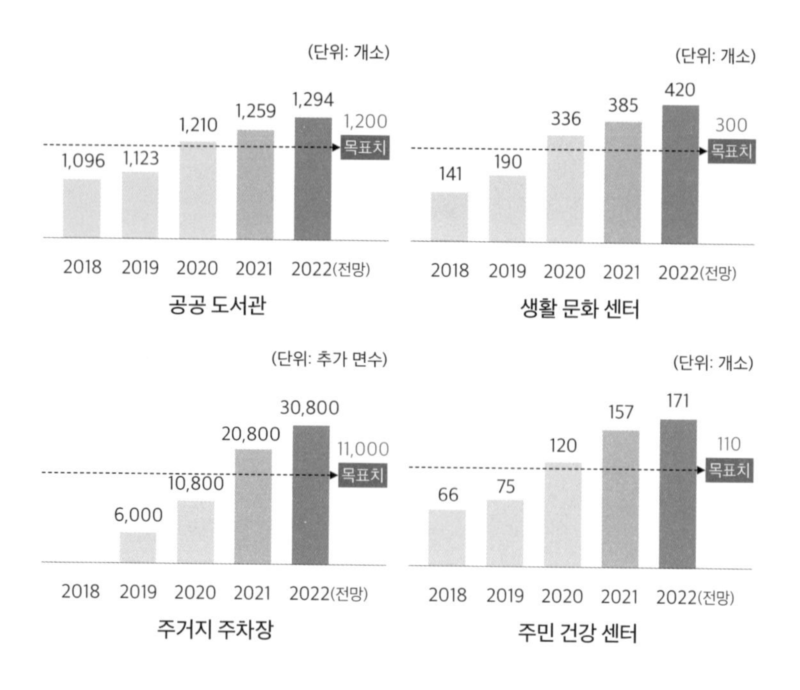

하고, SOC 사업 예타 대상 기준 상향, 국고 보조율 상향 지원(50 → 60%) 등 전 주기에 걸친 재정 지원 체계를 마련했다. 전담 조직을 신설하고 지역 인재가 지역에 취업하고 정주할 수 있는 선순환 체계 구축을 위해 공간, 산업, 사람 등 분야별 초광역 협력 지원 정책도 마련했다.

정부의 노력에 지역이 조응했다. 2020년 동남권(부산·울산·경남)을 중심으로 메가 시티 구축 논의가 재점화되었고, 2021년 2월 25일 3개 시도가 함께 발전 계획을 수립한 '동남권 메가 시티 구축 전략 보고' 행사에 문재인 대통령도 참석하며 힘을 보탰다. 이후 대구-경북, 충청권, 광주-전남 등 광역자치단체를 중심으로 초광역 협력 및 행정 통

동남권 메가 시티 구축 전략 보고 행사(2021. 2. 25.)와 동남권 4개 철도 건설 사업 개통식 및 시승 행사(2021. 12. 28.)

합 추진 움직임이 전국적으로 확산했다.

지난 2021년 12월에는 동남권 광역 전철망이 개통됐다. 1974년 8월 15일 수도권 광역 철도 첫 개통 이래 무려 47년 만에 비수도권 최초로 운행된 광역 전철이었다. 부산과 울산을 30분대에 출퇴근할 수 있는 시대가 열린 것으로, 전국 곳곳으로 성장 거점이 다극화되는 기점이 될 것으로 예상된다.

부·울·경 지역은 향후 2022년 내에 가장 먼저 특별 지방자치단체 설치가 이루어질 것으로 기대되며, 대구·경북은 '통합 대구·경북' 구현을 위해 2022년까지 특별 지방자치단체 설립과 중장기적인 행정 통합을 추진하고 있다. 충청권은 미래 신산업 테스트베드, 신재생 에너지 산업 육성을 중심으로 하는 메가 시티, 광주·전남은 스마트 메가 시티, 남해안 신성장 권역을 매개로 한 초광역 협력을 추진하고 있다.

세종·혁신 도시, 끝까지 책임 있게

2019년 말 한국과학기술기획평가원의 충북 혁신 도시 이전을 마

울산~부산 간 광역 전철을 시승하는 문재인 대통령(2021. 12. 28.)

지막으로 공공 기관 153개의 이전을 마무리했다. 혁신 도시를 지역의 신성장 거점으로 만들기 위해 2018년부터 '혁신 도시 시즌 2'를 추진했다. 그 결과 2017년에 412개이던 입주 기업이 2020년 1,663개로 4배 이상 증가했으며, 지역 인재 채용률도 2017년 말 13.9%에서 2020년 28.6%로 크게 늘었다. 혁신 도시 주민의 정주 여건도 개선돼 만족도가 향상(2017년 52.4% → 2020년 68.1%)됐으며, 가족 동반 이주율도 58.1%에서 65.5%로 높아졌다.

실질적인 행정 수도로서 세종시의 기능을 강화하기 위해 2019년 2월에 행정안전부(1,433명), 8월에 과학기술정보통신부(777명), 2021년 1월에는 중소벤처기업부(499명)를 추가로 이전했다. 아울러 국회법 개정안이 통과됨에 따라 세종 국회의사당이 2024년 착공, 2027년 완공될 예정이다. 행정 수도 이전 논의가 시작된 이후 20년, 관련 법률 개정안이 처음 발의된 지 5년 만의 성과였다.

'찐' 자치 분권 시대로

자치 분권은 문재인정부가 역대 어느 정부보다 획기적인 성과를 거둔 과제였다. 1988년 이후 32년 만에 처음으로 '지방자치법'을 전부 개정했고, 특히 '지방 일괄 이양법'을 제정 및 시행하여 중앙 부처가 맡았던 400개 사무를 한 번에 지자체 소관으로 이관했다. 이로 인해 지자체가 지역 특성을 반영한 행정과 즉각적인 주민 수요 대응을 할 수 있는 토대가 마련되었다. 주민 참여권 신설, 주민 참여 예산 제도 확대 등 주민들의 실질적 참여를 보장하는 길도 넓혔다.

무엇보다 이양받은 사무를 수행하기 위한 재정 분권이 핵심이었다. 정부는 '1단계 재정 분권'을 통해 연간 약 8조 5,000억 원의 재원을 중앙에서 지방으로 이전하면서 납세자인 국민의 부담은 증가시키지 않았다. 1단계 재정 분권 결과, 국세와 지방세의 비중은 2018년 78 대 22에서 2019년 76 대 24, 2020년에 74 대 26으로 꾸준히 개선되고 있다. 이어 2단계 재정 분권은 연간 5조 3,000억 원 규모의 추가 이전이 핵심으로, 지방 소비세율 인상과 연계하여 약 2조 3,000억 원 규모 국고 보조 사업도 단계적으로 이양할 예정이다. 또 낙후 지역의 인프라 확충을 위해 2022년부터 연 1조 원 규모의 지방 소멸 대응 기금도 새롭게 도입했다.

자치 경찰제 도입도 역점을 두고 실현한 과제였다. 지역 주민의 실생활과 밀접한 생활·교통 안전, 가정·학교·성폭력 예방 등 경찰 사무를 각 시·도지사 소속의 자치경찰위원회가 지휘·감독하도록 한 것이다. 2021년 7월 1일부터 전국에서 전면 시행된 자치경찰제는 '고위험 정신 질환자 응급 입원 체계 개선', '안전한 어린이 통학로 조성' 등 주민들이 체감할 수 있는 치안 서비스 제공에 앞장서고 있다.

균형 발전 성과와 초광역 협력 지원 전략 보고(2021. 10. 14.)

낡은 패러다임을 넘어

"우리 경제는 이제 '빨리'가 아니라 '함께' 가야 하고, '지속적으로 더 멀리' 가야 합니다."

문재인 대통령(1차 공정 경제 전략 회의 중, 2018. 11. 9.)

이제 성장 전략으로 '낙수 효과'를 이야기하는 이는 많지 않다. 더 이상 몇몇 대기업 그리고 수도권의 성장이 곧 중소기업과 지역의 성장을 담보하는 시대도 아니다. 대기업과 중소기업, 수도권과 지역 모두 함께하는 성장이 곧 지속 가능한 성장이 될 수 있음을 공히 인정한다.

문재인정부가 추진해온 함께하는 성장, 공정 경제의 5년은 그 낡은 패러다임 너머 새로운 경제 구조로 가기 위한 여정이었다. 어느덧 상식이 된 정책 기조는 쉽게 역진하지 않을 것이다. 국민의 지지와 함께 차기 정부에서는 더 많은 공정 경제, 더 많은 지역 균형 발전이 이루어질 것이다.

interview

"노동 존중을 바탕으로 한 사회적 대화의 산물"

윤종해(한국노총 광주지역본부 의장)

광주광역시 광산구 빛그린 국가 산업 단지에 들어선 광주글로벌모터스(GGM)는 전국 최초의 노사 민정 상생형 일자리로 지역 일자리 창출과 지역 경제를 활성화하는 새로운 영역을 개척하고 있다.
첫 양산 차 출고 이후 시장의 반응도 뜨겁다. 문재인 대통령도 사전 예약 대열에 동참해 광주형 일자리를 응원했다. 광주형 일자리가 한국 제조업에 새로운 기회와 가능성을 제시하고 있을까. 살얼음판을 디디는 심정으로 협상에 참여했던 윤종해 한국노총 광주지역본부 의장은 이미 '제2, 제3의 광주형 일자리'를 내다보고 있었다.

> '광주형 일자리' 1호 양산 차인 캐스퍼가 돌풍을 일으키고 있습니다. 이런 결과를 예상하셨습니까?

이 정도까지 성공할 줄 몰랐습니다. 사실 저희가 상당히 부담스러웠어요. 이 차가 일반 SUV도 아니고 경형 SUV인데 안 팔리면 지역 경

광주형 일자리 투자 협약식에 참석한 문재인 대통령과 윤종해 의장(맨 왼쪽)(2019. 1. 31.)

제부터 가라앉는 거잖아요. 광주시가 1대 주주고, 2대 주주가 현대자동차, 3대 주주는 광주은행이거든요. 지역 경영계 쪽에서도 조금씩 다 투자했는데 잘못되면 그에 따른 비난을 노동계가 받을 수밖에 없는 상황이라 저희가 굉장히 긴장했던 것은 사실이죠.

'광주형 일자리' 첫 결실…23년 만에 완성차 공장
매일 매일이 살얼음판, 냉·온탕 오간 협상

▌ 돌아보면 협상 과정에서 고비가 많았습니다.

처음엔 어렵고 힘들었지만, 지금은 가슴도 벅차고, 실은 자랑스럽죠. 어쨌든 광주에서 23년 만에 준공된 국내 완성차 공장인데 광주형 일자리를 논의한 지 7년 만에 이뤄낸 성과 아닙니까? 뿌듯한 건 노동계가 중심이 됐다는 거죠. 사람들은 내막을 잘 모르니까 "왜 너희들이 중심이 됐다고 이야기하느냐"라고 하는데, 광주형 일자리는 기아차 노동조합 위원장 출신이었던 박병규(전 광주시 경제 부시장) 씨가 최초로 설계를 했어요. 그리고 뒤에 한국노총 광주지역본부가 협조했고, 대통령 공약으로도 들어갔죠.

광주형 일자리는 노동계의 협력 없이는 성공할 수 없는 모델이었어요. 현대차가 투자했지만 기업도 이윤이 있어야 투자를 할 것 아닙니까. 가장 중요한 건 노동 비용을 낮추면서도 생산성을 향상시키는 거죠. 이건 노동계의 협조 없이는 할 수 없어요. 노동계가 이런 사실을 알고 있기 때문에 광주시를 달래고 싸우고 설득하고 그런 과정을 겪어 나갔는데 고비가 어마어마하게 반복됐던 거죠. 그때는 매일 매일이 살얼음판이고, 냉탕과 온탕을 왔다 갔다 했습니다.

2017년 6월, 광주시 사회적 대화 기구가 도출한 4대 의제가, '적정 임금, 적정 노동 시간, 노사 책임 경영, 원·하청 관계 개선'입니다. 여기서 특히 난제가 '적정 임금' 협상이었죠?

노동계는 처음에 연봉 4,500만 원까지 이야기했어요. 그러다 보니 협상이 결렬되는 거예요. 4,500만 원에다가 주거, 교육 부분에서 임금을 보전하면 6,000만 원이 됐거든요. 이 정도면 기아의 1차 협력은 안 되지만 2차 협력 업체에 가까울 수 있는 거예요. 이건 최고 일자리죠. 그런데 그게 반 토막 난 거예요. 처음에 연봉을 보고 제가 자빠져 버렸어요. 아무리 계산기를 두드려 봐도 이건 최저임금도 안 나오는 거죠. 그래서 "이건 아니다. 노동계를 배제하려고 하느냐. 도대체 이게 어떻게 나온 금액인지 노동계가 알아야겠다"라며 자료를 보여달라고 했죠. 그때 광주시가 대통령님 모시고 행사(투자 협약식)를 하려고 했어요. 그런데 자료를 안 주니, "그럼 우리도 참여하지 않겠다"라고 했죠. 첫 번째 대통령 행사가 그래서 무산됐던 거예요.

협상 끝에, 초임 연봉이 3,500만 원(주 44시간 기준) 선으로 결정됐습니다. '좋은 일자리'라는 측면에서는 어떻게 평가할 수 있을까요?

광주형 일자리를 추진하면서 회사에서 주는 임금을 보완한 게 사회적 임금이라고 주거, 교육, 복지 부분에서 임금을 보전해주기로 했던 거죠. 남은 과제는 주거를 어떻게 할 것이냐인데, 이 문제는 지금도 계속 이야기를 하고 있습니다. 조금 더 시간이 필요합니다.

"광주형 일자리 성공을 위해 현대차 그룹 노사 간 더 머리를 맞대고 지혜를 모아주길 바랍니다. 정부도 전폭 지원하겠습니다."

문재인 대통령(신년기자회견, 2019. 1. 10.)

'광주형 일자리'에 대한 문재인 대통령의 한결같은 추진 의지를 지켜보면서 어떤 신뢰를 느꼈습니까?

지역 노동계가 광주형 일자리를 추진하면서 대통령님에 대한 인식은 늘 좋았습니다. 갈등이 있을 때마다 대통령님은 기다려주고, 응원해주고, 막힌 부분을 뚫어주셨으니까요. 덕분에 좋은 결과가 있었다고 저희는 판단하는 거죠. 노동계는 그런 부분에 대해서 확실히 감사하다는 생각을 가지고 있습니다. 중앙정부의 역할은 지방정부가 사업할 수 있게 지원을 해준 거죠. 중앙정부의 관심이 얼마나 크느냐에 따라서 지방정부의 일자리가 바뀝니다.

평균 연령 28세, 젊은 조직 '상생의 일터'
광주·전남 인재 90% 이상 채용…좋은 일자리가 지역 문제 해결

복지 측면의 개선은 남아 있지만, 그럼에도 직원들의 만족도는 높은가요?

직원들 평균 연령대가 28세예요. 이렇게 젊은 공장이 없어요. 그렇다 보니 숙련도도 굉장히 빠른 거죠. 현재 채용된 인재를 보면 광주·전남의 인재들이 90% 이상 채용됐습니다. 광주가 민주화의 도시, 투쟁의 도시이다 보니까 기업들이 투자를 안 해서 공장이 없어요. 정말 단비 같은 효과를 냈다고 할 수 있는 거죠. 좋은 일자리가 지역의 여러 가지 문제를 해결할 수 있는 사례를 보여주는 게 광주형 일자리입니다. 일하시는 분들의 만족도도 굉장히 높습니다. 광주글로벌모터스 가보시면 굉장히 공장이 잘 만들어져 있어요. 모든 자동화 설비가 잘 갖춰져 있죠. 경형 SUV이기 때문에 나중에 전기차나 수소차 라인으로 전환하기도 쉬워요. 품질이 뛰어나다고 하면 다른 자동차 업체에서도 위탁 생산을 맡기겠죠.

광주형 일자리 목표는 '양극화 해소'와 '불평등 해소'
제2, 제3의 광주형 일자리 기대
조금 덜 받고, 나눠서 원·하청 상생 관계 만들 것

제2의, 제3의 광주형 일자리를 기대해볼 수 있을까요?

광주형 일자리 1호 양산 차인 캐스퍼 온라인 사전에 직접 참여하고 차량을 인수받은 문재인 대통령(2021. 10. 6.)

광주형 일자리에서 가장 주안점을 둔 부분은 시대적인 양극화 해소와 불평등 해소입니다. 또 하나는 지방정부와 중앙정부 간 협력의 사례를 만든 거죠. 지원과 관심을 통해서 어떻게 일자리가 만들어져야 하는지 모범을 보인 사례입니다. 저는 앞으로 만드는 일자리에 있어 시사한 바가 굉장히 크다고 생각을 합니다. 광주형 일자리의 의미는 노동 존중을 바탕으로 한 사회적 대화의 산물이라는 겁니다. 노·사·민·정이 서로 머리를 맞대고 지역 현안에 대해서 이야기도 해보고 양보할 것은 양보하고 우리 자녀들을 위해서 조금 희생하고. 이걸 아마 다른 기업도 다 지켜보고 있을 거라고 생각합니다. 그래서 약속이 지켜지면 '노동계가 약속을 지켰구나' 다른 기업도 '우리도 투자해볼 수 있겠다' 생각을 갖겠죠. 그걸 지금 바라고 있는 겁니다. 제2의, 제3의 광주형 일자리를 우리는 기대를 하고 있는 거죠. 우리 지역뿐만 아니라 다른 지역도 이런 곳을 만들면 지속적으로 발전될 수 있다고 판단하고 있습니다.

상생형 일자리를 지키기 위한 노동계의 다음 목표는 뭡니까?

노동계가 가장 중요하게 생각한 건 원·하청 관계 개선입니다. 광주에 기아자동차 공장이 있는데, 거기 일자리들은 괜찮아요. 문제는 나머지 업체들인데 2차 밴드에서 3차 밴드로 내려가면 GGM보다 급여를 더 적게 받을 겁니다. 광주에 있는 업체들이 대부분 2차, 3차 밴드예요. 그래서 원·하청 관계를 만들 때 빛 그린 산단에 산단 노동조합을 만든다고 약속을 했어요. 우리가 산단 노조를 조직해서 산단 입주 업체들과 협상하겠다는 얘기죠. 완성차 업계는 조금 덜 받고, 그 덜 받은 것을 협력 업체와 나눠서 협력 업체들도 최저임금보다는 더 받을 수 있도록 만들겠다는 게 우리가 약속한 원·하청 관계 개선입니다.

광주에서 시작된 상생형 지역 일자리는 이제 전국 8개 지역, 9개 상생 협약으로 이어져 13만 개의 일자리를 만들고 있다. 고향에서 일터를 얻은 청년들은 지역의 미래를 밝힐 것이다.
광주 한국노총 사무실에서 만난 윤종해 의장은 시종일관 조심스러운 어투로 말을 이어갔다. 이따금 자부심을 드러내는 대목에서 환하게 웃었지만, 혹여 광주형 일자리의 공을 독점하는 것처럼 오해되지 않으려 단어 하나하나 신중히 골라냈다.
어렵게 이루어진 타협인 만큼 소중히 가꿔가고 싶은 마음. 이 또한 4년 반이 걸린 끈질긴 노·사·민·정의 협력 결과는 아니었을까. 전무후무한 타협의 결과는 그렇게 사려 깊게 이어지고 있었다.
늘 처음이 어렵다. 한번 열어낸 상생의 문은 앞으로도 전국 각지에서, 그리고 광주에서도 더욱 활짝 열릴 것이다. 끝끝내 '우리'의 삶을 고민하는 국민과 정부가 함께 머리를 맞대는 한 말이다.

같이 삽시다,
같이 잘삽시다

1호 업무 지시, 일자리 퍼스트

취임 첫날인 2017년 5월 10일, 문재인 대통령은 1호 업무 지시를 내린다. 바로 대통령 직속 기구인 일자리위원회를 만들라는 것. "한시도 소홀히 할 수 없는 최고의 국정 과제"라는 대통령의 말 그대로 정부의 최우선 과제이자 총력 대상이었다.

양질의 일자리가 분배-성장의 선순환 구조를 강화하도록 하는 것이 목표였다. 대통령 지시로 출범한 일자리위원회는 관계 부처와 함께 2017년 10월 일자리 정책 5년 로드맵을 마련하고, 중장기 로드맵에 따라 모두 83건의 관련 대책을 발표했다. 신산업 일자리 창출, 문화·환경·해양·건설 등 분야별 일자리 대책과 청년·여성·신중년·장애인 등 대상별 맞춤형 고용 대책 등이 총망라되었다.

그 결과 코로나19 위기 이전까지 고용의 양과 질이 모두 지속해서 개선되었다. 2019년 고용률은 66.8%로 역대 최고였고, 청년·여성·고

'대한민국 일자리 상황판'의 현황을 설명하는 문재인 대통령(2017. 5. 24.)

령자 등 고용 취약계층의 고용률도 높아졌다. 임시·일용 근로자가 아닌 상용직의 비중 또한 2019년 69.5%로 역대 최고 수치를 기록했고, 저임금 근로자 비중은 17%로 통계 작성 이래 가장 낮았다.

코로나19에 맞선 고용 총력전

코로나19의 벽은 높았다. 2020년에는 코로나19 확산으로 고용 상황이 악화했다. 2020~2021년 편성한 56조 원 규모의 일자리 예산을 신속히 집행하고, 6차례 추가 경정 예산을 편성하여 고용 위기 대책을 추진하는 등 약 72조 원의 규모의 일자리 예산을 투입했다.

고용 유지 지원금을 대폭 확대해 사용자가 고용 인력을 줄이지 않도록 했다. 2020년에만 7만 2,000개 사업장 77만 명에게 2조 3,000억 원을 지급했고, 이는 2019년 대비 34배에 달하는 금액이었다. 특히

청년 일자리 대책 보고(2018. 3. 15.)

코로나19 탓에 큰 피해를 본 여행업, 항공업 등 14개 업종을 '특별 고용 지원 업종'으로 지정해 근로자들의 실직을 최소화하고자 했다. 2021년에는 12월까지 4만 950개 사업장의 33.9만 명에게 1조 2,800억 원을 지원했고, 고용보험과 실업급여 등 고용 안전망의 사각지대에 있는 특수 형태 근로 종사자, 프리랜서 등을 위해 긴급 고용안정 지원금 등 생계 지원도 진행했다. 4차례에 걸쳐 특고·프리랜서 등 179만 2,000명에게 3조 4,000억 원을 지급했다.

청년 고용을 활성화하기 위해 2018년부터 2019년까지 '청년 구직활동 지원금'을 지급하고, 2021년부터는 저소득 청년 등에게 생계 지원과 취업 지원을 동시에 하는 '국민 취업 지원 제도'를 도입했다. '국민 내일 배움 카드'를 통한 맞춤형 훈련, 민간 혁신 훈련 기관에서 실제 직무 프로젝트를 기반으로 숙련도를 쌓는 'K-Digital Training' 등도 청년 고용을 위한 노력의 일환이었다. 기업의 청년 채용을 유도하기 위한 '청년 추가 고용 장려금'을 운영하는 한편, 중소기업에 취업한 청년이 오래 근무할 수 있도록 '청년 내일 채움 공제' 사업도 진행했다.

2021년 8월에는 기업이 교육 훈련을 주도하고 정부가 이를 지원하는 '청년 희망 ON 프로젝트'를 통해 KT, 삼성, LG, SK, 포스코, 현대차 등 6개 기업의 참여를 끌어냈고, 6개 기업은 향후 3년간 17만 9,000개의 일자리 창출과 일자리 교육을 약속했다.

공공 서비스의 질을 높이고 청년들에게 양질의 일자리를 제공하기 위해 공공 부문 일자리 81만 개 창출을 추진했다. 소방관, 사회복지 공무원, 유치원 교사와 특수교사, 근로 감독관 등 국민의 안전과 생명을 지키는 현장 민생 공무원을 2020년까지 9만 8,000명 충원하고, 보육과 요양, 보건 등 사회 서비스 수요가 급증하는 상황에 맞춰 관련 분야 일자리도 충원했다. 2020년까지 23만 9,000개의 일자리를 만들었으며 전국에 11개의 사회서비스원을 설치해 국공립 시설 직접 운영과 종사자 직접 고용을 추진했다.

코로나19 극복 고용 유지 현장 간담회(2020. 4. 29.)

■ 2019년 대비 2020년 취업자 수·실업률 변동

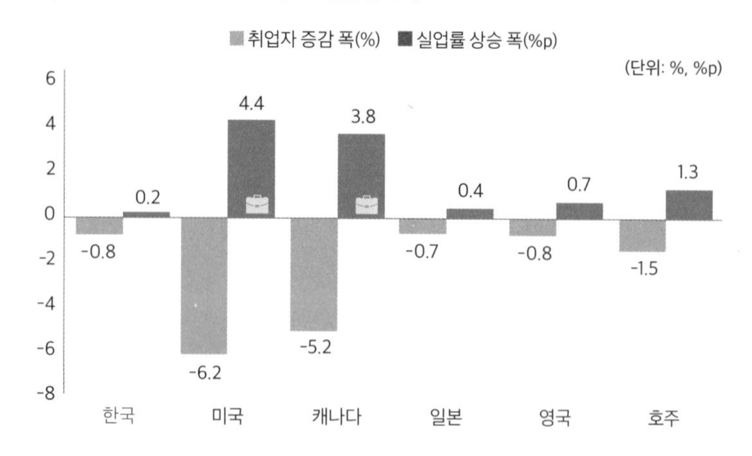

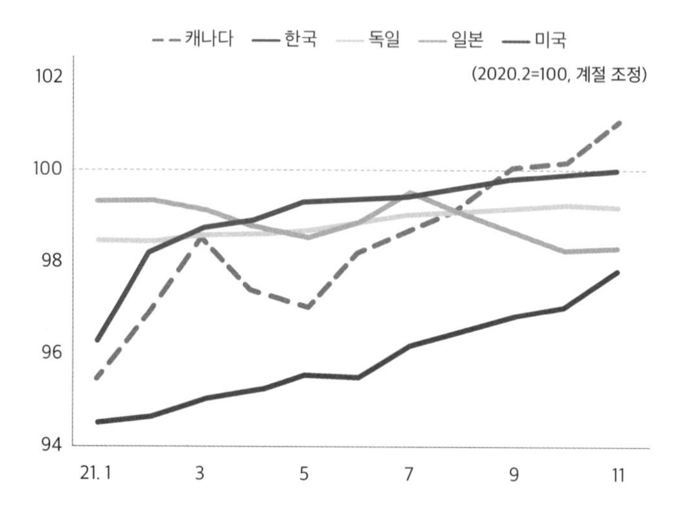

주요 고용 지표, 코로나19 충격 모두 회복

그 결과 2017년 5월부터 2021년 12월까지 56개월 동안 코로나19 위기 상황이 지속되고 있음에도, 총 86.5만 개의 일자리를 창출하는 등 2021년 12월 기준 고용의 양과 질이 모두 역대 최고 수준으로 개선

■ **코로나19 위기 속에서도 지속 상승하고 있는 '상용직 근로자 비율' 현황**

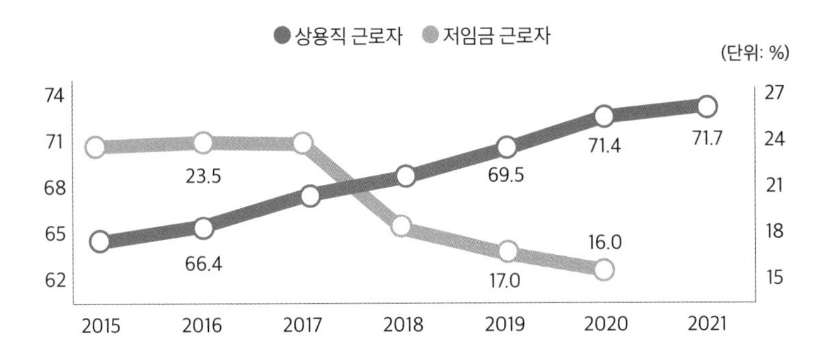

되었다. 취업자 수(2,757만 명, 계절 조정)와 고용률(15~64세 67.4%, 계절 조정)은 모두 사상 최고를 기록하고 있고, 코로나19 이전에 고점보다 취업자 수 기준 100.2%를 기록하며 코로나19 충격을 모두 회복했다. 특히 2022년에 2월에는 전년 대비 103.7만 명 취업자 수가 증가한 것으로 나타났고, 이는 2개월 연속 100만 명 이상, 11개월 연속 50만 명 이상 증가한 결과였다. 고용율은 전년 대비 2.6% 상승한 67.4%, 계절 조정 기준 68.4%로 역대 최고를 기록했고, 특히 민간 창출 비중이 88.1%로 민간 중심의 고용 회복세가 지속되고 있다. 아울러 임시·일용 근로자가 아닌 상용직의 비중 또한 2021년 71.7%로 역대 최고를 기록하며 고용보험 가입자 수는 1,500만 명에 육박했다. 저임금 근로자 비중은 2020년 16%로 통계 작성 이래 가장 낮은 수준을 갱신했다.

대한민국의 이러한 고용 회복은 주요국에 비해 매우 빠른 속도로 평가되고 있다. 2020년 8월 《OECD 한국경제보고서》는 "한국은 신속하고 효과적인 정책 대응으로 회원국 중 경제 위축이 가장 작고, 고용과 성장률 하락 폭이 타 회원국에 비해 매우 작은 수준"이라고 발표했다.

'월화수목금금금'과 작별하기

OECD 38개국 중 가장 오래 일하는 나라 가운데 한 곳이라는 오명에서 벗어나야 했다. 일상적 야근과 주말 근무로 상징되는 장시간 근로 문화는 급속한 경제 성장 과정이 남긴 우리 사회의 그림자였다. 장시간 노동은 오히려 노동 생산성이 떨어지는 역효과로도 이어졌다.

2018년 3월, 노동 시간 단축을 담은 개정 근로기준법을 공포했다. 그해 7월부터 300인 이상 기업과 공공 기관부터 주 최대 52시간 노동으로 제한하는 '주 52시간제'를 도입했다. 이후 법 적용을 받는 기업과 기관을 단계적으로 늘려 2021년 7월에는 5인 이상 사업장까지 포함했다.

결과는 통계로 나타났다. 우리나라 임금 근로자의 연간 근로 시간(상용 5인 이상 사업장 기준)은 2017년 2,014시간에서 2020년 1,952시간으로 줄었다. 주 52시간 이상 일하는 취업자의 비율도 2016년 20.9%에서 2021년 11.4%로 감소했다.

우려가 없었던 것은 아니다. 중소기업의 인건비 부담과 근로자 임금의 감소에 대한 문제 제기가 있었다. 일하는 시간을 줄여 새 일자리를 만든 기업에 '신규 채용 인건비'와 '재직자 임금 감소분'을 일부 지

■ 근로기준법 개정

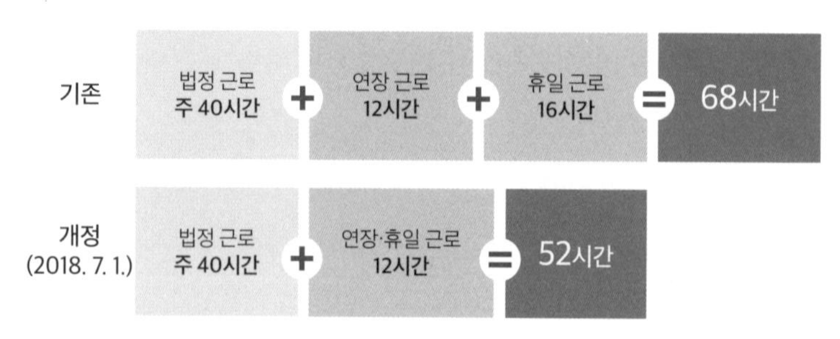

■ **임금 근로자(상용 5인 이상) 연간 근로 시간**

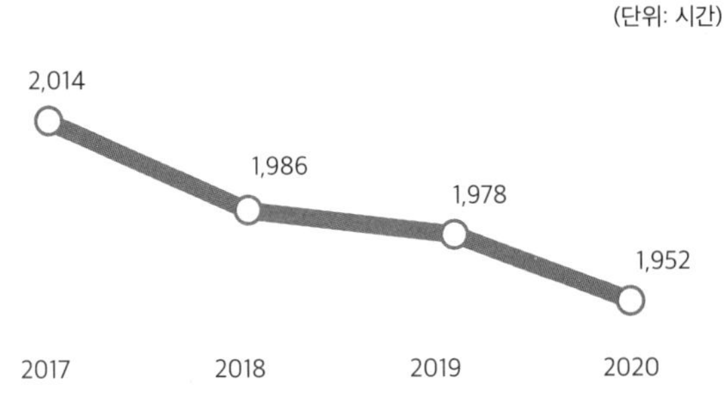

자료: 고용부 「사업체 노동력 조사」

원하기로 했고, 노동 시간을 조기에 단축한 기업에는 공공 조달 가점을 부여했다. 2019년에는 50~299인 기업의 주 52시간제 적용을 앞두고 '노동 시간 단축 현장 지원단'을 구성해 개별 기업 상황에 맞는 노동 시간 단축 방안을 제시하고 정부 지원 제도를 안내했다.

주 52시간제의 현장 안착을 위해 경제사회노동위원회는 '탄력 근로제' 개편에 합의했다. 탄력 근로제란 일이 많은 주(일)의 근로 시간을 늘리는 대신 다른 주(일)의 근로 시간을 줄여 평균적으로 주 40시간 내로 근로 시간을 맞추는 근무 제도이다. 2021년 4월부터 시행되고 있는 개정 근로기준법은 탄력 근로제의 단위 기간을 3개월에서 6개월로 확대하고, 신상품·신기술의 연구개발 업무에 대한 선택 근로제 정산 기간을 1개월에서 3개월로 확대했으며, 특별 연장 근로 시 건강 보호 조치를 의무화했다.

주 52시간제는 2020년 5월 국회 사무처 설문조사 결과 '국민이 뽑은 제20대 국회 좋은 입법' 중 사회·문화·환경 분야 1위로 선정됐다. 이 조사에서 임금 근로자의 '근로 시간 만족도'는 2017년에 비해 2019년 크게 증가했다. 고용노동부가 2021년 11월 외부 기관에 의뢰해 국민 1,300명을 대상으로 조사한 결과 임금 근로자의 77%, 국민

71%가 주 52시간제 도입이 '잘한 일'이라고 답했으며, 기업들이 실제 직장에서의 잘 지키고 있는지에 대해서도 근로자 88%가 준수되고 있다고 답했다.

'근로 시간 단축 청구권' 최초 도입

정부는 2019년 9월 근로자의 '근로 시간 단축 청구권'을 최초로 도입했다. 임신 및 육아의 사유 이외에도 가족 돌봄, 본인 건강, 은퇴 준비, 학업 등의 사유로 사업주에게 소정 근로 시간 단축을 요청할 수 있게 되었다. 일하는 시간을 주도적으로 결정할 수 있는 제도적 기반이 마련했다는 점에서 의미 있는 변화였다. 2020년 공공 기관 및 300인 이상 사업장부터, 2022년부터는 30인 미만 사업장까지 기업 규모에 따라 단계적으로 시행하고 있다.

코로나19 확산에 따라 재택·원격 수업이 흔해지고 자녀 돌봄 수요가 늘어남에 따라 가족 돌봄을 위해 근로 시간을 단축하는 근로자의 소득 감소를 보전하고, 사업주의 노무 비용을 지원하기 위해 기존 '워라밸 일자리 장려금'의 지원 수준도 높였다. 그 결과 1년 만에 지원 인원이 3.5배 증가(2019년 5,993명 → 2020년 2만 837명)하는 성과가 나타났다.

비정규직 정규직화, 차별 없는 일터를 만듭니다

비정규직 문제는 우리 사회가 해결해야 할 과제로 오랫동안 남아 있었다. 1997년 IMF 외환 위기와 2008년 글로벌 금융 위기를 거치며 2016년 기준 국내 임금 근로자 3명 중 1명이 비정규직이었다. 2016년 8월 기준 비정규직의 월 평균 임금은 약 150만 원으로 정규직 근로자의 절반 수준(53.5%)에 불과했고, 평균 근속 기간도 정규직의 32%로 고용 안정성이 낮았다. 사회적 양극화는 물론, 사회 통합을 가로막는 원인으로 지목되어온 이유이다.

정부는 '상시·지속적 업무를 수행하는 근로자는 정규직으로 고용한다'라는 원칙에 따라 공공 부문부터 비정규직의 정규직 전환을 추진했다. 2017년 7월 관계 부처 합동으로 '공공 부문 정규직 전환 가이드라인'을 마련한 이래, 2021년 12월 말까지 865개 기관에서 비정규직 근로자 20만 3,199여 명의 정규직 전환이 결정됐고, 채용 절차를 거쳐 19만 7,866여 명이 정규직으로 고용되었다. 이 중 14만 4,347명(73%)은 기관에 직접 고용되었으며, 5만 1,752명(26.2%)은 자회사 방식으로, 1,767명(0.9%)은 사회적 기업 등 제3섹터 방식으로 전환되었다.

공공 기관의 정규직 전환 대상에 기간제뿐 아니라 파견·용역 근로자까지 포함했다. 용역 업체 등에 지급하던 관리비·이윤 등 기존 대비 절감할 수 있는 재원을 전환 비용으로 활용해 국민 부담을 최소화했다.

정규직 전환으로 인한 불공정 논란이 없도록 전문직 등 청년 선호 일자리는 공개 채용을 하도록 했다. 전환 정책 발표 이후 입사자는 채용 비리 방지를 위해 공정 채용 확인서를 받고, 채용 시 친인척 관계를 확인하는 등 한층 엄격해진 절차를 거쳤다.

민간 기업의 자율적인 정규직 전환을 유도하는 정책도 병행했다. 비정규직을 정규직으로 전환하는 기업에는 임금 상승분 등의 일부를 1년간 지원(정규직 전환 지원금)하고, 중소·중견기업에는 정규직 전환 근로자 1인당 최대 1,000만 원의 세액 공제 혜택을 지원했다. 공공 조달 시장에서도 정규직 전환 우수 기업에 가점을 부여하도록 했다.

공공 부문 비정규직의 정규직 전환으로 고용 안정뿐 아니라, 용업 업체 이윤·관리비 등 절감한 재원을 활용한 식비·복지 포인트 등 복리 후생적 금품 지급으로 연평균 391만 원의 임금 인상 효과(2019년 5월)가 있는 것으로 분석됐다. 그 결과 민간 부문을 포함한 전체 노동시장에서도 비정규직 근로자와 정규직 근로자 간의 임금 격차가 줄었고, 비정규직 근로자의 사회보험 가입률이 상승하는 등 처우 개선 효과가 나타났다.

> "부산의 철도공사 직원들과 동일하게 동일한 장소에서 같은 업무를 하지만 비정규직, 외주 업체 직원이라는 꼬리표 때문에 처우 개선이 이루어지지 못해 소외감이 들었습니다. 하지만 2018년 10월부로 철도공사 직원으로 신분이 바뀌어 너무 행복하고 감사하게 생각하고 있습니다. 특히 가족들이 너무 기뻐했어요. 아내와 아들에게 아버지로서 당당하게 설 수 있게 도와주신 것에 대해 너무 감사한 마음입니다. 무엇보다 아들이 학교에서 '느그 아버지 뭐하시노?' 질문을 받으면 이제 'KTX 정비한다' 당당하게 말할 수 있을 것 같습니다."
>
> 장재영(KTX 정비사, 2018년 10월 정규직화)

1.8배 증가한 '근로 장려금' 수급 가구, 수급액은 2.8배

근로·자녀 장려금 제도는 일하는 저소득 가구에 장려금을 지급함

■ 지급 가구와 금액이 대폭 확대된 '근로·자녀 장려금' 지원 추이

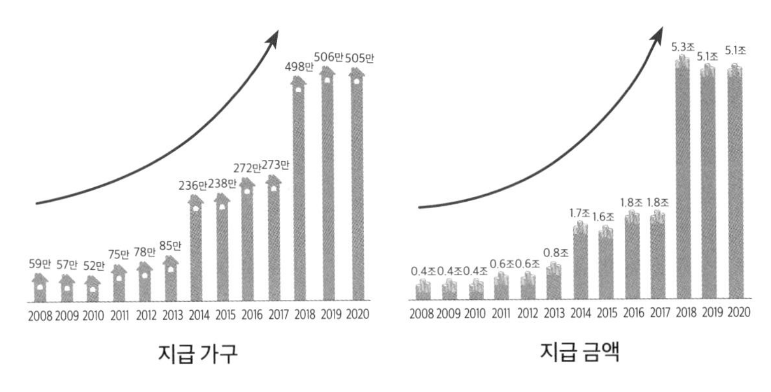

으로써 근로를 장려하고 실질 소득을 지원하는 근로 연계형 소득 지원 제도이다. 2006년에 도입 이래 연령 제한을 단계적으로 폐지하고, 소득 및 재산 기준을 완화하는 등 지속적인 제도 개선을 통해 지급 대상을 늘려왔다. 특히 2018년 세법 개정을 통해 "대상은 넓게, 혜택은 크게, 지급은 빠르게"라는 개편 방향에 따라 2019년 신청분부터 장려금 지급 가구와 지급 금액을 대폭 확대했다.

그 결과 2020년 소득분에 대한 근로·자녀 장려금 총 지급 규모는 505만 가구, 5조 1,342억 원으로, 2017년 소득분과 비교하여 지급 가구는 85%(232만 가구), 지급 금액은 180.6%(3조 3,044억 원) 증가했다. 특히 30세 미만 청년층도 받을 수 있도록 단독 가구 연령 제한을 폐지하고 신속한 지급을 위해 연 2회 신청하고 지급하도록 했다.

통계로 입증된 버팀목 효과

정부는 출범 이듬해 2018년 2월 법정 최고 금리를 27.9%에서 24%

로 낮춘 데 이어 2021년 7월 7일부터는 20%로 추가 인하했다. 고금리 채무자 208만 명의 이자 부담이 크게 줄게 됐고, 고금리 단기 대출과 생계형 소액 대출 등을 이용하는 서민들의 부담도 경감했다.

고용보험 적용 대상을 늘리고, 실업급여 보장성을 강화했다. 모든 취업자를 고용보험으로 보호할 수 있도록 고용보험의 단계적 적용 확대 방안을 담은 '전 국민 고용보험 로드맵'을 마련했다. 위기 발생 시 더 큰 어려움을 겪는 취약 계층을 보호하고, 이른바 특고·예술인·N잡러 등 사각지대를 해소하기 위한 방안이었다. 이에 따라 2020년 12월 10일부터 적용한 예술인 대상 고용보험 가입자가 (2021년 12월 말 기준) 10만 명을 넘어섰고, 특수 형태 근로 종사자 12개 직종도 2021년 7월 1일부터 고용보험이 적용되어 무려 57만 명이 가입했다. 아울러 보험 설계사, 방문 판매원, 학습지 방문 강사, 택배 기사, 화물차주, 방과 후 학교 강사 등이 추가되었고 2022년 1월부터는 퀵서비스 기사와 대리운전 기사도 적용되었다.

"2020년 12월 예술인 고용보험이 시행되자마자 바로 가입했습니다. 2021년 10월에 웹툰 연재를 종료하고 바로 실업급여 신청했고, 지금은 새 작품에 들어가서 계약서를 얼마 전에 작성했습니다. 예술인 고용보험 덕분에 2~3개월 정도 실업급여를 받으면서 안정적으로 다음 작품을 준비할 수 있었어요. 앞으로 더 많이 알려져서 많은 예술인이 혜택을 받을 수 있으면 좋겠습니다."

하은희(25년차 웹툰 작가)

고용·사회 안전망 강화 정책에 따른 소득 증가 효과로, 소득 분배 상황을 보여주는 지니계수, 소득 5분위 배율, 상대적 빈곤율, 3가

제3차 일자리 위원회(2017. 10. 18.)

지 지표 모두 개선되었다. 특히 정부 정책을 통한 소득 분배 개선 효과(5분위 배율 기준)는 2021년 4분기 기준 5.99배p로 코로나 이전(2019년 4.73배p) 대비 높은 수준이었고, 최저임금 인상 등에 힘입어 노동 소득 분배율은 2016년 62.5에서 2020년 67.5로 사상 최고치를 기록했다. 2021년 4분기의 분위별 소득증가율은 1분위 8.3%, 2분위 6.0%, 3분위 6.9%, 4분위 5.3%, 5분위 6.9%로 1분위 소득이 5분위 소득 증가율을 상회했다.

코로나19 이후 정부는 2020년 4차례의 추가 경정 예산을 편성·집행하며 가계 소득 보존과 소비 촉진을 통한 내수 시장 활성화에 주력했다. 그 결과 2020년 모든 분기에 걸쳐 가계 소득이 증가했고, 2020년 2분기에는 코로나19 여파로 시장 소득이 크게 감소했으나, 전국민 재난 지원금 지급 등 사회 수혜금 명목의 공적 이전 소득이 큰 폭으로 증가하며 소득 충격을 완충했다.

치열한 자세로, 송구한 마음으로

물론 여전히 상황은 녹록지 않다. 코로나19라는 전대미문의 위기는 방역 위기를 너머 경제 위기로 급속히 전이시켰고, 국민의 사회경제적 어려움은 현재진행형이다. "바이러스 이전에 굶어 죽게 생겼다"라는 국민의 절박한 목소리는 정부에게 그 무엇보다 뼈아픈 회초리였다.

그래서 총력전은 계속되어야 한다. 누군가 "가난은 나라님도 못 고친다"라고 했지만, 대한민국은 그 수많은 비관과 회의를 보란 듯이 거스르며 한 발짝씩 전진해왔다. 아직 절박한 국민께 충분치 않음을 겸허히 인정하며, 송구한 마음으로 지난 5년간의 성과를 보고 올리고자 한다.

모세혈관을 지키는 정부

소상공인과 필수 업무 종사자, 농어업인, 청년 등은 실물 경제의 핵심축이다. 민생 현장을 움직이는 경제 모세혈관의 역할은 아무리 강조해도 지나치지 않다. 특히 4차 산업혁명과 코로나 팬데믹으로 인한 산업 구조 변화로 그 어느 때보다 모세혈관을 지키기 위한 정부의 역할이 요구되고 있었다.

정부 조직부터 정비했다. 대기업과 함께 중소·벤처·소상공인의 균형 있는 성장을 위해 2017년 7월 중소벤처기업부를 출범시켰다. 문재인정부 유일의 신생 부처였다. 2018년 7월에는 청와대에 자영업비서관실을 신설하고, 2020년 2월에는 사상 처음으로 소상공인을 독자적인 정책 영역으로 설정해 소상공인의 지속 가능한 성장과 경영 안정을 돕는 '소상공인 기본법'을 제정했다.

결제 수단 변화로 인한 카드 수수료 부담부터 해소했다. 카드 수수료율을 인하해 250만 개 가맹점이 연 214만 원을 절감할 수 있었고, 2018년 12월부터 간편 결제 시스템을 도입해 소상공인들이 변화에

■ **'소상공인 간편 결제' 가맹점 수 추이**

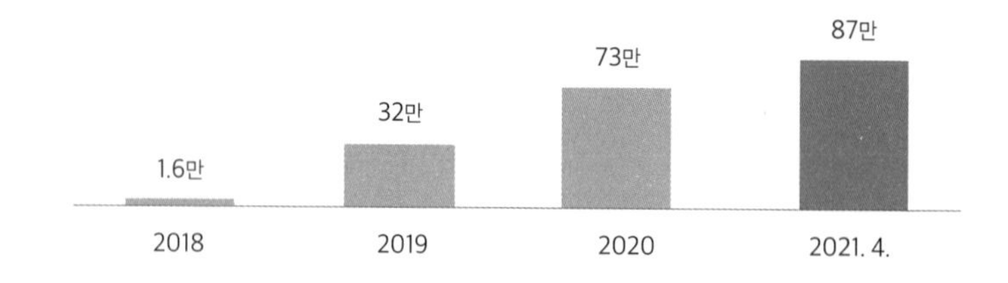

기민하게 조응할 수 있도록 했다.

상가 임대료 인상률 부담을 낮추는 것도 주요 과제였다. 상가 임대료 인상률 상한을 9%에서 5%로 낮추고, 계약 갱신 청구권 행사 기간을 5년에서 10년으로 연장했다. 또한 상가 임대료를 인하한 임대인(2020년 18만여 명)에게 인하분의 최대 70%를 세액 공제하는 등 세제 지원을 통해 '착한 임대인 운동'을 독려했다.

지역 소비 확산을 위해 2018년 시작한 지역 사랑 상품권 발행은 전통 시장의 매출액과 고객 수 상승의 첨병 역할을 했다. 발행액을 크게 늘려 2021년 총 15조 원을 발행했으며, 온누리 상품권도 2016년 1조 원에서 2020년 4조 원으로 확대했다.

2018년 6월에는 대기업의 무분별한 사업 확장을 막고 소상공인 사업 영역 보호를 위해 '소상공인 생계형 적합업종 지정에 관한 특별법'을 제정하고 11개 업종에서 5년간 대기업과 중견기업의 신규 진출을 금지했다.

2021년 7월, '지역 상권 상생 및 활성화에 관한 법률'을 만들어 쇠퇴하거나 임대료가 오른 상권을 활성화할 기반도 마련했다. 상권이라는 공간을 정책 대상으로 삼는 첫 번째 법령으로, 장기화된 사회적 거리 두기를 극복해 재도약의 기회를 마련하려는 조치였다. 아울러 2021년 10월 기준으로 1,022개의 '백년 가게'와 563개의 '백년 소공인'을 발굴해 성장 잠재력이 있는 소상공인을 육성하고 있으며, 비대면 등 환경 변화에 대응할 수 있게 스마트 상점(1만 2,000여 개), 스마트 공방(595개)도 지원했다.

필수 업무 종사자, 이제 국가가 지킵니다

코로나19 위기 속에 그 중요성이 더 빛난 업종들이 있다. 간호사 등 필수 업무 종사자가 대표적이다. 재난 상황에서 국민의 안전과 사회 질서 유지를 위해 위험을 감수하는 만큼 각별한 보호와 지원이 필요했다.

2021년 4월, 필수 업무 종사자 범위를 지정하고 지원 계획의 근거를 마련하는 '필수 업무 지정 및 종사자 보호·지원에 관한 법률' 제정안이 국회에 의결되었다. 재난 발생 시 한층 신속하고 체계적으로 필수 업무 종사자를 보호하는 법적 기틀이 마련된 것으로 평가받고 있다.

2020년 8월에는 주요 택배사와 함께 택배 종사자의 휴식 보장을 위한 공동의 노력 사항을 발표했다. 매년 8월 14일을 '택배 쉬는 날'로 정하고, 심야 배송을 하지 않도록 노력하기로 했다. 이에 따라 심야 시간 배달 앱 제한을 시행하고, 택배 기사가 질병·경조사 등 사유가 있을 때 마음 놓고 쉴 수 있도록 적극적으로 지원하기로 했다. 고용노동부가 주요 택배 회사의 서브 터미널과 대리점에 대해 안전 보건 감독을 시행하고, 불공정 행위 특별 제보 기간도 운영했다. 아울러 택배 기사의 건강을 보호하고자 주요 택배사 등과 협의해 택배 상자 손잡이 설치를 확대하기도 했다.

문재인 대통령은 140여 명의 각계각층 농업 관련 인사를 청와대 영빈관으로 초청해 농정 혁신 방향을 공유하고 농업인들을 격려했다(2018. 12. 27.).

농어가 소득 5,000만 원 시대

적극적인 농정 지원 정책은 '농가 소득 4,000만 원, 어가 소득 5,000만 원 시대'를 견인했다. 쌀 생산 조정제를 도입하고, 밭 직불금 단가도 2016년 ha당 40만 원에서 2019년 ha당 55만 원으로 인상했다. '소농 직불금'도 2020년 기준 120만 원을 지급했다. 그 결과 농가 평균 소득은 2018년 4,200만 원, 2020년에는 4,500만 원으로 역대 최고치를 기록했다.

어가 소득도 2018년 처음 5,000만 원을 돌파한 뒤 2020년에는 5,300만 원을 기록했다. 어업 생산량이 2016년 327만 톤에서 2020년 371만 톤으로 증가하고, 조건불리지역 직불금을 같은 기간 50만 원에서 80만 원으로 상향한 것이 소득 상승으로 이어졌다.

소래포구 전통 어시장 상인 격려 방문(2021. 2. 10.)

대통령의 공약 사항이었던 '공익 직불제'를 2020년 처음 도입했다. 이 제도는 농업 활동을 통해 환경·생태 보전 등 공익 기능을 증진하도록 농업인에게 보조금을 지원하는 방식이다. 기존 쌀·밭 직불제에 비해 지급 수준, 특히 소규모 농가에 대한 지원이 크게 강화했다. 국회·농업계·전문가 등이 뜻을 모아 논의한 끝에 2019년 2조 4,000억 원의 예산과 근거 법률이 마련됐고, 2020년 첫 지급을 마쳤다. 특히 2020년은 역대 최장 장마와 연속된 태풍 등으로 농촌이 큰 어려움을 겪은 만큼 공익 직불제 도입의 의미가 더 컸다.

한편 수산 분야에도 2021년 공익 직불제를 도입했다. 기존에는 섬, 접경 지역 등 어업 조건이 열악한 지역에 사는 어업인들에게만 직불금을 지급했지만 이를 수산 자원 보호, 친환경 생산, 경영 이양 등으로 전면 확대 개편했다.

소상공인과 자영업자, K-방역의 주역들께

2021년 12월, 문재인 대통령은 방역 조치를 강화하며 국민께 사과했다.

"방역 조치를 다시 강화하게 돼 국민께 송구스럽습니다. 단계적 일상 회복 과정에서 위중증 환자 증가를 억제하지 못했고, 병상 확보 등에 준비가 충분하지 못했습니다. 일상 회복으로 기대가 컸던 소상공인과 자영업자들의 상실감이 크십니다. 손실 보상과 함께 방역 협조에 대해 최대한 두텁게 지원할 수 있는 방안을 조속히 확정해 신속하게 집행하겠습니다."

코로나19로 경제가 멈춰 서자 가장 많은 하중이 모세혈관에 집중되었다. 전 세계가 극찬하는 K-방역의 기적, 그 중심에 소상공인과 자영업자들이 있었다. 국가적 재난에 동참한 주권자들에 대한 국가의 역할이 더 신속하고 두텁지 못했음을 통렬히 성찰하지 않을 수 없다.

아직 많이 부족하지만 정부는 소상공인의 어려움을 덜어드리기 위해 4차례에 걸쳐 약 16조 2,000억 원 규모의 소상공인 재난 지원금을 지원했다. 이에 더해 정부의 집합 금지, 영업 시간 제한 등 방역 조치로 인해 발생한 피해를 보상하기 위해 세계 최초로 손실 보상을 법제화했고, 오미크론 변이 바이러스로 인한 코로나19 확산세가 지속된 2021년 말부터 2022년 초까지 약 320만 개 업체에 100만 원을 지급했다.

이 글을 빌려 K-방역의 주역인 소상공인, 자영업자, 필수 업무 노동자들께 거듭 감사의 말씀을 올린다. 정부가 절박한 현실에 걸맞게,

더욱 충분하게 대처하지 못했음을 아프게 반성한다. 위대한 국민 앞에 깊은 송구한 마음을 올린다.

청와대 이야기

'귀욤뽀짝' 캐스퍼 탄생기

예상치 못한 결과였다. 온라인 사전 예약 1만 8,940대. 2021년 9월 14일 출고된 소형 SUV '캐스퍼'의 하루 판매량이었다. 2021년 하반기까지 예정된 생산 물량 1만 2천 대를 훌쩍 넘기는 수치였다.

사연 많은 차였다. 대한민국에 23년 만에 처음으로 다시 생긴 완성차 공장에서 만든 차였다. 무엇보다 노동, 기업, 시민, 정부가 4년 반 동안 끈질긴 협의 끝에 사회적 대타협의 산물로 만들어낸 차였다.

때로 '사회적 대타협'이란 신기루 같았다. 단적으로 노동자의 처우가 열악하면 노동계가 함께할 이유가 없고, 반대로 사업성이 떨어지면 기업이 참여할 이유가 없었다.

시작은 2017년 대통령의 공약이었다. 대통령은 상생형 지역 일자리의 모델로, 광주형 일자리를 제시했다. 지역 경제 주체들이 대화와 타협을 통해 새로운 경쟁력 요소를 발굴하고, 이를 기초로 신규 투자와 일자리를 만들어내는 방식. 당시 적지 않은 이들이 회의적인 시선을 보낸 것은 당연했다. 가보지 않은 길이었던 만큼 실현 가능성에 물

상생형 지역 일자리 사업으로 탄생한 '캐스퍼'

음표가 따라붙은 것이다.

예상대로 과정은 순탄치 않았다. 1년 반의 노력으로 2018년 9월 겨우 도출해낸 잠정 합의안이 협약의 유효 기간 문제로 깨지기도 하고, 경제사회노동위원회의 원탁 회의도 3차례나 가졌다. 2018년 12월에는 대통령 참석이 예정되어 있던 협약식이 하루 전날 취소되기도 했다.

해당 사업을 담당했던 당시 청와대 일자리수석은 매일 천당과 지옥을 오가는 심정이었다. 협의가 막히거나 뒷걸음질할 때면 언론과 야당의 비판도 매서웠다.

"타결 직전까지 갔다가 결렬된 것만 세 번이었습니다. 대통령 행사 일정을 취소해야 한다는 보고를 드려야 할 때는 얼마나 면목이 없던지. 발걸음이 천근만근이었지요."

대통령 공약이자 역점을 두고 진행하던 사업이 계속 지지부진하니

자연스레 질책이나 문책으로 연결될 수도 있던 때였다. 하지만 대통령의 반응은 늘 한결같았다. 정태호 수석은 일정 취소 보고를 들은 대통령의 첫마디를 또렷이 기억하고 있었다.

"기다려주어야 합니다. 인내심을 가져야 합니다."

지난한 협상에 지쳐 있던 일자리수석이 다시 힘을 낼 수 있던 원동력이었다. 이후에도 협상 결렬과 일정 취소 보고가 이어져도 대통령의 인내는 변함이 없었다. 마치 당연한 과정이라는 듯 "한 걸음씩 앞으로 나아가자"고 독려했다.

그리고 2019년 1월 31일, 마침내 광주시와 현대차의 투자 협약이 최종 타결됐다. 노·사·민·정이 함께 만들어낸 기나긴 협의에 마침표가 찍혔다. 당시 기준, 초임 연봉 3,500만 원, 주 40시간 노동, 협력사 간 공정 거래와 경쟁력 강화 지원, 그리고 노·사·민·정 협의회를 통한 소통을 지속하는 것이 합의의 골자였다.

공장의 차체 설비와 조립 설비를 100% 국산화하고 스마트 공장을 통한 최적화로 원가 경쟁력도 갖췄다. 사업 기간 3년 동안 5,754억 원을 투자해 903명의 신규 일자리를 창출할 계획이며, 2021년 12월 기준 고용 인원 553명 중 93%인 518명이 광주·전남 출신 지역 인재로 채용되었다.

광주 상생형 일자리의 성공 모델은 전국에서 동시다발적으로 이어지고 있다. 광주 이외에도 횡성(초소형 전기 화물차), 군산(전기차), 밀양(뿌리 산업), 부산(전기차 부품)에서 협약이 체결됐고, 구미(양극재), 대구(자동차 부품), 신안(해상 풍력)이 3차례 심의 위원회를 거쳐 상생형 지역 일자리 사업으로 선정됐다.

광주글로벌모터스 공장 준공식(2021. 4. 29.)

2021년 9월 14일, 대통령은 캐스퍼의 판매 첫날 '광클'에 동참했다. 카키색 캐스퍼였다. 사비로 구매한 만큼 퇴임 후 양산으로도 함께 가는 각별한 차가 될 예정이다. 10월 6일 인수식에서는 대통령이 청와대 경내를 직접 운전하기도 했다. 대통령의 '귀욤뽀짝' 캐스퍼가 세상에 첫선을 보인 날이었다.

대통령이라고 조바심이 나지 않았을 리 없다. 야심 차게 내놓았던 공약이었고 야당과 언론의 시선은 늘 엄밀했다. 지지부진한 협의가 더 큰 갈등만 양산한다면 미완의 과제로 남겨둘 수도 있었다.

하지만 그렇게 하지 않기 위해 시작한 과제였다. 사회적 대타협이라는 아득해 보이는 표상을 기필코 실현해보고자 출발한 사업이었다. 고통스러운 과정을 모르고 시작하지 않았기에 어쩌면 묵묵한 기다림은 필연적인 과정이었는지도 모른다.

어떤 열정적인 구호나 공약도 단 한 번의 구체적 실천에 비할 바가 되지 못한다. 그리고 실천에는 여지없이 값이 든다. 때로 상대에게 적의를 느낄 정도의 치열한 협상, 조금의 진전 없이 속절없이 흐르는 시간, 그리고 그 모든 걸 삼켜내는 인내까지. 참모들이 혀를 내두르는 대통령의 강단은 결과를 만들어내기 위한 그 지독한 인내에 있었다.

"우리는 오랜 경험을 통해 조금 느리게 보여도 함께 전진하는 것이 우리 모두에게 좋다는 것을 알고 있습니다. 성급하게 자기 것만을 요구하는 것보다 조금씩 양보하면서 함께 가는 것이 결국은 빠른 길이라는 것을 잘 알고 있습니다."

문재인 대통령(광주글로벌모터스 공장 준공식, 2021. 4. 29.)

죽비를 맞다,
미완의 부동산 정책

죽비를 맞았다. 정책의 결과는 기대에 미치지 못했다. 전 세계적 금리 인하 기조와 적극적 재정 정책으로 인한 유동성 강화 등의 대외 조건은 혹독한 상수였다. 대내적으로는 1인 가구가 급증하고 수도권 쏠림 현상이 강화되었으며, 증가한 주택 수요와 유동성이 주택 시장으로 집중되었다. 대통령은 국정의 최종 책임자로서 수차례 국민께 사과했다.

주권자 국민께 권력을 위임받은 대리인은 정책을 수립하고 실천한 결과를 토대로 총체적 평가를 받는다. 위임받은 권력이 막중한 만큼 '무한 책임'은 필연적이다. 그래서 대통령은 상승한 부동산 가격으로 깊이 좌절한 국민 앞에 "죽비를 맞았다"는 표현을 썼다. 대통령의 표현은 정부 공직자 모두가 함께 드리는 뼈아픈 성찰의 표현이었다.

정부의 정책 방향은 투기 억제를 통한 가격 안정, 도심 내외를 막론한 주택 공급, 그리고 서민 주거 복지, 3가지 갈래로 진행되었다. 어떤 부분에서 미진했고 얼마만큼 소기의 성과는 있었는지 겸허히 기록하는 것은 '그럼에도 불구하고' 앞으로 나아가야 하기 때문이다. 그래서 오늘의 성찰과 진단은 미완의 정책이 반드시 완수되어야 한다는 절박한 의지의 발로이다.

곡선의 분기점들

2008년 글로벌 금융 위기 이후 침체했던 주택 시장은 2013년 말부터 회복세를 보였다. 당시 정부는 2014년 거시 경제의 축소 균형 악순환을 우려하여 전방위적 규제 완화와 저금리 정책을 시행했다. 그 결과 2015년부터 집값은 본격적인 오름세를 보였으며, 가계 부채도 2016년 말 기준 1,343조 원으로 급증했다.

문재인정부는 출범 초기부터 주택 시장 안정화를 위한 적극적인 정책에 나섰다. 주택 공급 측면에서는 3기 신도시를 포함하여 수도권 30만 호 등 중장기적 공급 기반을 확충하고, 광역 교통망 등 연결성 강화로 서울 주거 수요의 분산을 유도했다. 또한 LTV·DTI 등 금융 강화, 양도세 강화 등을 통해 투기 수요를 억제했다. 그 결과 가계 부채 증가율이 2015부터 2017년 사이 연 10%대에서 2019년 4%대로 감소하고, 2019년 상반기 서울 아파트 가격이 1.79% 떨어지는 등 주택 시장이 안정세를 회복했다.

그러나 우리 경제는 2018년 이후 미중 무역 분쟁, 일본의 수출 규제, 브렉시트 등 글로벌 불확실성 증가, 미국 등 해외 주요국의 금리 인하 기조에 직면했다. 소규모 개방 경제로서 우리 경제도 이러한 흐름에서 자유로울 수 없었으며, 한국은행은 2019년 7월 기준금리 인하를 단행했다. 시중 주택 담보 대출 금리는 2008년 7% 수준에서 2020년

2.5%로 떨어졌고, 이례적인 0%대 기준금리 하에서 발생하는 자산 인플레이션으로 2019년 하반기 이후 집값은 급등했다.

금리 인하 전후 아파트 가격 변동률

이러한 상황에서 2020년 초 코로나19 팬데믹이 발생했다. 민생 경제 위기 극복을 위해서는 완화적 통화 정책, 적극적 재정 정책이 불가피한 선택이었으나, 주택 시장 관리 관점에서 보면 0%대 기준금리는 매우 큰 위협 요인이었다. 정부는 곧바로 5·6, 8·4, 3080+ 대책 등 도심 내 공급 확대 정책, 6·17, 7·10 대책 등 고강도 금융·세제 정책을 통해 시중 유동성의 과도한 주택 시장 유입 차단에 나섰지만, 대응에 한계가 있었다. 그 결과 미국, 독일 등 해외 주요국과 마찬가지로 우리나라도 집값이 급등하는 자산 인플레이션 현상이 발생했다.

2021년 4분기 들어 주택 시장은 다시 안정세를 찾아가고 있다. 3080+ 등 도심 내 주택 공급, 사전 청약을 통한 공급 효과 조기화, 그리고 K-방역 성과를 바탕으로 주요국 중 가장 앞서 통화 정책 정상화 착수, 고강도 가계 부채 관리 대책 등이 시행되었다. 그 결과 2021년

■ **금리 인하 전후 아파트 가격 변동률**

구분		부동산원		KB
		동향 조사	실거래 지수	동향 조사
금리 인하 전	2017.5.~2019.6. (26개월)	전국 -0.8 수도권 4.3	전국 0.9 수도권 9.5	전국 3.3 수도권 8.9
금리 인하 후	2019.7.~2021.10. (28개월)	전국 21.9 수도권 29.2	전국 43.3 수도권 59.4	전국 29.8 수도권 40.2

8월 기준금리 인상 두 달 후 10월부터 집값 상승세가 둔화되기 시작했다. 2021년 12월 기준, 전국 집값은 11주 연속으로 상승 폭이 급격히 둔화되었고, 2022년 3월 기준, 수도권과 전국이 모두 하락 전환되었다. 중장기적 관점에서도 단기·중기·장기 핵심 변수인 금리·공급·인구 3대 변수가 주택 시장에 트리플 하방 압력을 강화하여 하향 안정세가 예상되고 있다.

투기 억제를 위한 대출 규제와 세제 개편

정부의 1차 과제는 투기 억제를 통한 가격 안정화였다. 실수요 중심 시장을 조성하기 위해 다주택자·법인 등의 투기적 추가 매수에 대한 세제·금융 규제를 강화하고, 주택 단타 거래나 과세 우회를 위한 법인 활용 매수에 대해서는 취득·보유·양도 과정에서 세 부담을 강화했다. 고가 주택 구입 시 LTV 축소, 투기 지역 및 투기 과열 지구 DTI 축소, DSR 도입, 투기 지역 및 투기 과열 지구 내 시가 15억 원 초과 아파트 대출 금지 등 주택 구입 시 자부담 비율을 높여 과도한 수익 실현을 예방하고자 했다.

2018년 7월 6일에는 과세 형평을 제고하고 부의 편중 현상을 완화하고자 종합부동산세 개편 방안을 발표했다. 공정 시장 가액 비율을 인상하고, 과표 6억 원을 초과하는 구간의 세율을 0.1~0.5% 인상하며 3주택 이상 보유자에게는 0.3%씩 추가 과세하는 방안이었다.

같은 해 9월 13일 '주택 시장 안정 대책'에서는 기존 발표안보다 이를 추가 강화하기로 최종 결정하고 일반 2주택 이하 보유자는 과표 3억 원 초과자에 대해 0.2~0.7%p, 조정 대상 지역 2주택자와 3주택 이상 보유자는 모든 과표 구간에 대해 0.1~1.2%p 세율을 높였다. 세 부담 상한도 종전 150%에서 조정 대상지역 2주택자는 200%, 3주택 이상은 300%로 확대했다. 이후 2019년 12·16 주택 시장 안정화 방안, 2020년 7·10 주택 시장 안정 보완 대책을 통해 다주택자를 중심으로 세율이 추가 인상되면서 현재는 일반 2주택 이하자는 과표 구간별로 0.6~3.0%, 3주택 이상과 조정 대상 지역 2주택자는 1.2~6.0%의 종합부동산세 세율이 적용되고 있다. 조정 대상 지역 2주택자의 세 부담 상한도 3주택자와 동일하게 300%로 확대되어 적용 중이다.

실수요자 중심의 세제-금융-청약 제도 개편

반면 1세대 1주택자 등 서민·실수요자를 위한 혜택은 강화했다. 세제 측면에서는 1세대 1주택자 재산세율 인하, 종부세 1세대 1주택자 기본 공제 9억 원에서 11억 원으로 상향, 양도세 1세대 주택자 비과세 기준 9억 원에서 12억 원으로 상향을 시행했다. 금융 지원 측면에서는 서민·실수요자에 대한 LTV·DTI를 최대 20%p까지 상향하고, 전세 대출 및 디딤돌·보금자리론 등 정책 모기지는 DSR 규제 예외 허용 등 공급을 위한 지원을 강화했다. 그 결과 서울 아파트의 다주택자 매수 비중이 2019년 10.5%에서 2021년 5.6%로, 법인 매수 비중이 2019년 3.3%에서 2021년 0.6%로 감소하는 등 실수요자의 매수 비중이 확대되었다.

내 집 마련을 기다리는 실수요자를 위해 청약 시장도 개편했다. 선호도가 높은 신축 아파트는 오랜 기간 내 집 마련을 준비해온 무주택자에게 돌아가도록 하고, 민영 주택 공급 시 일반 공급 주택 수의 최대 100%까지 가점제를 적용했다. 아울러 예비 입주자 선정 시에도 추첨제가 아닌 가점제를 우선 적용했다.

투기적 청약 참여는 적극 차단했다. 청약 가점제의 고득점자가 여러 차례 분양을 받고 되팔아 시세 차익을 실현하는 것을 차단하기 위해 재당첨 제한을 강화하고, 수분양자의 전매 제한 기간 등을 확대했다. 특히, 분양가 상한제가 적용되는 지역에 대해서는 전매 제한 기간을 최대 10년, 거주 의무를 최대 5년간 부여하여 청약 제도가 실수요자 중심으로 운영되도록 했다. 또한 정비 사업의 조합원 분양에도 5년간의 재당첨 제한을 도입한 결과, 2017년 약 86% 수준에 머물렀던 서울 무주택자 청약 당첨 비율이 2021년 기준 약 99% 수준까지 상승했다.

공시 가격 현실화

공시 가격은 '부동산 공시법'에 따라 시장에서 거래 성립 가능성이 가장 크다고 인정되는 '적정 가격'을 기준으로 정해져야 하나, 그간 시세보다 낮게 공시하는 관행이 오랜 기간 누적되어왔다. 이에 따라 공시 가격의 시세 반영률이 부동산 유형별·가격대별로 다르게 형성되어 조세·복지 수급 등의 불형평성이 지속되었다. 2020년 11월, 정부는 공시 가격이 적정 가치를 반영하고, 수직적·수평적 형평성을 확보할 수 있도록 부동산 공시법에 따라 '공시 가격 현실화 계획'을 수립·발표했다.

그러나 공시 가격 현실화와 함께 공정 시장 가액 비율 인상 등이 함께 이루어지며 국민 조세 부담이 급격하게 증가한다는 비판도 제기되었다. 정부는 현실화 계획이 국민의 과도한 부담으로 이어지지 않도록, 2021년 공시분에 대해 재산세·종합부동산세·건강보험료 등 관련 제도별 보완 방안을 시행했다.

'3기 신도시', 수도권 30만 호 공급

3기 신도시는 역대 최고 수준의 공급 물량의 한 축을 담당했다. 2018년 9월, 정부는 수도권에 1차 17곳 3.5만 호 공급을 시작으로 총 30만 호의 공급 방안을 발표했다. 2차로 남양주, 하남, 인천, 과천 등 서울 도심까지 30분 내 출퇴근이 가능한 수도권 대규모 택지에서 12.2만 호, 중소 규모 택지에서 3.3만 호를 추가 확보했다. 3차로 고양, 부천 등에서 수도권 대규모 택지 5.8만 호, 중소 규모 택지 5.2만 호를 확보했다. 특히 남양주, 하남, 인천, 과천, 고양, 부천 등 이른바 '3기 신도시'에 공급되는 주택에 대해서는 청약 1~2년 전에 실시하는 사전 청약을 통해 청약 대기 및 매매 수요를 완화하고자 했다.

주택의 공급은 실수요자 주거 지원을 위한 공공성 강화를 위해 공공 주택 위주(공공 임대 35% 이상)로 하되, 임대-분양 비율은 지역별 주택 수요에 따라 지자체와 협의하여 탄력적으로 적용했다. 또한, 분양가 상한제가 적용되는 수도권 공공 택지 내 공공 분양 주택에 대해서는

■ **30만 호 신규 주택의 연차별 공급(분양) 계획안**

(단위: 만 호)

구분	계	2021	2022	2023	2024	2025
주택 수	30	0.5	2.0	5.0	8.0	14.5

* 공급 시기는 지역 여건, 주택시장 상황에 따라 조정 가능

전매 제한(최대 6→8년), 거주 의무(최대 3→5년) 요건 등을 강화했다.

사전 청약 제도, 내 집 마련의 꿈을 더 빨리

정부는 2021년 4월 공공 분양 '사전 청약' 제도를 본격 도입하고 물량을 3만 호로 확정했다. 사전 청약 제도는 공공 분양 주택의 공급 시기를 조기화(약 1~2년)하는 제도로, 무주택 실수요자의 내 집 마련 기회를 앞당기고 수도권 청약 대기 수요를 상당 부분 해소하는 공급 제도이다. 4차례 사전 청약 과정에서 국민의 호응이 매우 크자 물량을 2,000호 더 추가하여 3.2만 호로 확대했고, 8월에는 공공 택지 내 민간 분양과 2·4 대책에 따른 도심 후보지 사업 등에도 확대 도입하기로 했다. 이를 통해 2021년 물량은 3.8만 호로 확대되었고, 2024년 상반기까지 사전 청약 공급 물량은 16.9만 호까지 늘어났다.

2021년 3.8만 호의 사전 청약 과정에서 공공 분양 기준 평균 경쟁률은 21대 1로 최근 5년 수도권 평균 경쟁률 2.6:1을 크게 웃돌았다. 특히 7월 사전 청약 시행 이후 30대 이하의 서울 아파트 매수 비중이 44.8%에서 11월 39.9%로 하락하는 등 젊은 세대의 추격 매수 심리 진정과 시장 안정에 실질적으로 기여한 것으로 평가되고 있다. 2022년부터는 2021년 대비 약 2배 수준의 7만 호를 공급하되, 면적(중대형)·브랜드 등 선호도가 높은 민간 물량을 절반 이상인 3.8만 호 공급할 계획이다.

패러다임의 전환

3기 신도시 등 공공 택지 지구 조성을 통한 정부의 노력은 2017년부터 2020년까지 연평균 공공 택지 지구 지정 9.1만 호라는 수치로 나타났다. 2008년부터 2016년까지의 2.8만 호를 3배 이상 웃도는 실적이었다.

그러나 입지 및 공급 시기 측면에서 부조화가 있었다. 먼저 국민이 원하는 도심 내 공급이 충분하지 못했다. 서울시는 2012년부터 2015년까지 총 292개 구역, 약 9.7㎢에 해당하는 정비 구역을 해제한 반면, 2011년부터 2020년까지 신규 지정한 정비 구역은 연평균 17개 구역에 불과했다. 이는 민간 분양 아파트 공급 감소로 이어졌고, 저금리에 반응하며 늘어난 수요를 충족하기에는 한계가 있었다. 3기 신도시와 같이 도심 외곽 지역 공급의 경우 공공 택지 지정을 통해 중앙정부 주도로 신속하게 공급할 수 있었으나, 도심 내의 경우 지방 분권화 추세에 따라 2005년 이후 대부분의 도시 계획 및 주택 건설 사업 인허가 권한이 지방으로 이양된 실정이었다.

주택 공급 관련 중앙정부-지자체 권한

지금까지 도심 내 대규모 공급은 재개발·재건축이 서울 아파트 공급의 68%를 차지하는 등(2019~2022년) 주로 정비 사업을 통해 추진되어왔다. 지자체가 정비 계획을 수립하고, 토지주들이 조합을 구성해 의견을 조율하며 사업을 추진했던 탓에 실제 착공까지 절차가 복잡하고 이해관계 조정에 상당한 시간이 소요되었다. 비정비 구역 또한

■ 주택 공급 관련 중앙정부-지자체 권한

		도시 계획 (기본 계획, 군 관리 계획)	지구 지정 (지구 단위 계획)	사업 계획 승인
도심 내	일반 사업	지자체	지자체	지자체
	3080+	지자체	국토부	지자체
도심 외(공공 택지)		-	국토부	공공 공급: 국토부 민간 공급: 지자체

일정 규모 이상의 공동 개발을 위해 토지주들의 의견을 조율해야 하니 의견 조정이 쉽지 않고 부지 확보도 어려웠다.

역세권의 경우 대형·소형 건물이 혼재되어 있고, 도로에 접한 건물과 이면에 있는 건물 등 소유주들 간 이해가 상충해 세입자들의 내몰림 우려가 있었다. 준공업 지역은 대형·소형 공장주, 사업이 잘되는 공장과 쇠퇴한 공장 그리고 인근 지역의 주거 시설 소유주 간 갈등이 존재했다. 저층 주거지는 소유자들 간의 개발 비용 부담 능력의 차이, 월세 수입에 의존하는 고령자 등으로 공동개발이 어려워짐에 따라 노후화가 심화하는 상황이었다.

신개념 주택 공급, 도심 내 대규모 공급이 시작되다

정부는 공공 재개발을 도입하고 용산 정비창을 개발하는 5·6 대책, 태릉 CC, 과천 청사 부지 등을 확보하는 8·4 대책, 그리고 2021년 3080+ 대책까지 연이은 도심 내 주택 공급 대책을 발표했다. 특히 2020년 8월 발표된 8·4 대책은 도심 내 공급 정책을 강화하는 신호탄이었다. 태릉 CC, 과천 청사 부지 등 신규 택지를 활용하여 3.3만 호를 공급하고, 공공 재건축 도입 및 공공 재개발을 활성화해 7만 호를 확보하기로 했다. 노후 공공 임대를 재정비하고 공실 상가 오피스를 주거 전환해 0.5만 호도 추가로 확보했다.

2021년 2월 발표된 2·4 대책은 도심 내 주택 공급을 정부의 부동산 정책으로 전면화한 정책이다. 특히 '3080+ 대책'으로 대표되는 도심 공공 주택 복합 사업(이하 '도심 복합 사업')은 기존의 난관을 넘어 도심 내 주택을 공급하는 새로운 패러다임을 만들었다. 서울 32만 호, 전국 83만 호를 목표로 민간 사업 개발이 어려웠던 역세권, 준공업 지역, 저층 주거지 등 저이용·노후화된 지역에 공공이 참여하여 다양한 인센티브를 제공하고, 부담 가능한 가격의 주택을 획기적인 속도로 대량 공급하는 방식이었다.

다양한 인센티브와 편의가 제공되었다. 공기업이 사업에 참여할 시 토지 소유자들 스스로 사업을 추진할 때보다 10~30% 높은 수익률을 보장하고, 아파트·상가를 우선 공급하도록 했다. 세입자가 사업 시행 지구 밖으로 이사하는 경우 주택 연면적 기준에 따라 노임, 차량 운임, 포장비를 포함한 이사비를 지원하고, 지구 지정일 당시 3개월 이상 거주한 사람은 4개월분에 해당하는 가구원 수 기준의 월 평균 가계 지출비를 지급받는다. 건설 기간 중에는 수도권 공공 택지와 신개발 사업에서 공급되는 공공 임대·공공 자가 주택을 임시 거주지로 제공했고, 건설 후에는 해당 지구에 공급되는 물량의 일부를 해당 지구에서의 거주 기간 등을 고려한 우선순위를 정해 재정착 공공 임대의 활용으로 공급했다. 아울러 사업을 통해 발생하는 개발 이익은 토지주 추가 수익, 쾌적한 주거를 위한 생활 SOC 확충, 특수 상황 토지주 보호, 세입자 이주, 공공 자가·임대 주택 등에 활용하는 등 공공성을 강화했다.

> "처음에는 재개발에 대한 주민들의 정서적 거부감이 컸습니다. 그런데 제가 설명회에서 정책을 들어보니 '최고의 재개발이 될 수 있겠다', '집행부에서 욕심을 조금 버리면 조합원들, 주민들은 행복해질 수 있겠구나' 싶었습니다. 저희는 3080+ 정책 옷을 만들어서 입고 다녔어요. 제가 느낀 대로, 정책의 있는 그대로만 전달하면 이건 안 할 수 없다고 생각했습니다. 저는 정부를 믿고, 조합원들은 저를 믿는 거죠. 저는 앞으로 민간 재개발은 없고 이런 재개발은 있어야 된다고 생각할 정도입니다. 마이크 들고 제가 다 알리고 싶어요."
>
> **김명희**(주민 대표, 서울특별시 영등포구 신길 2구역)

공급의 경우 분양 주택을 중심으로 공급하되, 소비자의 선택권 확대를 위해 공공 임대 주택과 공공 자가 주택도 수요에 맞게 공급할 계획이며, 전체 공급 물량의 70~80%는 토지 소유자 우선 공급 물량을 포함한 공공 분양으로, 나머지 20~30% 범위에서 공공 임대와 공공 자가 주택을 혼합하여 공급할 예정이다.

사업 구역 간 순환 개발을 위해 초기 '도심 복합 사업'에서 공급되는 공공 임대·공공 자가 물량은 후속 사업의 이주 단지로 우선 활용하고, 본격적인 이주(철거)가 개시되는 2023~2026년 동안 토지주·세입자·영세 상인의 희망에 따라 수도권 택지의 공공 임대·공공 자가로 이주 또는 정착할 수 있도록 지원한다. 아울러 사업 구역에 대한 투기 수요 등 유입을 방지하기 위해 2021년 6월 29일 법 국회 의결일 이후 공공 주택 복합 사업 내 부동산을 취득하는 경우 아파트·상가 우선 공급권을 부여하지 않고 '현금 청산'하기로 제도화했다.

도심 부지의 창조적 '영끌'

신개념 도심 주택 공급 정책은 도시 재생을 통한 공급도 포함했다. 사업 부지 확보를 위해 불가피하게 필요한 지구 지정·수용 방식을 도입하고 기반 시설 정비 등에 재정을 지원했다. 이를 통해 향후 5년간 서울에 총 0.8만 호, 경기·인천 1.1만 호, 지방 광역시 1.1만 호 등 총 3만 호가 공급될 예정이다.

소규모 재개발 사업을 위한 부지 확보에도 나섰다. 토지주 동의 비율 규제를 완화하고 사업 시행 구역 지정 이후 1년 내 동의 요건 미충족 시 구역을 해제토록 하여 사업의 장기화도 방지했다. 향후 소규모 재개발 사업을 통해서는 5년간 서울 4만 호, 경기·인천 0.5만 호, 지방 광역시 1.5만 호 등 총 6만 호를 공급할 계획이며, 소규모 관리 지역은 5년간 서울 2.2만 호, 경기·인천 1.1만 호, 지방 광역시 1.7만 호 등 총 5만 호를 공급할 예정이다.

13년에서 1.5년으로 단축, '상전벽해'

'도심 복합 사업'의 도입으로 5년간 서울 11.7만 호, 경기·인천 3.0만 호, 지방 광역시 4.9만 호 등 총 19.6만 호 공급이 발표되었다. 일반 분양분에 대해서는 사전 청약을 통해 조기 공급할 예정으로, 지구 지정부터 주택 분양까지의 시간은 민간 재개발 사업에 비해 약 10년 이상 단축이 가능해졌다.

특히 2·4 부동산 대책의 핵심인 3080+ 모델은 후보지 발표 9개월 만에 분당·판교·광교 신도시 3곳을 모두 합친 규모인 15만 호 수준의 후보지를 발굴했고, 주민들의 높은 호응 속에 일반 재개발이라면 5년이나 소요되었을 지구 지정을 후보지 선정 이후 9개월 만에 달성했다. 조합 설립 등의 복잡 절차를 단축하고 사전 청약을 시행한다는 점에서 이후 과정도 기존 13년에서 1.5년으로 획기적으로 단축될 것으로 예상되고 있다. 이는 주택 수급 관리의 근원적 문제인 공급 시차를 획기적으로 단축한다는 면에서 장래 시장 안정에 큰 의미가 있다.

"구역 지정이 보통 5년씩 걸리는데 저희는 6개월 만에 끝났어요. 엄청나게 빠르게 진행되고 있는 거죠. 처음엔 공공 주도라고 하니 주민들 반발이 있었던 게 사실입니다. 저도 부정적인 시각으로 봤고요. 그런데 보도 자료를 자세히 보고 은평구, LH랑 미팅도 하니까 '이대로만 가면 정말 괜찮은 사업이다'라고 생각이 바뀌었어요. 자주 드린 말씀인데, 단군 이래 최대 인센티브를 부여한 사업이라고 생각합니다. 저희 구역은 20년간 민간 주도 재개발을 추진하면서 아픔이 컸던 곳이거든요. 입지는 좋지만 사업성은 좋은 구역이 아니었습니다. 그런데

'도심 복합 사업' 지역 주민 회의

공공이 주도하면서 기부채납도 줄여주고 원주민 지원도 한 명도 누락 없이 마련되었습니다. 저희 구역이 1,850세대가 되는 큰 구역인데 전국에서 가장 빨리 주민 동의를 받았습니다. 주민들 호응이 폭발적입니다."

박홍대(주민 대표, 서울특별시 은평구 증산 4구역).

문재인정부 4년간 연평균 약 54.6만 호의 주택이 공급(입주)되었다. 1만 명당 신규 주택 공급량이 104호로 나타나는 등 미국·영국 등 해외 주요국들과 비교해 높은 공급 실적을 기록했다. 향후 10년간 연평균 전국 56만 호, 수도권 31만 호, 서울 10만 호 등의 공급이 예정되어 있으며, 주택 공급 시차를 단축하는 도심 공급 모델을 통해 향후 10년간 205만 호를 신속하게 공급할 수 있는 기반이 구축되었다.

■ 시기별 주택 입주 물량 비교(만 호)

	2005~2007	2008~2012	2013~2016	2017~2020
전국	36.3	35.7	45.0	54.6
수도권	16.6	19.1	20.6	28.1

■ 주요 국가의 1만 명당 신규 주택 공급 비교

	한국	미국	영국	일본
인구 수(만 명)	5,200	32,700	6,600	12,600
주택 공급(만 호)	54	112	21	94
1만 인당 공급(호)	**104**	34	32	75

* 최근 5년간 연평균 주택 공급량 기준

주거 복지 안전망 구축

정부는 출범 초기부터 '주거 복지 로드맵'을 마련했다. 이전 정부들이 연간 9만~11만 호가량의 공공 임대 주택을 확보했던 것과 달리, 연간 14만 호 이상의 역대 최고 수준의 공공 주택을 공급했다. 2020년 현재 공공 주택 재고 약 170만 호를 확보하였으며, 이는 OECD 평균 재고율 8% 수준에 해당한다. 특히 기존 좁은 평형 위주의 공공 임대에서 탈피하여 60~85㎡ 수준으로 평형을 확대하고, 마감재를 개선하는 등 공공 임대 주택의 품질 개선을 추진했다.

생애 주기별 맞춤형 주택·금융 지원도 추진했다. 제1차 청년 기본계획(2021~2025년)을 계기로, 청년에 대해서는 청년 특화 주택을 플랫폼으로 하여 학업·취업 간 연계를 지원하고, 청년 우대형 청약 통장 등을 마련했다. 신혼부부에게는 분양 주택·분납형 주택·10년 분양 전환 임대 등 선택 옵션을 부여하는 신혼희망타운을 2022년까지 분양 10만 호 및 임대 5만 호 공급을 목표로 추진했고, 2021년에는 위례와 평택에서 최초 입주를 개시했다. 이외에도 청년·신혼부부 맞춤형 정책 모기지, 특별 공급 비중 확대, 특별 공급 내 추첨제 일부 도입 등 청약 기회 확대를 위한 조치도 이행했다. 고령자에게는 복지 서비스(복지관)를 결합한 고령자 복지 주택을 도입하여 의료 등 서비스를 확대하고, 배리어 프리 설계 및 자가 수선 등을 지원했다.

취약 계층의 주거 복지를 위해 주거 급여 지원 대상을 2017년 중위 43%(81만 가구)에서 2021년 중위 45%(129만 가구)로 60%가량 확대했고, 급여 수준도 2017년 월 11.7만 원에서 2021년 월 16.9만 원 수준으로 40%가량 늘렸다. 또한 미혼 청년에게는 주거 급여 분리 지급을 추진하여 거주 현실에 맞는 지원을 위해 노력했다. 아울러 고시원·비닐

신혼부부 및 청년 주거 주택 발표(2018. 7. 5.)

하우스 등 비주택 거주자를 공공 임대 주택으로 이주해주는 주거 상향을 2017년 약 1,000호에서 2020년 약 6,000호까지 확대했으며, 쪽방촌 정비 사업, 재난 사고 등에 의한 위기 가구에 긴급 지원 주택도 적극 공급했다.

적극적인 주거 복지 정책의 결과, 최저 주거 기준 미달 가구는 2017년 114만 가구에서 2020년 92만 가구로 감소했으며, 1인당 주거 면적도 2017년 31.2㎡에서 2020년 33.9㎡로 상승하는 등 전반적인 주거 수준 향상을 달성했다. 공공 임대 170만 가구, 주거 금융 지원 94.5만 가구, 주거 급여 지원 129만 가구 등 무주택 임차 가구의 40%에 해당하는 약 353만 가구에 주거 복지 서비스를 제공했다.

민간 등록 임대 사업자 특혜 논란

정부는 2017년 전체 임차 가구의 70%에 달하는 사적 임대차 시장의 임차인들의 주거 불안을 해소하고, 다주택자의 제도권 편입을 위해 과거부터 지속 운영해오던 '등록 임대 사업자 제도'의 활성화를 추진했다. 임대 사업자로 등록하면 임차인을 위한 임대 의무 기간을 준수하고 임대료 증액 제한을 받는 방식이다. '임대 등록 활성화 방안'을 통해 임차인이 안심하고 오래 거주할 수 있도록 양도세 중과 배제, 종부세 합산 배제 등의 혜택을 받기 위한 의무 임대 기간 요건을 8년 이상으로 강화하고, 재산세 감면 혜택을 3년 연장하였다.

그러나 2018년 이후 다주택자의 투기적 매수에 대한 세 부담 강화 등을 추진하면서 등록 임대 사업자에 대한 혜택이 상대적으로 우월하게 되자 조세 부담을 우회하는 제도로 인식되기 시작했다. 2017년 활성화 방안 이행 결과, 개인사업자 기준 2017년 98만 호 수준이던 등록 임대 주택은 2020년 160만 호로 급증했다. 이것이 매물 잠김, 집값 상승의 원인이라는 지적이 제도 폐지론까지 연결되었다. 이후 정부는 등록 임대 사업자 제도의 세제 혜택 등을 조정하기 시작했으며, 계약갱신청구권 제도 도입 등 임대차 3법 개정을 계기로 동일한 정책적 목표를 갖고 있는 단기 유형(4년 민간 등록임대제도)을 폐지하는 등 제도 정비를 진행했다. 그러나 이 과정에서 정책의 일관성 부족, 국민 신뢰 훼손이라는 비판에도 직면했다.

임대차 3법 도입

정부는 2020년 7월 사적 임대차 시장에서의 임차인 보호를 위해 학계, 시민사회, 국회 등 다양한 주체를 중심으로 오랫동안 논의되어 왔던 임대차 3법(갱신 요구권, 전월세 상한제, 임대차 신고제)을 시행했다. 임대차 3법은 기본 계약 기간을 1년에서 2년으로 늘린 1989년 주택 임대차 보호법 개정 이후 30여 년 만에 이루어진 큰 제도 변화였다. 제도 도입 당시 1989년 임대 기간 연장 시처럼 단기적 시장 불안, 거래 관행으로 인한 혼선 및 제도 정착의 어려움이 예상되었지만, 안정적인 주거 기간 보장, 임대료 급등 방지, 임차인 정보 비대칭성 해소를 통한 임차인 주거 안정을 위해 과감하게 제도 도입을 추진하였다.

제도 도입 초기에는 실제 일부 혼선이 발생하기도 하였다. 집주인 실거주를 통한 갱신 거절, 이중 가격 현상 등이 사회적 이슈가 되었다. 정부는 새로운 임대차 제도가 거래 관행으로 정착되도록 하기 위해 분쟁 조정 위원회 확대 설치, 제도 홍보 등을 적극 추진했다. 그 결과 제도 도입 전 57.2%에 머물렀던 갱신율 수준이 2021년 5월 기준 77.7%까지 상승했다. 다만 여전히 제도 시행 초기인 만큼 지속해서 제도 운영 상황을 주시하며 보완의 필요성도 검토해나갈 필요가 있다.

미완의 개혁, 남겨진 과제

"부동산 정책의 성과는 가격의 안정이라는 결과로 집약되게 되는 것인데, 그것을 이루지 못했기 때문에 정말 부동산 부분만큼은 정부가 할 말이 없는 그런 상황이 되었습니다. 거기에 더해 LH공사의 비리까지 겹쳐지면서 지난번 보선을 통해서 정말 엄중한 심판을 받았습니다. 정말 죽비를 맞고 정신이 번쩍 들만한 그런 심판을 받았다 생각합니다."

문재인 대통령(취임 4주년 특별 연설 질의응답 중에서, 2021. 5. 10.)

"죽비를 맞고 정신이 번쩍 들었다"라는 대통령의 표현은 과언이 아니었다. 국민께 가장 큰 질책을 받은 분야였다. 부동산 시장에 불어닥친 매수 열풍을 진정시키지 못했고, 청년 세대는 급등하는 시장을 보며 영끌('영혼까지 끌어모으다'라는 뜻의 신조어) 매수에 나서거나 좌절을 거듭해야 했다. 2021년 4분기부터 주택 시장이 안정세를 찾아가고 있으나, 그동안의 상승 곡선에 비할 바가 되지 못한다.

이 글을 빌려 국민께 거듭 면구스런 마음을 올린다. 뼈아픈 죽비의 시간을 있는 그대로 정리하며, 절박한 민생 과제를 완수하지 못한 송구함을 하릴없이 기록하고자 한다.

interview

"부동산, 신뢰 회복의 길"

변창흠(전 국토교통부 장관)

전임 국토교통부 장관의 인터뷰는 국민에 대한 '사과'로 시작됐다. 문재인정부의 모든 공직자가 그렇듯, 부동산 정책에 대한 송구한 마음을 표현하지 않고 대화를 시작하기 어려워 보였다.
그는 줄곧 국민의 '신뢰 회복'을 강조했다. 어떠한 좋은 정책이 나와도 정책에 대한 국민 신뢰 없이는 효과를 거두기 어렵다는 걸 누구보다 체감한 그였다.

"국민께 죄송…신뢰 회복 위해 노력해야"

4개월여 짧은 재임을 마치면서 마지막까지도 강조한 말이 "신뢰 회복"이었습니다. 돌아보면 소회가 어떻습니까?

짧은 기간 국토부 장관으로 재직하면서 주택 가격 상승을 막지 못했다는 점에서 국민께 죄송하게 생각합니다. 특히나 주택 정책의 신뢰 회복이 중요했는데 결국은 저나 국토부, 그리고 제가 기관장을 맡았던 기관으로 인해 국민적 신뢰가 오히려 떨어진 게 아닌가 하는 아쉬움이 큽니다.

다만 가격 상승기에는 모든 정책이 가격 상승의 유발 원인으로 지목되기 때문에 정책 책임자뿐만 아니라 실무자도 아주 조심스럽고 당혹스러울 때가 많습니다. 특히 국토부 역할은 주택의 공급과 가격 지표 결정이 핵심적인데, 공급 결정은 주로 가격이 오를 때 이루어지지만 실제 공급은 그로부터 6~7년 후이기 때문에 다른 부처보다도 특히나 신뢰가 필요합니다. 신뢰 회복을 위해서 다 같이 노력을 해야 한다고 생각합니다.

집값을 안정시키려면 공급을 늘려야 한다는 요구가 컸습니다. 문재인정부의 공급량을 데이터로 보면 어떻습니까?

저는 부동산을 연구한 사람이니까 통계를 자주 살펴보잖아요. 문재인정부가 출범했을 때 확인 가능했던 주택 공급 물량 수치를 보면 워낙 좋았어요. 역대 최대의 인허가량을 가지고 있어요. 평상 한 해 평균 50만 호 정도를 안정적인 공급량으로 보고 있는데, 2015년 76만 5,000호, 2016년은 73만 호였습니다. 그러면 2017년에 출범한 정부가 볼 수 있는 수치는 2015, 2016년 것이니, 그걸 보면서 '앞으로 주택 가격이 혹시 오를지도 모르니까 공급을 더 많이 해야겠다' 이렇게 생각하기가 쉽지 않죠.

그런데 그때부터 인허가량이 계속 줄었기 때문에 문재인정부에서는 전반적으로 주택 공급이 부족했다고 생각할 수 있습니다. 그런데 실제 주택 공급량은 인허가량 기준이나 입주량 기준으로도 과거보다 훨씬 많다는 점이 여러 통계를 통해 밝혀졌습니다. 물론 주택 공급량이 많더라도 많은 사람은 신도시보다는 기성 시가지에서 공급되기를 바라고, 또 공급되더라도 그게 나한테 저렴한 가격으로 분양받을 기회가 주어지길 바라는데 이런 부분에서 세심한 배려가 부족했던 거죠.

서울에만 32만 호, 전국에 83만 호…'역대 최고' 공급 대책
역대 최고 물량으로 '패닉 바잉' 막겠다는 의지

> 결국 국민 개개인이 처한 상황에 맞는 공급 측면에 아쉬움이 있었다는 건데, 일명 변창흠표 1호 대책으로 불렸던 '2·4 대책'은 어떻게 달랐습니까?

지금까지는 주택 공급 확대 정책을 추진한다고 하면 대상지로 신도시 또는 대규모 택지 개발 지구를 찾거나 서울에서 빈 땅을 찾았거든요. 서울 시내에서 빈 땅을 가장 집중적으로 찾아서 공급하겠다는 정책이 8·4 대책이었죠. 가령 태릉 골프장이나 과천 정부종합청사 앞 광장 부지, 상암 랜드마크 부지, 서울서부면허시험장, 이런 빈 땅을 찾았는데요. 8·4 대책까지 발표된 후에는 더 이상 주택 공급을 위해 활용할 빈 땅이 없게 되었잖아요. 그러면 서울 시내에서 주택 공급량을 늘리는 방법은 재개발·재건축을 확대하는 건데 이 방식은 워낙 규제도 많고 기간이 오래 걸리는 데다 워낙 복잡하고 힘들다는 걸 국민이 다 알고 계세요.

그러다 보니 '더는 서울에서는 주택 공급이 없겠네?'라고 생각하실 수밖에 없었고, 공급 부족 때문에 주택 가격이 오를 것이니 지금 주택 가격이 제일 싸다고 판단하신 거예요. 그래서 '패닉 바잉'에 사활을 건 주택 매입이 이루어졌다고 봅니다.

대도시권 주택 공급 획기적 확대 방안을 발표하는 변창흠 장관(2021. 2. 8.)

2·4 대책은 서울 도심에서도 충분히 주택 공급이 가능하다는 것을 보여주면서 그것을 통해서 패닉 바잉을 막자, 지금 당장은 아니더라도 앞으로는 충분한 공급이 된다는 신호만 드려도 수요자들이 '지금 당장 서둘러서 집을 사지 않아도 된다'라고 판단할 거라고 생각한 거죠.

2·4 대책에서 공급하겠다고 발표한 물량을 표현한 것이, 이 대책의 이름에 포함된 '3080+'입니다. 서울에서 30만, 전국 80만에 플러스를 붙여 그 이상을 공급한다는 거거든요. 분당의 주택 공급 가구가 10만 호이고, 강남 3구 아파트가 대략 30만 호예요. 그런데 2·4 대책에서 서울에 공급하겠다는 주택 호수가 32만 3,000호였으니 강남 3구 전체 아파트보다 더 많은 양을 공급한다는 거니까 엄청난 거죠.

10개월 만에 도심 주택 공급 후보지 '16만 호' 확보
83만 호 중 '44만 호' 부지 확보

'3080+' 공급 물량이 지금까지 나온 것 중에서는 최대입니다. 관건은 서울 등 대도시에서 집을 지을 수 있는 땅을 찾아내는 거잖아요. 어떻게 가능하다고 본 겁니까?

발표 당시에도 일부 언론이나 비판하시는 분들이 "상상 임신이다. 부지 없이 어떻게 공급 가능하냐. 사기다." 이런 극단적인 표현까지 써서 과도한 물량이라고 평가하기도 했는데요. 최근에 발표된 국토부 보도자료를 보니 도심 복합 사업은 벌써 16만 호가 확보되었더군요. 2·4 대책이 발표된 지 1년도 안 지났어요. 이런 자료를 보면 2·4 대책의 공급 예정량 발표가 그냥 뜬구름 잡기였냐, 결코 그렇지 않았다는 거죠.

그리고 최근 발표한 게 서울에서 7개 지구가 본 지구로 지정됐습니다. 거의 1만 호 정도 공급 계획인데, 본 지구 지정이 되려면 10% 주민 동의를 받아서 예비 지구 지정하고 1년 내에 3분의 2 이상 동의를 받아야 하거든요. 보통 민간에서 이 단계까지 가려면 5년 정도 걸리는데 9개월 만에 해낸 거잖아요. 신속하게 공급할 수 있는 시스템이 만들어진 거죠.

집중 공급할 대상지로 가장 우선 고려한 곳이 저층 주거지, 두 번째 역세권, 세 번째 준공업 지역이었습니다. 저층 주거지는 재개발·재건축을 해야 하는데 사업성이 부족한 곳이 많잖아요. 그런 데는 예외적으로 규제를 풀고 용도를 변경해서 사업성을 높여주는 방식입니다.

그다음에 역세권은 의외로 밀도가 낮아요. 왜냐하면 이미 지가가 비싸고, 토지 이용이 복잡해서 개발하기가 어렵습니다. 그래서 '이런 지역들이 교통이 편리하기 때문에 집중적으로 고밀도 개발하면 정말 교통이 편리한 지역에서 주택을 대량으로 공급할 수 있다' 이렇게 봤습니다. 예를 들어 7호선 용마산역이 있는데, 신논현역까지 17분 걸리거든요. 그런 지역도 역 출구에서 나오면 1~2층짜리 노후 주택이 있어요. 그러니까 그런 지역을 고밀도 개발하면 강남에 20분, 30분 만에 도달할 수 있는 거예요. 이런 데를 집중 개발하자는 거죠.

준공업 지역은 어떻게 개발하는 구상인 겁니까?

서울에는 준공업 지역만 20㎢, 약 6,000만 평이 있어요. 분당의 10배죠. 이 지역을 집중적으로 개발해야 하는데, 준공업 지역에는 원칙적으로 공장이 입지하도록 용도가 지정되었지만, 요즘은 벤처기업용 빌딩들이 주로 건설되고 있죠. 이런 지역들에 대한 규제를 완화하거나 용도 변경을 지원하면 복합 개발이 가능하고, 4차 산업혁명 시대에 맞는 산업을 수용할 수 있는 공간으로 다시 태어나게 만들 수 있습니다.

그런데 이렇게 용도 변경을 해주거나 규제를 완화해버리면 가격이 오르잖아요. 우리가 주택을 공급하는 이유가 가격을 안정화시키기 위한 것인데 공급하는 과정에서 대상 지역의 부동산 가격이 상승하면 공급 원가가 높아지겠죠. 그래서 공공 주체가 나서서 개발 과정에서 발생할 수 있는 개발 이익을 관리하고, 규제 완화가 되더라도 대상 지역의 부동산 가격이 상승하지 않도록 만드는 게 중요합니다. 이게 2·4 대책의 가장 핵심이고요. 한 가지 더 말씀드리면 개발 이익을 환수해서 배분하려면 공공 주체가 전면에 나서서 전체 사업을 총괄할 수 있어야 합니다. 토지 확보라든지, 개발 이익 환수라든지, 아니면 공익을 위한 여러 가지 기능이라든지, 원주민 재정착 방안을 마련한다든지, 이런 대책들이 밀집돼서 만들어진 게 바로 2·4 대책이다. 이렇게 설명할 수 있습니다.

부처 내 우려도 있었지만 "서울은 생각보다 넓다. 신뢰만 얻으면 충분한 물량을 공급할 수 있다" 설득

그런데 2·4 대책은 기존 택지 공급 대책과 접근 방향이 달라서 부처 내부적으로는 우려가 컸다면서요?

2·4 대책 방식으로 도심에서 너무 많은 물량을 공급한다는 것에 대해서 익숙하지 않은 거죠. 몇만, 몇천 호가 아니라 갑자기 10만, 20만, 30만 호를 추가로 공급하자고 하니 걱정들을 많이 했죠. 저는 계속 공무원들과 이야기를 하면서 "서울은 정말 생각보다 넓다. 땅이 없어서 주택을 공급 못 하는 게 아니다. 우리가 제도만 제대로 만들면 지속적으로 많은 주택을 공급할 수가 있다. 거기다가 국민의 신뢰만 얻으면 충분한 물량을 공급할 수 있으니 걱정하지 마라"라고 설득했습니다. 개인적으로 SH 사장, LH 사장을 하면서부터 공공이 주도해서 개발할 때 빨리, 싸게 주택을 공급할 수 있다는 걸 실제 경험해봐서 도심에서도 충분히 주택 공급이 가능하다는 확신이 있었고요. 국토부 공무원들도 나중에는 신뢰를 가지게 되면서 과감하게 물량을 늘리게 됐습니다.

문재인 대통령이 2021년 11월 국민과의 대화에서 "2·4 대책 같은 공급 대책이 일찍 마련됐으면 도움 되지 않았을까" 하고 아쉬움을 표현했는데요. 공급 대책 발표 전 대통령의 어떤 주문이 있었습니까?

대통령님은 가격 상승 국면에서 정부가 계속 부동산 대책을 발표해도 효과가 잘 나타나지 않으니까, 어떻게 해야 정부 정책이 신뢰를 얻을 것인가에 대해서 안타까워하셨어요. 2·4 대책 초안을 대통령님께 보고드렸더니 상당히 만족해하셨습니다. 공급이 이 정도까지 가능한 것에 대해서 의아해하셨고요. 공급량이나 공급 방식에 대해서 상당히 신뢰를 심어주셔서 저도 기쁘게 생각했죠. 다만 도심에서 주택을 공급하는 게 수많은 민원이 예상되고 토지 수용 과정에서 부작용이 예상되는 만큼 차질 없이 추진하라고 말씀하셨습니다.

이례적 민·관 소통의 결과… 건설 업계 "정부 공급안, 적극 동참할 것"

> 2·4 대책 발표 후, 건설업계에서 "정부의 주택 공급 확대 방안을 200만 건설인과 함께 동참하겠다"며 환영의 입장을 냈습니다. 실질적인 정책 파트너로 업계와는 어떻게 소통하신 건가요?

16개 단체가 속한 한국건설단체총연합회가 있어요. 여기서 "우리가 2·4 대책에 동참하겠다"라고 발표했습니다. 저도 '과거에 정부 정책 발표 때 이런 입장을 표명한 적이 있었나?' 생각했을 정도로 상당히 획기적이었는데요. 물론 2·4 대책을 마련하기 전부터 계속 소통을 했습니다. 정책을 만들면서 가장 신경 쓴 주체가 민간이고, 그다음이 서울시였습니다. 서울시는 주택 공급뿐만 아니라 도시 계획을 중시하기 때문에 주택 공급 확대 정책을 조건 없이 수용하기 어렵고, 공급하게 되더라도 서울시가 직접 관리하고 있는 SH가 있기 때문에 중앙정부의 통제를 받지 않아도 스스로 하겠다는 의지가 강하잖아요.

그런데 정부가 주택 공급의 기지로 서울시로 활용하려고 하니 상당한 설득이 필요했는데 그 당시에 서울시장도 공석이었기 때문에 부시장단, 시의회 의원, 도시 계획 전문가들, 외부 서울시 자문위원들 구청장협의회 등과 여러 번 만났죠. 왜 이런 방식의 주택 공급이 필요하고 서울시와 역할 분담을 어떻게 할 것인가에 대해서 이야기했고요.

실무선에서도 끊임없이 협상했어요. 사실은 서울시 의견을 대부분 들어준 겁니다. 처음에는 특별법을 만들어서 중앙정부가 지구 지정하고 LH가 주도하는 방식도 검토했었는데, 서울시에서는 도시 계획 권한을 주장하고, 지구 지정 권한과 인허가권, 심의권을 서울시가 직접 행사하겠다고 강력하게 주장해서 서울시 의견을 대부분 수용했습니다.

입주권 부여 않는 '현금 청산'…가격 안정 효과로

2·4 대책에 현금 청산 내용이 들어가면서 개인 재산권 침해라는 문제가 지적되기도 했습니다. 왜 필요하다고 보신 건가요?

2·4 대책에도 불구하고 집값이 한참 동안 오르지 않았던 아주 중요한 이유는 특별한 장치를 해두었기 때문입니다. 보통 개발 사업을 위한 지구 지정을 할 때 투기 억제를 위해 토지 거래 허가 구역으로 묶어놓거든요. 그런데 2·4 대책은 미리 지정할 지구가 없잖아요. 미리 개발하기로 정해둔 구역이라는 게 없으니까 개발이 예정된 지역은 전부 잠재적으로 주택 가격이 폭등할 수 있는 대상이 되는 거죠. 그래서 2·4 대책이 발표된 그다음 날 2월 5일 이후에 주택을 구입한 경우에는 "만일 공공 주택 복합 사업을 2·4 대책 방식으로 하게 되더라도 그 이후에 주택 구입한 사람에게는 현금으로 청산해주지, 주택 분양권을 주지 않는다"라고 미리 밝혀둔 거죠. 투기를 막으려고요.

그때 어마어마한 비판을 들었어요. "왜 사유재산권을 과도하게 규제하느냐." 난리가 났잖아요. 하지만 이런 조치 덕분에 이 지역에서 거래가 딱 끊긴 거예요. 투기 목적으로 살 수 없으니 가격이 오를 수 없잖아요. 결국 도심에서 엄청난 물량의 공급 계획이 발표됐음에도 대상 지역에서 상당한 가격 안정 효과가 있었죠.

공급 대책 '신호'만 줬는데…"이미 효과"

▌ 마지막으로, 공급 대책의 효과는 언제 어떻게 나타날까요?

일반적으로 주택이 공급된다고 하면 공급 효과는 실제 입주 기준 일에 나타나는 것으로 알고 있잖아요. 하지만 2·4 대책은 발표했을 때부터 가격 상승율이 급하게 떨어졌어요. LH 사태가 터졌는데도 9주간 떨어졌거든요. 그건 공급 대책 발표 자체가 가진 상징적인 의미가 있다는 거예요. 주택 공급에 대해 강력한 신호만 준 거죠. 그러니까 공급이라는 건 적합한 위치에 적당한 평형과 가격의 주택을 분양받을 수 있다는 시그널만 주면 그 효과는 지금 당장 나타날 수 있다는 것을 보여준 거예요. 반대로 정책에 대한 신뢰의 틀이 깨지면 신도시를 발표했는데도 가격이 오르는 거죠.

사실 발표 초기의 가격 추세로 보면 진작 효과가 나서 주택 시장이 안정될 수 있었는데 LH 사태나 보궐선거 결과로 한 9개월을 시장이 혼란을 겪었던 거죠. 하지만 국민이 다 보고 계시거든요. '계속 주택이 공급되네? 2·4 대책이 안 된다더니 잘 되네?' 그러면 '금리도 오르는데 굳이 지금 사야 하나? 다음에 사지 뭐' 이런 생각을 할 수 있잖아요. 살까 말까 헷갈릴 때 조그만 힌트 하나 때문에 결정을 미룰 수 있는 거죠. 그럼에도 참 아픈 게 2·4 대책은 공공 주도형 모델이고 그것은 곧 LH 주도형이잖아요. LH에 대한 신뢰가 흔들리니까 '이게 되겠나? 믿을 수 없네' 국민께서 이런 걱정을 많이 하셨습니다. 그런 오해들이 풀리면서 시장이 정상화되고 있는 게 아닌가 싶지만, 참으로 아프고 죄송한 일이었습니다.

부동산 시장이 고점을 넘나들던 2020년 12월 취임한 그였다. 그의 임무는 주택 공급을 획기적으로 늘리는 일이었다. 의욕적으로 설계한 대책은 주택 공급의 패러다임을 바꿨다. 2021년 발표된 2·4 대책의 핵심인 '3080+' 정책은 도심 주민의 뜨거운 호응과 함께 순항하고 있다.

"정부는 남은 기간 동안 하락 안정세까지를 목표로 두고 있습니다. 우리 정부로서는 부동산 문제에 대해서 '잘했다'라고 말할 수 있을지는 모르겠습니다. 적어도 다음 정부에 어려움이 넘어가지 않도록 해결의 실마리를 임기 마무리까지 찾겠습니다."

문재인 대통령은 2021년 10월 열린 '국민과의 대화'에서 연신 송구한 마음을 전했다. 대통령의 약속처럼 정부는 마지막까지 서민 주거 안정을 위해 최선을 다할 것이다. 미완의 개혁 앞에 죽비 같은 회초리를 되새기며 국민께 면구스런 보고를 올린다.

4부

나라다운 나라

재난 대응,
여기 국가가 있습니다

컨트롤 타워는 청와대

세월호 참사가 불과 몇 해 전 일이었다. 그 어떤 것도 국민의 생명과 안전에 우선할 수 없다는 명제. 동시에 청와대가 국가적 재난의 컨트롤 타워가 되어야 한다는 원칙. 정부가 국민의 신뢰를 회복하기 위해 입증해야 할 2가지였다. 국가적 재난마다 대통령이 그 점을 자주 강조했던 이유이다.

근본적인 변화가 필요했다. 시스템을 재구성했다. 재난 발생 시 청와대와 행정안전부 등 관계 부처를 중심으로, 육상 재난은 소방청, 해상 재난은 해양경찰청이 현장 지휘권을 갖도록 했다. 중앙과 지방이 협력해 대응하는 국가 재난 관리 체계를 확립하고 범정부적 영상 회의 시스템을 구축해 신속한 상황 관리와 협업을 체계화했다. 소방, 경찰, 해경, 군, 자치단체 등 재난 대응 기관이 실시간으로 정보를 공유하고 대응할 수 있도록 세계 최초로 전국 대상 4세대 LTE 기반의 재

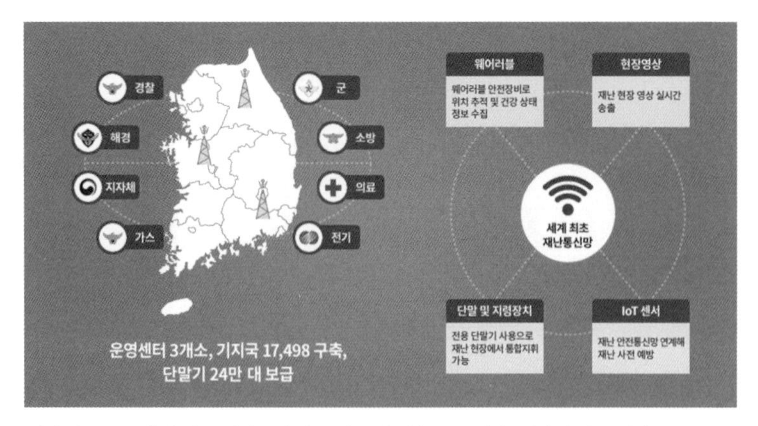

세계 최초로 구축한 전국 대상 4세대 무선 통신 기술(LTE) 기반 '재난 안전 통신망'

난 안전 통신망을 구축했다.

2019년 고성, 강릉, 인제 등에서 동시다발적으로 발생했던 강원도 대형 산불 시, 정부는 산불 발생 초기부터 전국의 가용 소방력 총동원 명령을 내렸다. 각지에서 온 소방차 872대와 소방관 3,251명, 헬기 105대 등이 13시간 만에 산불을 진압했고 당시 강원도로 향하는 소방차의 행렬은 많은 언론과 국민께 큰 주목을 받기도 했다.

조류 인플루엔자(AI) 방역에도 새로운 대응 패러다임을 도입했다. 농장별로 전담 공무원제를 시행하고, 야생 조류 위치 추적기를 부착해 철새의 이동과 도래지를 상시 모니터링했다. 그 결과 2020~2021년 야생 조류 AI 검출은 4년 전과 비교해 3.57배 증가했지만, 농장 내 AI 발생 건수는 71.4% 감소했다.

해양 안전 관리 시스템을 선진화하는 데도 심혈을 기울였다. 우선 해양 안전 관리 전담 기관인 한국해양교통안전공단을 출범하고, 2020년 8월에는 안전 조업법도 제정했다. 이런 노력 속에 2020년 해양사고 인명 피해율은 사고 100건당 4명으로 2016년 5.1명에 비해 감소했다.

폭염과 한파 등에 대응하기 위해 전국에 그늘막과 냉난방 시설을 갖춘 버스 정류장 통합 쉼터를 지속해서 설치하고 있다.

폭염·한파·미세 먼지도 '재난'

2018년 '폭염'과 '한파'를 자연 재난에 추가하고 2019년에는 '미세 먼지'를 사회 재난에 포함하여 매해 종합 대책을 수립해 관리하고 있다. 폭염과 한파에 대응하기 위해 전국에 그늘막과 냉난방 시설을 갖춘 버스 정류장 통합 쉼터 등을 지속해서 설치했고, 매년 미세 먼지 농도가 심한 기간에는 배출 가스 5등급 차량 운행 제한, 석탄 발전 가동 축소, 대형 사업장 자발적 감축 등 미세 먼지 계절 관리제(12~3월)도 시행하고 있다.

확 바뀐 소방 조직 체계

2017년, 국민안전처 하부 조직이었던 중앙소방본부를 '소방청'으로 독립시켰다. 모든 육상 재난에 대해서는 소방이 책임과 권한을 가지고 현장을 지휘하게 하기 위한 조치였다. 2020년에는 국가직과 지방직으로 이원화됐던 소방 공무원의 신분을 국가직으로 일원화했다.

화재 진압 등 재난 상황 시의 현장 대응 방식도 바뀠다. 초기 투입 인원만으로 대처가 어려울 때 단계적으로 수위를 올렸던 과거 방식 대신, 재난 초기부터 소방 인력과 장비를 집중 투입해 최고 수위로 우선 대응한 뒤, 단계적으로 완화하는 방식을 도입했다.

관할에 대한 개념도 바뀠다. 시·도가 인접한 지역을 공동 대응 구역으로 설정해 관할을 따지지 않고 재난 현장과 가장 가까운 출동대를 편성해 총력 대응하는 체계로 개편했다. 이러한 변화를 통해 2020년 10월 울산 33층 주상 복합 아파트 화재 당시 전국의 소방차와 인력을 긴급 동원했고, 결국 단 한 명의 사망자나 중상자 없이 진화할 수 있었다. 코로나19 현장에도 119 구급차 전국 동원령을 발령해 대구(2020년 2월), 수도권(2020년 12월)의 지역 확진자 1만 3,000여 명을 신속하게 이송한 바 있다.

정부는 화재 진압대, 구조·구급대 등 현장 부족 인력 2만 명을 확충하기로 하고 2021년 말까지 1만 7,815명을 충원했다. 이에 따라 골든 타임을 지킬 수 있는 여건이 개선되어 2020년의 소방차 7분 이내 도착률은 2016년과 비교해 2.6%p 높아졌고, 인명 구조 인원도 16.2%p 증가했다. 기존에는 119 구급차에 운전 요원 외 구급 대원 1명만 탔지만, 인력 충원으로 구급 대원 2명이 탑승하는 비율이 2016년

■ **현장 인력 충원으로 대폭 개선된 '소방 활동 지표'**

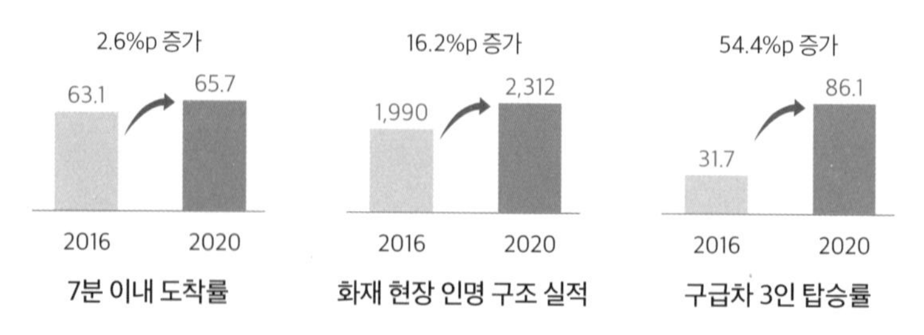

31.7%에서 2020년에는 86.1%로 높아졌다. 소방관 1명만 근무하는 '1인 지역대'가 2018년에 모두 사라졌고, 119 구급대가 없는 농어촌 지역에 구급차 95대를 배치해 응급 의료 사각지대도 줄여가고 있다.

국민의 안전을 위해 부활한 해경

정부는 2017년 7월 독립된 중앙 행정 기관인 해양경찰청을 재출범시켰다. 2019년에는 해양 사고와 재난을 해경이 책임 있게 관리하도록 하는 해양경찰법을 제정하고, 파출소·구조대 등의 현장 인력 2,094명을 확충했다. 해양 분야 전문가도 적극적으로 채용해 인적 역량을 강화했으며, 임무 수행에 꼭 필요한 함정·항공기·구조 장비 등도 보강했다. 이러한 노력의 결과, 2020년에는 해양 사고 대응 시간을 30분 이내로 획기적으로 단축했고, 1시간 내 대응률도 2016년에 비해 5.9% 증가했다. 해상 조난 사고 인명 피해는 2016년 98명과 비교해 2020년에는 70명으로 28.6% 줄었다.

■ 해양경찰청 재출범 이후 해양 사고 대응 변화

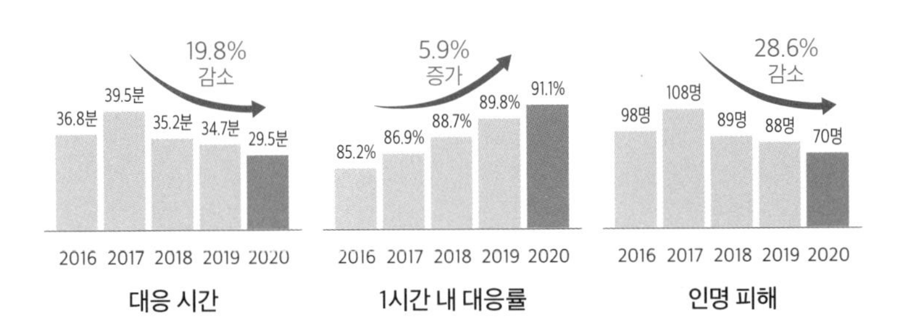

국가는 국민의 삶을 포기하지 않습니다

자살은 우리나라 인구 5대 사망 원인 중 하나다. 교통사고와 산업 재해로 목숨을 잃는 이들을 합친 것보다 2배 이상 많다. 정부는 역대 정부 중 처음으로 '자살 예방과 생명 존중 문화 확산'을 국정 과제에 포함했다. 신설된 국무총리 소속 자살예방정책위원회가 컨트롤 타워를 맡아 범정부 정책 추진 체계를 구축했다. 2017년 28개소였던 자살예방센터는 2021년 53개소로 증가했고, 전담 인력도 2020년 대비 1,000명 이상 추가 확충했다.

특히 과학적 근거에 기반을 둔 자살 예방 정책을 수립했다. 경찰청 자료를 기반으로 자살 사망자 전수 조사와 유가족 대상 심리 부검, 국가 자살 동향 시스템 운영이 대표적인 예다. 자살 고위험군 발굴을 위해 생명 지킴이를 양성하고 자살 시도자 사후 관리와 유족 지원 원스톱 서비스 사업도 구축했다.

무엇보다 2020년은 전 세계가 코로나19 대유행 속에 '코로나 블루'와도 맞서야 했던 해다. 우리나라에서도 코로나19로 인한 우울감을 호소하는 국민이 늘고, 사회적 거리 두기 등으로 정서적 지지 기반이 약해지는 등 자살 유발 요인이 커지고 있었다. 이에 정부는 2020년 1월 통합 심리 지원단을 운영하고 범정부 심리 지원 대책을 발표했다. 그 결과 2020년 자살 사망자와 자살률은 전년 대비 4.4% 감소했고, 2021년에는 (11월 잠정치 기준) 자살 사망자 수가 전년 동기 대비 625명 감소했다. 여전히 아픈 통계이지만 국민의 삶을 지키기 위한 정부의 노력은 계속될 것이다.

전 세계 어디에서도 대한민국 국민임을 잊지 않는다

국민의 생명과 안전을 지키는 일에 국내외가 나뉠 수 없다. 인도, 중국, 이란, 페루, 이라크 등 전 세계 어디든 위기에 처한 국민의 삶도 빈틈없이 지켜야 했다. 정부는 해외에 체류하는 국민을 보호하고 재외동포 지원을 확대하는 것을 100대 국정 과제로 선정했다. 외교부 재외동포영사국을 실로 승격시키고, 역대 정부 최초로 청와대에 재외동포담당관실을 신설했다.

특히 코로나19가 전 세계를 강타한 2020년과 2021년에는 의료 환경이 열악한 곳의 재외 국민께서 하늘길이 막혀 귀국하지 못하는 상황이 빈번했다. 정부는 중국 우한을 시작으로 이란, 페루, 이라크, 이탈리아, 에티오피아 등 총 10차례의 정부 임차 전세기와 군용기를 투입했다. 민간 항공편과 다른 국가의 임차 전세기 등 활용할 수 있는 모든 수단을 동원했다. 그 결과 2021년 9월 말 기준 122개국 재외 국민 6만 2,000여 명의 안전한 귀국이 이루어졌다.

당시 긴박한 귀국 과정을 겪은 국민의 소감은 『우리의 특별한 귀국 이야기 2020』이라는 책으로 발간되어 큰 관심을 모았다.

> "4월 13일 항공 운항이 중지된 카사블랑카의 모하메드 5세 공항은 경찰과 직원, 환경미화원들만 근무했기 때문에 텅 비어 있었고, 출발 안내 전광판에는 단 한 개의 비행 정보만 떠 있었다. 바로 GRAND SEOUL, 우리가 탈 비행기였다. 초현실적이었다. 이번처럼 한국의 국력을 실감한 적이 없다."
>
> 김성희(코로나19 당시 모로코 카사블랑카에서 귀국)

"기장님의 이륙 멘트에 나는 결국 눈물샘을 터뜨렸다. '여러분의 고국까지 안전하게 모시겠습니다.' 고국이라는 그 단어가 뜨겁게 내 가슴에 와닿았다. 이전까지 한 번도 느껴보지 못했던 감정이었다. 비행기에 동승했던 한 명의 확진자로 인해 2주간의 격리 생활을 하면서 '국가란 무엇인가' 하는 제법 묵직한 생각을 하기도 했다. 그리고 뇌를 스친 두 글자, 모국. 한국 땅에 도착했을 때 '아, 이제 엄마한테 왔구나. 난 이제 살았구나. 난 엄마가 있었구나' 하는 안도감. 혼란스러운 상황의 한가운데에서 국민을 귀하게 여기는 국가, 한 명의 자식이라도 외면하지 않으려는 어머니의 마음을 느끼게 된 순간들이 되살아나 이 글을 쓰는 동안 다시 가슴 뛰게 한다."

안상남(코로나19 당시 이란 테헤란에서 귀국)

한편 외국에서 코로나19에 확진된 국민께서 적절한 의료 서비스를 받는 것도 중요했다. 마스크 등의 방역 물품, 비대면 원격 진료를 지원했다. 코로나로 일시 귀국했지만 생활 기반이 있는 외국으로 돌아가려는 국민의 복귀도 정부의 업무 과제였다.

해외에서 태풍·지진, 항공기·선박 사고 등 긴급 재난이 발생했을 시에도 국민 곁에 함께하기 위해 애썼다. 해당 재외 공관이 자체

정부는 코로나19로 하늘길이 막혀 돌아오지 못하는 국민의 귀국을 도왔다(사진은 모로코에서 귀국한 김성희 씨).

대응하기 어려울 때는 신속 대응팀을 해당 지역으로 즉시 파견했다. 2019년 5월, 헝가리에서 우리 국민 33명이 탄 선박이 침몰하는 사고가 발생하자 외교부에 중앙재난안전대책본부를 설치하고 현장에 신속 대응팀 선발대를 급파했다. 강경화 외교부 장관을 비롯해 수색과 신원 확인, 실종자 가족 지원 등을 위해 소방, 경찰 등 총 81명의 정부 합동 신속 대응팀이 헝가리에 파견됐다. 정부가 외교부에 중대본을 설치해 범정부 해외 재난 대응에 나선 첫 사례였다.

"지나치다 싶을 정도로 해야 합니다."

재난 상황 때면 대통령이 자주 강조했던 말이다. 국가 공동체가 주권자 국민을 포기하지 않는다는 믿음, 유능하고 신속하게, 때로 지나치다 싶을 만큼 혼신을 다하고 있다는 믿음을 드려야 했다. 문재인정부가 가졌던 이 절박함은 단순히 정책 담당자의 선의나 열정에만 기인하고 있지 않다. 바로 대한민국이 겪었던 뼈아픈 시간이 그 원형이었다. 앞으로 어떤 정부도 국가적 재난에 대응하는 유능함을 증명하지 않고는 국민의 엄중한 평가로부터 자유로울 수 없을 것이다. 그 선례를 남겼다는 자부심이 있다.

interview

"꼭 다시 오겠습니다"

김일응(전 주아프가니스탄 대사관 공사참사관)

"꼭 다시 오겠습니다."

외교관은 약속을 지키기 위해 탈출 일주일 만에 테러의 위협이 도사린 현장으로 돌아갔다. 일말의 주저함은 없었다. 생사고락을 함께한 동료였기에 반드시 지켜야 했고, 그것이 국제사회 일원으로서 당연한 책무라고 여겼다. 두 딸에겐 비밀에 부칠 수밖에 없었다.

동맹국의 협조 속에서 진행된 수송 작전은 톱니바퀴가 맞물리듯 빈틈없이 진행되었다. 무엇보다 아프가니스탄 특별 기여자들을 향한 우리 국민의 따뜻한 환대는 미라클 작전을 진정한 '기적(miracle)'으로 완성하였다.

수송 작전을 총괄한 김일응 주아프가니스탄 대사관 공사참사관은 미라클 작전을 '선진국 대한민국의 책임과 국격을 보여준 일'이라고 표현했다.

탈출 일주일 만에 다시 카불로…
"두렵다는 생각은 안 들었습니다.
성공하든, 실패하든 무조건 '해야 한다' 생각뿐이었습니다"

> 함께 일한 현지인 직원을 다시 만나 포옹하는 사진이 크게 화제가 됐습니다. "다시 돌아오겠다." 그 약속을 지키기 위함이었지만, 솔직히 두렵지는 않으셨나요?

(2021년) 8월 15일에 카불에서 나왔습니다. 탈레반이 카불을 점령하면서 바로 미국 군용기를 타고 나오게 됐죠. 다시 들어간 건 8월 22일에서 23일로 넘어가는 자정이었어요. 사진은 (아프가니스탄 조력자들을) 파키스탄까지 이동시키기 직전 25일 아침에 찍은 건데요. 카불에서 나오고 일주일 후에 들어갔을 땐 한국인 인명 피해 가능성이 있으니 본부에서는 재진입 자체를 해야 할지 고민이 많았습니다. 하지만 일을 진행해왔던 저로서는 외교부 본부에서 승인해주기를 굉장히 바랐어요. 우리에게 도움을 청한 아프가니스탄 조력자들을 공항으로 진입시켜서 비행기에 태워야 하는데 현장에 사람이 없으면 미군과 조율

아프가니스탄 공항 밖에서 특별 기여자를 찾는 '미러클' 작전팀

이 어렵잖아요. 일본은 그 부분이 부족했던 건데, 그 일을 하려면 들어가야 했으니까요. 그래서 두렵다는 생각은 거의 안 들었어요.

약속을 지킨 사람, 약속을 지킨 정부

> 아프가니스탄 현지인 391명을 데려오는 정부의 이송 계획은 언제부터 검토됐고, 어떤 과정 속에서 진행된 겁니까?

(2021년) 7월 초부터 과거에 한국 기관에서 근무했던 분들이 대사관으로 찾아와서 다른 선진국처럼 자신들을 한국으로 이송해달라는 요청을 했습니다. 당시는 탈레반이 수도 카불을 포위해오던 상황이었기 때문에 현지 조력자들이 신변에 상당한 위협을 느끼고 있었거든요. 그래서 면담을 진행하고, 다른 나라는 어떻게 하는지 사례도 파악해서 본국에 보고했죠. 결국 결정은 본국에서 해야 하니까요. 이송 결정은 8월 초순에 확정됐는데요. 그전까지는 이분들이 (한국 기관에서) 근무한 사람이 맞는지, 테러 단체와 연관은 없는지, 확인하는 작업을 병행했습니다.

> 하지만, 작전명 '미러클'이 말해주듯이 성공을 확신하기 힘든 상황이었죠?

우리 정부로서는 처음 해보는 일 아니겠습니까? 모든 게 불확실했고 가변적이었기 때문에 성공을 자신할 수 있는 상황은 아니었어요. 하나하나 만들어가야 했는데요. 하지만 '성공', '실패' 이런 생각보다는, 그저 '해야 할 일을 해야 한다'라는 생각으로 진행했습니다.

아프간 탈출 작전 100% 성공…비결은 '버스'와 '탄탄한 연락망'
탈레반, 공항 이송 버스 15시간 붙들어…가장 힘들었던 시간

▌ 돌아보면 아찔한 순간도 많았을 것 같습니다.

다시 카불로 들어갔을 때만 해도 우리가 미리 여행 증명서 사본을 이메일로 보내줬고, 그걸 가지고 공항에 들어오면 됐기 때문에 도보로 게이트 이동이 가능할 줄 알았어요. 그런데 23일 들어가서 보니까 종일 26명밖에 못 들어온 거예요. 밖에 있던 조력자들에게 연락을 해보니 게이트마다 수천 명씩 사람이 몰려서 들어갈 수 없다는 이야기를 하는 겁니다. 그래서 다른 방법을 찾은 게 버스를 이용하는 방법이었죠. 미군을 통해 아프가니스탄 현지 버스 회사 번호를 받고 임차를 한 다음 아프간 조력자들과 상의해 집결지를 정했어요. 그 과정을 하루 만에 다 한 거예요. 그렇게 공항에 들어올 줄 알았는데 (탈레반이 공항 정문 앞에서 버스 통과를 막는 바람에) 15시간 가까이 버스 안에 갇혀 있었죠. 이러다 못 들어오는 거 아닌가 하는 걱정에 제일 힘들었던 시간이었죠.

▌ 15시간 동안 버스에 갇히는 아찔한 상황도 겪었지만, 결과적으로 아프가니스탄 조력자들이 모두 무사히 공항 내에 진입할 수 있었는데요. 당시 '버스 모델'을 활용하자는 아이디어는 누가 처음 낸 겁니까?

당시 미국 주도로 우방국 외교부 차관 그룹 미팅이 있었거든요. 우리 최종문 2차관님도 참석했는데요. 미국 쪽에서 도보 진입은 힘들 것 같으니 버스를 이용해 진입하는 방식이 좋겠다는 아이디어를 냈어요. 그걸 공유하면서 관심 있는 나라들은 개별적으로 버스 섭외를 했고요. 버스 정보를 미국 측에 제공했고 미국은 탈레반과의 창구 역할을 했습니다. 하지만 탈레반이 카불을 접수한 8월 15일부터 미군이 완전히 철수한 30일까지, 15일 동안 원활하게 이뤄진 사례가 거의 없었습니다. 우리처럼 많은 인원을 한 번에 이송한 사례는 더더욱 없었죠. 400명 정도 됐으니까요. 그래서 미국 측에선, 성공 가능성을 높이려면 "인원을 줄여라, 한꺼번에 이송하지 마라"라고 제안했지만, 자살 테러 첩보가 있어서 저희는 그대로 추진한 거죠.

> 일본을 비롯해 벨기에, 독일 등 많은 나라가 아프가니스탄 조력자의 탈출을 시도했지만 실패했죠. 전원을 탈출시킨 건 대한민국이 유일했는데요. 무엇이 성패를 갈랐을까요?

저희는 연락망이 피라미드식으로 촘촘하게 되어 있어서 실시간으로 정보를 공유했거든요. 그렇다 보니 어디서 모여서 오면 가능할 거라는 그림이 그려진 거예요. 가장 중요했던 것은 실시간 소통이었죠. 상황을 서로 알기 때문에 가능하겠다는 나름의 확신이 있었습니다. 저는 10년 전에 1년 동안 PRT라고 지방 재건팀에서 일했었거든요. 그때 알던 사람도 있었으니까, 개인적인 신뢰도 있었죠.

분유까지 챙겼던 한국 군, 외교부·법무부 협조도 '완벽'

> 입국한 391명 가운데 다섯 살 이하 어린이도 100여 명 포함됐는데요. 아이들을 안전하게 데려오기 위한 준비도 세심했습니다.

일종의 업무 분담 같은 것이 되어 있었어요. 아프가니스탄 조력자들을 공항으로 진입시키는 과정, 그러니까 연락하고 버스 예약하고 미군과 조율해서 들어오는 그 과정은 외교부가 주도적으로 맡았고요. 그리고 카불 공항에서 파키스탄을 거쳐서 한국으로 송환하는 일은 군에서 한 겁니다. 감사하게도 분유까지 챙겨 오셨더라고요. 우리 군이 참 꼼꼼하게 잘하시는구나, 이런 생각을 했습니다.

▌ 부처 간 협조도 잘 이뤄진 셈이네요?

네, 그럼요. 잘 됐어요. 결정하는 과정에서는 각 부처가 처음 하는 일이다 보니까 신중하게 검토하는 단계가 있었지만, 이송이 결정된 이후엔 정말 완벽에 가깝게 잘 조율이 돼서 일이 진행됐죠. 8월 26일 이분들이 도착한 다음은 법무부의 정착 지원 과정이거든요. 사실 이게 제일 힘든 부분인데, 어린아이들은 정말 완전한 한국 사람으로 자라나지 않겠습니까? 우리가 시혜적 시선이 아니라 한국 사회에 기여하는 사람으로 만들어가는 과정이 제일 중요하다고 생각해요. 나중에 우리 사회에 기여하는 훌륭한 사람도 많이 나올 거라고 기대합니다.

아프가니스탄인, 난민 아닌 '특별 기여자'
'한국과 함께하면 어려울 때 잊지 않는다' 분명한 메시지

▌ 법무부는 '난민' 대신 '특별 기여자'라는 지위로 장기 체류할 수 있는 자격을 부여했는데요. 어떤 점을 감안한 결정이었습니까?

난민으로 데려올 수는 없는 상황이었거든요. 난민 신청을 하려면 아

함께 일한 현지인 직원에게 다시 돌아오겠다고 약속한 뒤 이를 지킨 김일응 주아프가니스탄 공사참사관

프가니스탄이 아닌 제3국으로 나와 있어야 하거나 이미 한국에 들어와 있어야 합니다. 다른 나라들도 어떻게, 어떤 지위를 부여해야 하나 고민을 했는데, 특별 이민이라는 형태로 많이 했더라고요. 사실 난민으로 하게 되면 법적인 것도 맞지 않지만, 우리는 난민 수용률이 2%가 채 안 되거든요. 그래서 그런 측면에서 고민했어요. 불특정 난민이라기보다는 우리와 함께 일해온 분들이니까 다른 부분이 있는 거죠.

"선진국으로서 대한민국의 책임과 국격 보여줬다"

> 미라클 작전은 대한민국이 책임을 다한다는 이미지를 세계에 각인시킨 계기가 됐는데요. 국격을 보여줬다는 점에서도 평가할 수 있겠죠?

지난(2021년) 7월이었죠. UNCTAD, 유엔무역개발회의에서 한국의 지위가 개도국에서 선진국으로 변경이 됐습니다. 국제사회가 한국을 선진국으로 공식적으로 인정했다는 얘긴데요. 선진국이라고 하면 국제사회에서 더욱 큰 책임을 지고, 또 그 격에 맞는 행동을 해야 하는데, 이번에 아프간 조력자 이송 작전이 선진국으로서 대한민국의 책임과 국격을 보여준 일이라고 생각합니다. 한편으로는 한국과 함께하면 어려울 때 잊지 않는다는 분명한 메시지를 보여준 것이기 때문에 우리 국민이나 기업이 해외에서 활동하시는 데에도 좋은 자산이 될 거라고 생각합니다. '우리나라도 선진국이 되었구나' 하는 생각이 정말 많이 들었습니다.

아프가니스탄 특별 기여자들, "한국 사람들은 '정'이 느껴진다" 같은 임무가 또 주어진다면? "당연히 해야죠"

아프가니스탄 특별 기여자들과는 지금도 연락을 주고받으십니까? 한국 생활에 대해서 어떤 말씀들을 하시던가요?

네, 지금도 연락을 주고받고 안부도 전하고 있습니다. 한국 사회에서는 이런 게 나을 것 같고, 당신이 이런 일을 했으니까 이런 일도 생각해볼 만하다는 정도의 조언도 해주고 있고요. 이분들은 아프가니스탄에서 한국 기관, 그러니까 대사관이라든가, 한국 병원, 한국 직업훈련원에서 고용돼 일한 분들이거든요. 그래서 한국에 대한 이해는 높고요. 그리고 이분들 이야기론, 한국 사람들은 서양 사람들하고 다르게 특유의 정 같은 게 느껴진다고 합니다. 전반적으로 한국에 대한 신뢰가 있었고요. 그러니까 그 어려운 시기에 우리 대사관을 찾아온 거겠죠. 한국어를 배웠다며 이름을 써서 보내준 사람도 있는데요. 사실 말도 통하지 않는 곳에서 살아가는 게 쉽지 않겠죠. 잘 정착할 수 있도록 서로 노력해나갈 부분이 있다고 생각합니다.

만약에 비슷한 임무가 또 주어진다면 어떤 선택을 하시겠습니까?

저는 당연히 할 것 같습니다. 책임감 같은 것도 있었지만 개인적으로도 정말 하고 싶었거든요. 하고 싶은 일을 하면서 사는 게 잘사는 거라고 생각합니다. 당연히 해야죠.

2022년 새해 첫날, 미러클 작전을 통해 대한민국에 정착한 아프가니스탄 특별 기여자가 소중한 생명을 낳았다. 아프가니스탄 특별 기여자의 출산은 2021년 10월과 11월에 이어 세 번째, 미러클 작전은 그렇게 또 다른 기적을 써 내려가는 중이다.
인터뷰를 마치며 공직자는 국민께 감사의 인사도 잊지 않았다. 국민께서 보여주신 환대가 높아진 국격의 완성이자 원천이었다고 공을 돌렸다. 자신을 추켜세우는 이야기에는 황급히 말을 돌리며 제 역할을 다했을 뿐이라 덧붙이는 그였다. 그렇게 기적의 중심에 국민 앞에 한없이 겸손한 공직자가 있었다.
김일응 공사참사관은 지난 연말 카타르에 마련된 임시 대사관으로 출국했다. 정부는 2021년 12월 김일응 참사관에게 녹조근정훈장을 수여했다. 지금 이 순간에도 전 세계 각지에서 대한민국의 진가를 증명하고 있는 수많은 '김일응'들께도 함께 드리는 훈장이 되길 소망한다.

숭고한 헌신, 혼신을 다해

"입대하는 날 처음 완전한 태극기를 봤어요. 나라 잃은 시절에 태극 마크는 봤지만 완전한 4개 있는 국기는 처음 봤어요. 그래서 흥분했죠. 저 태극기를 보기 위해 내가 목숨을 걸고 여기까지 왔구나. 태극기를 위해서 모든 걸 바치겠다. 20대 때 그런 결심을 했는데, 그 결심이 나의 초심입니다. 내 일생에 그걸 잊지 않고 살아왔습니다."

김영관(광복군 제1지대 제2부대 대원,
YTN라디오 〈'독립군가 복원 프로젝트'-100년의 소리〉 중에서)

누구도 "민족중흥의 역사적 사명을 띠고 태어"난 적은 없다. 그러나 동료 시민과 국가 공동체를 위해 희생과 헌신을 마다치 않았던 이들이 있었다. 특히 질곡의 근현대사를 거쳐온 대한민국은 그 목숨을 건 사투에 크게 빚지고 있다.

수없이 반복되어 온 역사의 교훈, 공동체를 위한 희생을 예우하지 않는 집단은 영속 가능하지 않았다는 점이다. 당장 국민의 생명과 안전을 지키는 국방과 안보라는 근대 국가 제1의 책무는 오롯이 시민의 피와 땀으로 유지된다. 그래서 보훈은 국가 공동체의 존속을 위한 최소한의 사회적 합의이다.

이 사회적 합의가 조롱받고 있었다. "독립운동하면 3대가 망한다." 이런 편견이야말로 문재인정부 보훈 정책이 반드시 극복해야 할 첫 번째 과제였다. 이는 비단 보훈의 문제를 넘어 공정의 문제였다. 부당함에 항거해 투신한 이들이 보상은커녕 고초를 겪어야 하는 사회는 공정하지도, 정의롭지도 않다. 아울러 국가 유공자들의 경제적 토대를 마련하는 것을 넘어, 받아 마땅한 자부심과 존경을 드리는 것도 핵심 과제였다. 지난 5년간의 보훈 정책은 이를 달성하기 위한 총력전의 발자취이다.

역대 최고 수준의 유공자 지원

2017년 8월 14일 대통령은 독립 유공자·유족 초청 오찬에서 "독립 유공자 3대까지 합당한 예우를 받도록 하겠다"라고 밝혔다. 그동안 독립 유공자 수권 자녀 한 분에게만 지급되던 보훈 급여가, 생활이 어려운 모든 독립 유공자 자녀와 손자녀에게까지 지급되는 순간이었다. 2018년 이후 현재까지 약 2만여 명의 생활이 어려운 독립 유공자 자녀와 손자녀가 매월 47만 8,000원 또는 34만 5,000원을 지원받고 있다. 참전 명예 수당, 무공 영예 수당, 4·19 혁명 공로자 수당도 역대 정부 최고 수준으로 인상했다. 전상 수당은 2017년의 4배 수준으로 크게 올렸다. 그렇게 보훈 예산은 해마다 늘어 2022년 5조 8,000억 원을 넘어섰다.

국가 유공자와 보훈 가족을 청와대 영빈관에 초청하고 오찬을 대접한 문재인 대통령(2017. 6. 15.)

보훈 가족의 건강과 노후 보장을 위한 의료 서비스도 대폭 확대했다. 인천 보훈병원과 원주 보훈요양원을 개원하고, 의료 소외 지역을 중심으로 민간 의료 기관 200곳을 위탁 병원으로 추가 지정했다. 또 2018년부터 고령의 참전 유공자가 비용 부담 없이 의료 서비스를 받을 수 있도록 보훈병원과 위탁 병원의 진료비 감면율을 종전 60%에서 90%까지 확대했다.

2018년부터 국가 유공자 장례식에 대통령 근조기와 영구용 태극기를 전달했다. 안장 능력도 지속해서 확충해 2019년 1만 9,000기 규모의 국립괴산호국원, 2021년 5월 4만 9,000기 규모의 국립대전현충원 충혼당을, 12월에는 1만기 규모의 국립제주호국원을 개원했다.

예우가 일상에 스며들도록 노력했다. 2018년부터 시작한 '국가 유공자 명패사업'은 유공자와 유족의 집에 명패를 달아드리는 사업이다. 노동훈 애국지사의 집 현관에 부착한 것을 시작으로 지금껏 약

2018년부터 국가 유공자와 유족의 집에 명패를 달아드렸다.

46만 명의 국가 유공자와 유족의 집에 직접 명패를 달아드렸다. 큰 호응에 힘입어 2022년까지 대상을 계속 확대할 계획이다.

"까마득한 후배들이 와서 달아줄지는 예상을 못 해봤어. 기분이 좋았지. 그때 기분이 좋았어요. 이웃들도 왔다 갔다 하며 보면서 예전에 참전해서 명패 붙여줬다고 지금도 난리죠."

이기관(6·25 전쟁 참전 유공자, 해병대 3기)

여성 독립운동가, 역사의 주연으로 서다

여성들은 우리 독립운동사의 주연이었다. 유관순 열사뿐 아니라 독립운동에 적극적으로 참여한 여성이 수없이 많았지만, 공적은 제대로 인정받지 못하고 있었다. 2017년 기준 전체 독립운동 포상 인원 1만 4,823명 가운데 여성 독립운동가 비율은 약 2%(299명)에 불과했다.

2018년 여성 독립운동가에 대한 심사 기준을 마련하고 적극적인 발굴·포상을 시작했다. 그 결과 박열 열사의 배우자인 카네코 후미코 선생, 서간도 독립운동의 어머니로 불렸던 허은 선생 등 총 245명의 여성 독립운동가들을 새롭게 포상할 수 있었다.

2019년에는 3·1 운동 100주년을 맞아 유관순 열사에게 최고 등급인 '건국훈장 대한민국장'을 추가 서훈했다. 그동안 1962년 추서된

3등급 서훈이 충분치 않다는 국민적 문제 제기가 있었고 이에 보훈처가 별도 공적 심사 위원회를 구성해 만장일치로 의결했다. 57년 만에 격상된 최고 예우였다.

문재인 대통령은 미국 하와이대 한국학 연구소에서 열린 독립 유공자 훈장 추서식에 참석해 독립 유공자 김노디 지사 후손에게 애국장을 수여했다 (2021. 9. 22.).

독립군 대장, 서거 78년 만에 고국의 품으로…

만주 봉오동 전투의 영웅, 홍범도 장군의 유해 봉환은 추진 30년 만에 이루어낸 결실이었다. 1995년 정부 조사단이 묘소 조사와 유해 봉환을 추진한 이래 2017년 국가보훈처가 묘소 실태 조사를 추진했고, 2019년 4월 카자흐스탄과의 정상 회담에서 문재인 대통령이 전투 100주년을 맞아 봉환 의사를 각별히 전달했다. 그리고 2020년 3월 1일, 대통령의 3·1절 기념사를 통해 "평민 출신 위대한 독립군 대장"의 유해 봉환이 발표됐다.

2021년 8월 15일, 카자흐스탄에서 출발한 공군 특별 수송기는 전투기 6대의 엄호를 받으며 서울공항에 착륙했다. 대통령이 직접 공항에 나와 분향과 묵념으로 최고의 예우를 갖췄고, 독립운동가들 사이에서 불렸던 노래 〈올드 랭 사인〉이 울려 퍼지는 가운데 엄숙한 봉환식이 진행되었다.

정부는 홍범도 장군에게 건국훈장 최고 영예인 대한민국장을 추가 서훈하고, 이틀간 국민 추모 기간을 거쳐 8월 18일 국립대전현충원

문재인 대통령은 봉오동 전투의 영웅인 홍범도 장군의 유해 봉환식을 직접 주관하고, 건국훈장 최고 영예인 대한민국장을 추가 서훈했다(2021. 8. 18.).

에 안장했다. 1946년 백범 김구 선생이 윤봉길·이봉창·백정기 의사 유해를 봉환해 서울 효창공원에 안장한 것을 시작으로 정부는 현재까지 총 144위의 국외 안장 독립 유공자 유해를 봉환했다. 2019년에는 임시정부 수립 100주년을 계기로 문재인 대통령이 직접 카자흐스탄 현지에서 계봉우, 황운정 지사의 유해 봉환식을 주관하는 등 최고의 예우로 독립 유공자의 공훈을 기리고 있다.

더 많은, 더 큰 민주주의를 위하여

역사의 소용돌이는 광복 이후에도 계속되었다. 제주 4·3 사건과 5·18 광주민주화운동, 그리고 조작되고 은폐되어온 수많은 과거사 사건 역시 철저히 규명해야 했다. '진실화해위원회'가 2010년 활동을 마

문재인 대통령은 제73주년 제주 4·3 희생자 추념식에 참석해 생존 희생자와 유가족들의 아픔에 공감하고, 4·3 특별법 개정의 성실한 이행을 약속했다(2021. 4. 3.).

쳤지만, 형제복지원 사건과 한국전쟁 전후 민간인 집단 희생 사건 등 풀지 못한 과거사 사건을 규명하기 위해 2기 진실화해위원회가 출범했다. 위원회는 2020년 12월 10일 형제복지원 사건 접수를 시작으로 이듬해 3월 말까지 2,881건의 접수를 받으며 진실 규명에 앞장서고 있다.

국립대전현충원 내 홍범도 장군 묘역에서 어린이들이 묵념하고 있다(자료: 문화체육관광부).

2021년 3월에는 4·3 특별법이 전부 개정되었다. 그동안은 1948년과 1949년 군법회의 판결로 옥살이를 한 수형인 2,530여 명과 그 유가족이 일일이 재심 청구를 해야 했으나 법 개정으로 일괄적으로 법무부 장관에게 권고할 수 있게 되었다. 이어 2022년 1월 4일 4·3 특별법 개정 공포안이 국무회의에서 의결되며 유족들에 대한 보상금 지급이 시작되었다. 보상금은 1인당 최대 9,000만 원까지 지급되며, 후유장해 희생자는 장해 정도에 따라, 수형자는 수형 기간에 따라 보상금을 받을 수 있다. 이는 향후 과거사 문제를 풀어가는 주요한 입법 기준이자, 국제적으로도 진상 규명, 명예 회복, 보상금 지급을 평화적으로 진행한 모범 사례로 꼽히고 있다. 정부의 보상안을 유족들께서 대승적으로 수용했기 때문에 가능한 일이었다.

5·18 광주민주화운동의 남은 의혹을 규명하기 위한 작업도 진행 중이다. 1980년 이후 9차례의 진상 규명 조사 활동이 있었지만 2018년 2월 국방부 5·18 특별조사위원회가 헬기 사격과 전투기 출격 대기 사실을 발표하며 2018년 3월 여야 합의로 '5·18 진상 규명 특별법'이 제정되었다. 이듬해 12월 출범한 5·18 민주화운동 진상규명조

사위원회는 약 40년간 묻혔던 민간인 사망 사건 등 7개 사건에 대한 조사 개시 결정을 내렸고 본격적으로 조사를 진행하고 있다.

역사의 나이테 앞에서

2021년 3월의 어느 날, 5·18 당시 계엄군으로 참여했던 공수 부대원과 피해 유족이 부둥켜안고 서럽게 울었다. 진압 작전에 참여했던 당시 계엄군이 증언한 경우는 많았지만, 자신이 직접 발포해 특정인을 숨지게 했다며 사과 의사를 밝힌 경우는 처음이었다. "사과가 또 다른 아픔을 줄 것 같아 망설였다"는 41년 전 공수 부대원은 "어떤 말로도 씻을 수 없는 아픔을 드려 죄송하다"며 유가족에 큰절하며 오열했다. 고 박병현 씨의 형 박종수 씨는 "늦게라도 사과해줘 고맙다"라며 함께 소리 없이 울었다. 역사의 비극이 패어낸 상처, 그리고 41년 만

광주 국립 5·18 민주 묘지에서 민주화운동 당시 계엄군으로 참여했던 공수 부대원(왼쪽)이 희생자의 유족을 찾아 41년 만에 용서를 구했다(2021. 3. 16.)(사진: 5·18민주화운동 진상규명조사위원회).

5·18 광주민주화운동 기념식에 참석하여 유가족을 위로하는 문재인 대통령

의 화해. 진실과 화해를 향한 정부의 여정에 가장 빛나는 순간으로 남아 있다.

그리하여 국가의 존재 가치를 증명하기 위해 달려온 5년이었다. 뼈아픈 역사의 강물을 쉼 없이 헤쳐왔지만, 엄밀히는 그 어떠한 보상과 예우도 숭고한 희생을 미처 다 위로할 수는 없었다. 남은 이들은 묵묵히 존중과 예우에 최선을 다할 뿐이었다. 그럼에도 국가가 존재하는 한, 정부의 보훈 정책은 앞으로도 흔들림 없이 계속될 것이다. 그 존재 이유를 게을리하는 어떤 국가도 존속할 수 없기 때문이다.

"존경하는 국민 여러분, 2년 전 진도 팽목항에, '5·18의 엄마가 4·16의 엄마에게 보낸 펼침막'이 있었습니다. '당신의 원통함을 내가 아오. 힘내소. 쓰러지지 마시오'라는 내용이었습니다. 국민의 생명을 지키지 못한 국가를 통렬히 꾸짖는 외침이었습니다. 다시는 그런 원통함이 반복되지 않도록 하겠습니다. 국민의 생명과 사람의 존엄함을 하늘처럼 존중하겠습니다. 저는 그것이 국가의 존재 가치라고 믿습니다."

문재인 대통령(2017년 5·18 기념사 중에서, 2017. 5. 18.)

interview

"그래… 이게 나라지"

조진웅(배우)

광복절인 2021년 8월 15일 밤, 독립군 사령관 홍범도 장군의 유해가 78년 만에 고국의 품으로 돌아왔다. 공군 전투기 6대가 호위 비행을 하며 장군을 최고 예우로 맞이한 그날, 특별 수송기 안의 국민 특사는 조용히 읊조렸다.

"그래… 이게 나라지."

카자흐스탄부터 국립대전현충원까지, 홍범도 장군의 마지막 길을 함께 한 배우 조진웅 씨를 만났다. 강제 이주의 아픈 역사에, 낡은 이념의 벽도 넘어야 했던 지난한 과정. 배우는 역사의 질곡을 자신만의 언어로 거침없이 풀어냈다.

"조진웅이 왜 거기서 나와?" 제대로 모셔 오자 다짐
국민 특사는 가문의 영광…정치적 성향과 무관한 일

홍범도 장군 유해 봉환 특사단으로 서울을 출발한 조진웅 배우. 카자흐스탄에 도착해 홍범도 장군의 유해를 모셔왔다(2021. 8. 14.).

국민 특사 자격으로 홍범도 장군의 유해 봉환 길에 동행하셨는데요. 어떤 소회로 임하셨는지 궁금합니다.

조금 놀랐죠. 제가 그런 깜냥이 되는 사람도 아니고, 제가 그렇게 뭘 한 것도 없는데 국민 특사라고 하니까요. 배우가 그런 데 가도 되나, 했는데요. 아니나 다를까 그런 댓글이 많더라고요. '네가 왜 거기서 나와?'

이왕에 하는 거 '제대로 잘 모시고 와야겠다'라는 생각을 하고 간 거죠. 아직도 그때 갔다 온 것에 대해서는 굉장히 감흥이 많이 남죠. 그리고 사실 가문의 영광이고. 이건 기회가 아니잖아요. 사실 기회라고 말할 수 없는 것 같아요. 그 의미 때문에 상당히 무거웠죠. 대한민국의 독립을 위해서 싸우신 분들인데. 그것을 기리자는 게 정치적 성향과 무슨 상관이겠어요. 유해 봉환을 다녀온 것에 대해서 부담스럽거나 그렇지 않았죠. 전혀요. 대한민국의 독립을 위해서 싸우신 분들인데, 그것을 기리자는 거니까요. 오히려 그 이후에 저의 행보들을 조심하긴 하죠.

카자흐스탄에서 고려인의 위상이랄까요, 어떻게 느끼셨습니까?

고려인을 제외하고 카자흐스탄을 설명할 수가 없어요. 그들과 함께 성장했고. 그리고 크즐오르다에서 볍씨로 농사를 처음으로 시작해서 그들의 젖줄이 된 건데, '고려인이 아니었으면 어떻게 그런 혁명이 일어났겠는가. 거기에 선봉이 되신 장군님이시니' 제 따위가 "피곤하다"라는 이야기는 할 수 없었고요.

비행기 내리기 전에 1시간 전부터 보이는 땅에 아무것도 없더라고요. 아무것도. 그때 제가 눈물이 났어요. (강제 이주로) 이런 데다 버려진 거잖아요. 추우니까 땅굴을 파고 살았다고 하더라고요. 아무것도 없는 이 척박한 땅에서 어떻게 농사를 짓고 카자흐스탄의 젖줄이 되었는가. 이거는 말도 안 되는 일이었고. 카자흐스탄인들이 가지는 성향이 외부인이 오면 손님이라고 해서 대접을 해야 한대요. 그때 그분들도 핍박을 받고 어려웠을 텐데 담요, 물, 이런 걸 제공한 거예요. 그러니까 공생이 가능했던 거죠.

홍범도 장군 묘소 동쪽에 안장…고려인들에 대한 예우 느껴져 감사
고려인들 "잘 좀 모셔가 달라" 부탁하며 눈물
문재인 대통령 유해 봉환 '정상 회담 의제'로
고려인들, 결국 대한민국 입장 이해해주신 것

> 그런 고려인의 정신적 버팀목이었었기에 홍범도 장군의 유해 봉환은 쉽지 않은 과정이었는데요. 그래서 긴 설득의 과정이 필요했습니다.

카자흐스탄 정부에서 홍범도 장군 묘소를 지을 때 동쪽을 보게 안장을 하셨더라고요. 얼마나 우리 고려인들에 대한 예우가 있는 나라인지, 감사했고요. 생각보다 묘소를 예쁘게 잘해놨어요. 코로나19 때문에 인원 문제가 있어서 고려인들이 철로 된 담 바깥에서 지켜보시며 많이 우셨는데, 결국에는 인정을 하시고 "잘 좀 모셔가 달라" 부탁하시더라고요. 아버지였던 분이잖아요. 저 같아도 그럴 것 같아요. 정신적 지주가 떠나신다고 생각을 하니까. 얼마나 섭섭하겠어요. 계속 떠날 때까지 우시면서 손 흔들고. 그 모습을 볼 때 진짜 '잘 모시고 가겠습니다' 했죠.

김대중·노무현 대통령에 이어 문재인 대통령도 2019년도에 가셔서 카자흐스탄 대통령과 정상 회담 의제로 제안을 하셨지만 어려운 점은 고려인들을 설득 아닌 설득을 해야 했던 거죠. 이분들 입장에선 보낸다는 자체에 대한 굉장히 큰 상실감이 있었으니까요. 결국은 대한민국의 입장을 이해해주셔서 성사가 된 것 같아요.

공군 전투기 6대의 호위 비행
"그래, 이게 나라지"

> 홍범도 장군의 유해를 싣고 오는 군 특별 수송기가 한국 영공에 들어서자 공군 전투기가 6대가 호위 비행을 했습니다. 그 모습을 바로 곁에서 보셨겠군요?

홍범도 장군의 유해를 싣고 오는 특별 수송기를 호위 비행하는 공군 전투기(2021. 8. 15.)

감동스러웠죠. 바로 옆에서 파일럿의 얼굴이 보였어요. 그리고 "충성" 경례하는 모습을 보는데, '이걸 내 카메라에 담고 싶다' 하는 것도 있지만 이게 얼마나 우리의 숙원이었던가 생각하니 너무 뭉클했고. '그래, 이게 나라지. 이게 나라지, 그래 맞아' 했습니다.

서울에서 출발할 때와 카자흐스탄에서 귀국할 때, 마음가짐도 달랐겠어요?

갈 때는 '빨리 뵙고 싶다'였는데요. 올 때는 '진짜 사고 나면 안 된다. 진짜 사고 나면 안 된다' 정말 간절히 기도했던 것 같아요. 그리고 서울공항에 딱 도착했는데 '아, 됐다' 이런 생각이 들더라고요. 아마 파일럿 분들도 엄청 긴장하셨을 거예요. 나중에 들으니 중장님도 그렇고, 파일럿도 그렇고 사전에 시뮬레이션을 엄청 하셨더라고요. 한 치의 오차 없이 모셔오기 위해 많은 분이 노력했습니다. 돌아와서 오자마자 PCR 검사하려고 다 모여있을 때 서로 수고했다고 인사하고 했는데 가족이 된 기분이었어요.

홍범도 장군의 유해가 국립대전현충원에 안장될 때도 함께하셨는데요. 사회를 보면서 마음속으로 한 다짐이 있었습니까?

한 글자도 실수하면 안 된다는 마음이었죠. 어떤 결기라고 하나요? 무엇보다 '울지 말자, 여기서 울면 정말 할아버지한테 혼난다' 생각했어요. 긴장이라기보다는 (안장식을) 보시는 국민의 가슴에 의미를 남겼으면 하는 바람에 한 문장 한 문장 계속 곱씹고 되묻고, "이 의미가 맞나요?", "이런 단어가 지금 맞는 거죠?"라며 계속 확인하기도 했고요. 그

홍범도 장군 유해 안장식(2021. 8. 18.)

래서 고치고 더 정확하게 하려고 노력했어요.

> "국민 중에는 홍범도 장군에 대해 충분히 알지 못하는 분들도 간혹 있으니 기념 사업회를 중심으로 항일 독립운동에 앞장섰던 그분의 생애와 고귀한 뜻을 적극적으로 알리도록 노력해주길 바랍니다."
>
> **문재인 대통령**(홍범도 장군 유해 봉환식, 2021. 8. 15.)

홍범도 장군 유해 봉환식이 끝난 후, 문재인 대통령으로부터 특별한 요청을 받았습니다.

홍범도 장군 유해를 보내고 난 뒤에는 다 악수를 해주시면서 저한테 "홍범도 장군 기념 사업의 홍보를 잘 좀 부탁한다" 이런 당부를 주셨는데요. 그 온기가 있어요. 그 온기와 온도는 정확히 전달됩니다.

홍범도 장군 기념 사업회에서 열심히 추진 중인 (독립 전쟁 기념) 공원 조성. 그게 역사적인 의미를 갖는 이유가 홍범도 장군님께서 살아 계실 때 나를 제외한 이름 없는 무명용사들과 함께 묻히기를 원하셨어요. 이름 없이 나라를 위해 싸우다가 돌아가신 무명용사들의 위령탑이 조성된다면 상당한 의미가 있을 것 같습니다.

유해 봉환으로 그쳐선 안 돼
먼 곳에서 영면한 영웅들 모셔 와야

문재인 대통령도 이야기했듯, 아직도 조국으로 돌아오지 못한 애국지사들이 많고, 제대로 평가받지 못한, 혹은 가려진 독립운동의 역사가 많은데요. 유해 봉환이 그 역사를 기록하는 시작점이 될 수 있을까요?

이제 시작이 됐고. 그리고 유해 봉환으로 그쳐선 안 되고. 후배들이나 제 친구들 만나면 "너무 고생했다. 잘 모시고 와서 자랑스럽다" 이런 이야기를 하더라고요. 제가 그랬어요. "카자흐스탄 굉장히 멀다. 대전에 모셨으니까, 가봐."

이번이 시발이 돼서, 먼 곳에서 영면해 계신 우리 고국의 영웅들을 모셔 와야죠. 기념관도 짓고. 그걸 보면서 우리는 다시 한번 각성하고 오늘을 살아갈 수 있지 않을까 생각합니다. 공의 경중을 떠나서 당연히 우리가 예우를 갖춰야 해요. 그들을 잊지 않고 기리는 것만이 우리가 할 수 있는 최대한인 거잖아요. 이 정도도 안 하는 건 나라가 아닌 거죠.

매년 3월 1일 효창공원에…팬클럽과 우연히 만나 "나는 배우 하길 잘했다"

조진웅 배우에게 역사를 기억하고 기록하는 건 어떤 의미입니까?

예전에 〈대장 김창수〉라는 영화를 했었는데, 김구 할아버지 청년 때 이야기인데. 그때 제가 백범로에 살고 있었거든요. 영화를 계속 고사하다가 '백범로가 그 백범이구나' 하는 것을 처음 알고. 그 길을 따라 쭉 갔더니 효창공원 안에 김구 할아버지 묘가 있더라고요. 그 후로 매년 3월 1일이면 갑니다. 함께 영화 찍은 동료들과 가서 "할아버지 저 왔어요" 하고 인사하는데, 어느 날 어디서 많이 본 사람들이 서 있는 거예요. 제 팬클럽이더라고요. 그냥 온 거래요. 제가 그런 스피커 역할을 하는 배우잖아요.

'나는 배우 하길 잘했다.' 배우를 하겠다는 생각이 들고 나서부터 매해 드는 생각은 이거예요. 왜냐하면 그나마 위로할 수 있으니까. 내 능력을 발휘하여 슬퍼하고 있을 그분들에게 잠시나마 웃음을 주고, 감동을 주고, 위로를 줘야 하는 그런 직업군에 있구나. 그래서 그것을 전달함에 있어서 가장 중요한 건 진심이라고 생각해요. 그럼 분명히 알아주세요.

'이상한' 배우였다. 함께 다녀왔던 특별 수송기 조종사들의 상세한 설명 덕분에 비행 공포증이 없어졌다며 천진한 표정으로 한참 이야기를 하다가도, 독립유공자들의 이야기를 할 때면 한없이 묵직한 목소리와 예의 진한 눈매가 반짝였다.
무엇보다 '특사'라는 이름에 걸맞고자 부단히 애써온 시간은 홍범도 장군과 고려인의 역사에 관한 해박한 지식으로 고스란히 나타났다. 그가 느꼈던 감격과 사명감은 "아는 만큼 보인다"는 말에 유감없이 부합하고 있다. 이 글을 빌려 가슴 벅찬 2021년의 여름을 함께했던 조진웅 배우께 짙은 고마움의 마음을 전한다.

국민을 위한 권력 기관

"구시대의 잘못된 관행과 과감히 결별하겠습니다. 권력 기관은 정치로부터 완전히 독립시키겠습니다. 그 어떤 기관도 무소불위의 권력을 행사할 수 없도록 견제 장치를 만들겠습니다."

문재인 대통령(대통령 취임사 중에서, 2017. 5. 10.)

대한민국 헌법 제1조는 "대한민국은 민주공화국이다. 대한민국의 주권은 국민에게 있고, 모든 권력은 국민으로부터 나온다"고 천명하고 있다. 민주공화국에서는 어떤 권력 기관도 국민 위에 군림할 수 없다. 주권자로부터 나온 권력이 그 원천인 국민을 부당하게 겁박하는 일은 민주공화국의 존립 근거를 부정하는 일이다.

2016년 촛불 시민 혁명은 이러한 헌법의 제1 가치가 제대로 지켜지고 있는지 단호히 따져 묻고 있었다. 국가 권력의 사유화로 인해 붕괴된 국정 운영을 정상화하고, 무소불위의 권력 기관을 민주적 통제 하에 두라는 것이 국민의 준엄한 명령이었다.

민주화 이전 시대에는 불법 쿠데타에 의한 헌정 유린, 권위주의 체제와 남북 간 이념 대결에 따른 안보 논리의 지속 등이 권력 기관에 대한 본질적인 개혁을 가로막았다. 권력 기관 개혁에 대한 국민적 열망이 끊임없이 이어져 온 이유다.

광화문광장을 가득 메운 촛불을 든 시민 행렬
(사진: 《연합뉴스》)

문재인정부는 이러한 국민적 열망과 함께 출범했다. 정부는 과거 권위주의 시절의 정부가 부당한 목적으로 권력 기관의 힘을 활용하고, 권력 기관 스스로도 정치 권력을 위해 권한을 남용하던 폐단을 분명히 끊어내겠다는 결단 아래 권력 기관 개혁을 추진했다.

정부는 출범 직후 100대 국정 과제 중 13번 국정 과제로 '국민의, 국민을 위한 권력 기관 개혁'을 설정했다. 시작은 국정원·검찰·경찰 모두 자체 개혁 위원회를 설치해 과거 인권 침해 사건의 진상을 조사하는 것이었다. 각 개혁 위원회에서 제도 개혁 권고안을 발표하는 동시에, 대통령 비서실에서는 상호 견제와 균형의 원리에 따라 국정원·검찰·경찰을 통제하는 권력 기관 개혁 방안을 종합하여 발표했다.

국정원 개혁, 대북·해외 전문 정보 기관으로 재탄생하다

정치 개입, 민간인 사찰 등의 문제로 많은 비판을 받아온 국정원 개혁은 오랜 시대적 요청 사항이었다. 정부 출범 직후 국내 담당 정보관(I/O) 폐지를 필두로 2017년 6월 '국정원 개혁 발전 위원회'를 설치하여 22개 의혹 사건을 조사·의법 처리하고 업무 수행과 조직 체계 혁신에 착수했다.

국내 정보 수집·분석 부서를 개편하고, 준법 지원관 제도도 도입했다. 예산 집행의 투명성을 확보하고 감사원 감사를 수감하여 외부의 시각에서 국정원 운영 체계 전반을 점검하고 투명성을 제고했다.

특히 2020년 12월 13일 '국가정보원법' 개정안이 국회를 통과하며 불가역적인 개혁 완성을 위한 제도적 기반이 공고화되었다. 개정안은 ① 업무 범위에서 국내 보안 정보 전면 삭제, ② 대공 수사권 이관(2024년 1월 1일 시행), ③ 정치 개입 우려 조직 설치 금지, ④ 불법 감청·위치 추적 금지, ⑤ 국회 정보위의 민주적 통제 강화 등을 골자로 하고 있다. 법 개정에 따라 국정원 직무 수행의 원칙·범위·절차 등을 규정한 '정보 활동 기본 지침'이 마련되었고, '보안 업무 규정', '방첩 업무 규정' 등 대통령령 및 내부 규정·지침을 일제 정비함으로써 후속 개혁 법령이 차질 없이 시행되었다.

국민을 위한 검·경 수사권 개혁

검찰은 오랫동안 수사권과 영장 청구권 및 기소권을 모두 보유하면서 이를 공정하게 행사하지 못하였다는 비판을 받아왔다. 검찰권의 행사가 국민의 불신을 초래함에 따라 권한의 분산과 민주적 통제를 내용으로 하는 검찰 개혁은 시급한 개혁 과제로 대두되었다.

이러한 국민적 요구를 반영하여 2018년 6월 21일, 국무총리·법무부 장관·행정안전부 장관이 '검·경 수사권 조정 합의문'을 발표했다. 이 합의를 기초로 마련된 형사소송법과 검찰청법 개정안은 2019년

검·경 수사권 조정 합의문 발표(2018. 6. 21.)

4월 29일 여·야 4당의 합의에 따라 패스트트랙 안건으로 지정되었다. 법안 처리 과정에서 여·야 협의체가 가동되는 등 치열한 논의와 진통 끝에 2020년 1월 13일 국회를 통과할 수 있었다.

70년 만의 대변혁

정부 수립 후 70년이 넘도록 변화가 없었던 형사 사법 체계가 재정립되는 순간이었다. 검찰은 수사 절차의 적법성을 통제하는 인권보호관 및 범죄자를 소추하는 공소 기관으로, 경찰은 1차적 수사 책임과 역량 강화로 국민의 신뢰를 받는 수사 기관으로 거듭나는 형사 사법 시스템으로의 개혁이었다.

개정 형사소송법은 검사의 수사 지휘권을 폐지함으로써 검찰과 경찰의 관계를 수직적 지휘 관계에서 수평적 협력 관계로 전환하고, 경찰에 1차적 수사 종결권을 부여하였으며, 검사의 보완 수사 요구, 시정 조치 요구, 재수사 요청 등 권한을 통해 경찰 수사를 적법하게 통제할 수 있도록 했다. 아울러 피고인이 검사 작성 피의자 신문 조서의 내용을 부인하는 경우, 그 조서를 형사 재판의 증거로 사용할 수 없게 함으로써 자백을 압박하는 인권 침해적 수사가 근절될 수 있는 중요한 토대를 마련했다.

개정 검찰청법은 검사의 직접 수사 개시 범위를 부패·경제·공직자·선거·방위사업·대형 참사 등 중요 6대 범죄로 규정함으로써 검찰 본연의 임무인 사법 통제와 인권 보호에 집중할 수 있도록 했다.

수사권 개혁의 성공적 안착을 위해서는 검찰을 수사권 개혁의 핵심 취지에 걸맞은 조직으로 변모시켜야 했다. 검찰을 공소 기관으로 변화시키기 위해 2018년 6월 검·경 수사권 조정 합의문이 발표된 직후부터 직접 수사 부서를 축소하는 조직 개편을 단계적으로 추진했고, 2021년 7월 수사권 개혁의 취지를 상당 부분 반영할 수 있는 조직 개편을 마무리 지었다.

2019년 10월에는 검찰권 남용의 대명사와 같았던 '특별수사부'를 10개에서 6개로 축소하면서 그 명칭도 '반부패수사부'로 변경하였고, 2020년 1월에는 반부패수사부를 다시 4개로 축소하고 그 외의 직접 수사 부서인 공공수사부, 외사부, 전담범죄수사부도 총 11개에서 7개로 축소했다. 2020년 8월에는 대검찰청의 무분별한 정보 수집 기능을 제한하고 직접 수사를 총괄 지휘하는 기능을 축소하는 대검찰청 조직 개편을 단행했고 일선 청의 직접 수사 부서를 4개 더 축소했다.

수사권 개혁 법령이 일괄 시행된 후인 2021년 7월, 검찰의 인권 보호 기능을 강화하기 위해 8개의 거점 검찰청에 인권보호부를 신설하고, 경찰의 중요 사건 수사를 협력하고 통제하는 수사 협력 부서를 서울중앙지검 반부패강력수사협력부와 서울남부지검 증권범죄수사협력단에 설치했다. 또한 직접 수사 부서를 6개 더 축소하는 등의 대대적인 조직 개편을 단행함으로써 수사권 개혁이 궁극적으로 지향하는 검찰 조직으로 거듭날 수 있는 토대 마련을 완수했다.

공수처 출범, 24년 만의 결실

공수처 설치는 대통령의 검찰 개혁 1호 공약이었다. 공수처는 권력 기관 개혁·부패 사정 기구로서 고위 공직자 등의 범죄를 척결하여 국민의 사법 불신을 해소하고 국가의 투명성과 공직 사회의 신뢰를 확보하기 위한 독립 기구이다. 참여연대가 1996년 11월 검찰 개혁의 일환으로 부패 방지 법안을 마련하여 입법 청원한 이래, 24년 만인 2020년 1월 14일 '고위공직자범죄수사처 설치 및 운영에 관한 법률'이 제정되며 결실을 보았다. 공수처가 삼권 분립 원칙에 반하고 국민의 기본권과 검사의 수사권을 침해한다는 등의 사유로 위헌 확인을 구하는 헌법 소원 심판 청구가 있었으나, 헌법재판소는 2021년 1월 28일 "헌법에 위반되지 않는다"고 결정하며 공수처의 합헌성을 확인했다.

공수처 현판 제막식(2021. 1. 21.)

민생 중심의 경찰 개혁

2020년 12월 9일 '국가경찰과 자치경찰의 조직 및 운영에 관한 법률'이 국회를 통과했다. 경찰 사무를 국가 경찰 사무·자치 경찰 사무·수사 사무로 나누고 각각을 경찰청장, 시·도 자치 경찰위원회, 국가수사본부장이 지휘·감독하게 함으로써 경찰권을 분산하는 법안이었다. 새로운 지휘·감독 체계에 맞게 조직을 개편하면서 시·도 경찰청을 3부 체제로 재편했다.

2017년부터 경찰청 인권위원회의 역할을 확대해 인권 영향 평가 자문 및 국가인권위 권고 수용 결정의 타당성 검토 등을 수행하도록 했다. 2020년 12월 경찰 내 반부패 정책 추진 사항 등을 점검하는 경찰청 반부패협의회를 출범시켰고, 2021년 4월에는 경찰 수사에 대한 외부 통제를 강화하기 위해 경찰청과 각 시·도청에 각계 전문가들이 참여하는 '경찰 수사 심의 위원회'를 신설했다.

2021년 1월 1일 '국가수사본부'가 정식 출범함으로써 수사의 중립성·객관성 확보를 위해 전국 3만 2,000여 수사 경찰 조직의 컨트롤 타워 역할을 하게 되었다. 여성·청소년 수사와 교통 수사 등 모든 수사 기능을 국가수사본부 소속으로 통합했고, 수사 사무에 대한 행정 지원과 심사·정책을 담당하는 '수사기획조정관'과 수사 과정에서의 인권 침해를 방지하기 위한 '수사인권담당관'을 신설했다. 아울러 '수사 연구 인력'을 통해 중요 사건에 대한 법리 검토, 판례 연구, 중요 수사 지원 등을 수행하도록 하고 있다. 국정원의 대공 수사권 폐지를 앞두고는 종래 보안국을 '안보수사국'으로 개편하여 기존 보안 업무와 함께 업무 범위를 대공 수사, 산업 기술 유출 등 신안보 사범까지 확대했다.

국가수사본부의 독립성을 보장하기 위해 국가수사본부장의 임기(2년)를 보장했으며, 경찰청장은 개별 사건의 수사에 대해 지휘·감독할 수 없고, 다만 예외적으로 국민의 생명이나 공공의 안전에 중대한 위험을 초래하는 경우에만 국가수사본부장을 통해 지휘·감독할 수 있게 했다.

정보 경찰 개혁, 경찰 본연의 임무를 위하여

경찰이 국민의 안전을 도모하고 위험을 예방하는 본연의 모습에 충실할 수 있도록 조직 개편과 함께 정보 경찰의 규모를 축소했다. 2018년 10월 한남동 정보분실을 폐쇄하고 12월에는 남영동 대공분실 관리권을 행정안전부로 이관했다.

2018년 7월 경찰청 정보국에 준법지원계를 신설하여 현장 정보관들의 정보활동을 상시 모니터링하는 등 내부 통제 장치를 마련하였고, 국가경찰위원회 보고 활성화 및 경찰청 감사관실 사무 감사 수감 등 외부 통제도 강화했다.

2019년 5월 국민과 경찰관의 생명·신체 보호와 인권 보장을 위해 '경찰 물리력 행사의 기준과 방법에 관한 규칙'을 제정하여 '위해 감소 노력' 우선의 원칙을 명시하였고, 2020년 1월에는 대통령령을 개정하여 살수차의 배치와 사용 기준 등을 필요 최소한의 범위로 제한했다.

군의 정치 개입 차단을 위한 기무사 해편

기무사는 군사 정보 기관으로서 본연의 임무를 방기한 채 정치 개입, 민간인 사찰 등 각종 폐단을 양산해온 군대 내 권력 기관이었다. 기무사령부 개혁 위원회는 과거 논란이 되었던 정치 개입, 민간인 사찰, 특권 의식으로 대표되는 3불(不) 배제에 중점을 두고 보안·방첩 전문 기관으로 탈바꿈하기 위한 개혁 방안을 마련했다.

2018년 9월 개혁위 권고안에 따라 '군사안보지원사령부'를 창설했고 업무 시스템을 전면 개선했다. 기무사 개혁위에서 권고한 30개 개선 과제 이행을 완료하도록 했으며, 업무 수행 방식을 장병 인권과 지휘권 침해가 없도록 합리적으로 개선하는 한편, 다면 평가 도입, 근무 적합성 평가, 수시 감찰 등 고강도 자정 활동도 함께 전개했다.

그 결과 부패 방지 시책 평가, 양성평등 이행 최우수 등 9개 분야에서 표창을 받으며 군 내외부로부터 향상된 인권 기관으로서의 모습을 인정받고 있다. 아울러 군의 보안 수준 향상 및 신보안 기술 도입의 선도적 역할을 수행하고, 군 관련 안보 사범 61명을 검거했을 뿐만 아니라, 방산·군수 비리 의혹 발굴, 방산 비리 척결 등 국방 예산 절감에도 앞장서고 있다.

헌법의 명령, 국민의 권력

불과 몇 해 전 국민을 손쉽게 사찰하고 정권의 입맛에 맞는 계엄령마저 논의하던 권력 기관이 있었다. 문재인정부의 권력 기관 개혁은 일시적 정상화에 그치지 않는 불가역적인 법제화를 목표로 했다. 권력 기관의 구조를 근본적으로 개혁하는 과정에서 적지 않은 산고와 생채기가 있었지만 결국에는 개혁 입법을 완수하고 세부적인 시행 조치를 이루어냈다. 더는 국민 위에 군림하는 국가 권력, 국민이 아닌 권력자에 충성하는 권력 기관은 상식의 공간에서 자리할 수 없게 되었다.

하지만 문재인정부의 권력 기관 개혁은 완결형이 아니다. 촛불혁명의 힘으로 권력 기관 개혁을 이루어냈지만, 권력은 그 속성상 언제라도 거대화 욕망을 실현할 기회를 엿볼 것이다. 오직 주권자 국민만이 그 욕망을 통제하고 개혁을 완성하는 힘이 될 것이다. 문재인정부가 쌓아온 개혁의 시간이 "모든 권력은 국민으로부터 나온다"라는 헌법의 준엄한 명령을 실현하는 단단한 주춧돌이 되길 기대한다.

더 큰 민주주의, 열린 청와대

"민주주의는 결코 최종적 성취는 아닙니다. 그것은 지칠 줄 모르는 노력, 계속적인 희생, 그리고 의지에의 소명이요, 필요하면 그것의 방어를 위해 죽으라는 명령입니다."

존 F. 케네디(전 미국 대통령)

엄혹한 냉전 시대의 격정적 발언임을 감안하더라도 우리 민주주의의 역사를 떠올리면 새삼스럽지 않은 결연함이다. "민주주의의 나무는 국민의 피를 먹고 자란다"라는 말처럼 대한민국의 민주주의는 수많은 국민의 피와 땀에 빚져 왔다.

어렵게 쟁취한 만큼 소중히 가꿔나가는 일은 남아 있는 이들의 몫이었다. 특히 문재인정부를 탄생시킨 촛불혁명은 민주주의의 불가역적 공고화를 명령하고 있었다. 지금껏 적지 않은 민주주의의 진전이 있었지만, 여전히 반인권적 잔재와 권위주의 문화가 상존하고 있었다. 더 큰 민주주의를 만드는 일은 문재인정부의 필연적인 국정 과제였다.

'국민청원'이 만든 변화

'국민 이야기를 직접 듣고 소통하는 공간이 필요하지 않을까.' 국민청원은 '국민이 주인인 정부'라는 대통령의 철학을 국정 운영에 구현한 소통 창구였다. 국민 누구나 청원을 게시하고 30일 동안 20만 명 이상이 동의하면 정부 또는 청와대 책임자가 답변했다.

국민청원은 국민의 폭넓은 참여로 누구나 정부와 직접 소통할 수 있는 공간이자 공론장으로 성장했다. 지난 4년 7개월여간(2017년 8월 19일~2022년 2월 28일) 국민청원 누적 방문자 수는 5억 1,600만 명, 청원 게시글 111만, 동의 참여는 2억 3만 명에 달했다.

국민의 목소리는 정책이 되었다. 아동보호 강화, 어린이 교통안전 확보, 디지털 성범죄 처벌 강화, 소방공무원 국가직 전환 및 노동환경 개선, 동물보호법 강화, 한부모가정 지원 확대 등 국민청원을 통해 드러난 국민 동의를 기반으로 다양한 분야의 제도 개선이 이루어졌다.

국민청원 4주년을 맞아 청와대 유튜브를 통해 직접 국민의 청원에 답변한 문재인 대통령

■ **국민이 보는 국민청원**

소외 계층의 목소리를
대변했다

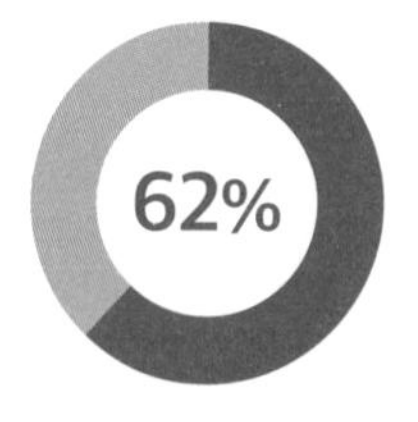

국정에 대한 시민들의
관심을 상승시켰다

시민들의 정치 참여를
높였다

자료: 한국리서치. 2021. 8. 6~9.

각본 없는 대통령, 브리핑의 일상화

대통령은 당선 직후 "국민과 수시로 소통하는 대통령이 되겠다"라고 밝혔다. 국민에게 성과를 일방적으로 알리는 '공보'보다 '소통'에 방점을 두겠다는 뜻이었다.

문재인 대통령은 임기 중 총 19번의 기자 회견(국내 9회, 외교 7회, 방송 3회)과 4번의 방송을 통한 '국민과의 대화'를 가졌다. 특히 23번 모두 구체적인 질문지 등의 사전 각본 없이 진행되었으며, 이는 대통령의 철학이 반영된 것으로 국민에 대한 신뢰를 두텁게 하기 위한 조치였다.

청와대 대변인실도 브리핑 횟수를 획기적으로 늘렸다. 정부 출범 이후 2021년 12월 말까지의 브리핑 횟수는 대변인 1,613건, 부대변인 526건 등 모두 2,616건으로 나타났다. 특히 임기 1년 차에는 참여정부 227회, 이명박정부 220회, 박근혜정부 412회에 비해 많은 518회의 브리핑을 시행했다. 남북 정상 회담·북미 정상 회담 등 한반도 평화의 외교적 노력이 가속화되던 임기 2~3년 차에는 각각 622회, 627회의 브리핑을 하며 국민적 기대에 조응하고자 애썼다. 임기 4년 차에는 코로나19 위기 극복 차원에서 방역과 민생 경제 안정화를 위한 메시지를 지속해서 전했으며, 마지막까지 투명하고 개방된 정보 제공이라는 철학을 유지하기 위해 애쓰고 있다.

청와대 앞길을 반세기 만에 국민의 품으로…

촛불혁명이 불 지핀 국민 주권에의 열망은 소셜 미디어의 가파른 확산과 함께 더욱 직접적이고 분명한 국민과의 소통을 요구하고 있었다. 소통이 곧 민주주의였다. 여전히 곳곳에 남아 있던 권위주의의 잔재를 청산하고 국민 앞에 겸손한 자세로 소통하는 일은 이제는 너무나 당연한 일이 되었다. 정부는 국민과 수시로 소통하는 '열린 청와대'를 지향했다. 국민이 접근하기 힘든 권위적 공간으로 인식되던 청와대의 문턱을 낮추는 일부터 시작했다.

먼저 2017년 6월 26일 청와대 앞길을 반세기 만에 국민께 돌려드렸다. 1968년 1·21 사태 이래 50년 가까이 통제되어왔던 길이었다. 차량 이동이 밤낮으로 완전히 보장됐고, 국민께서 경복궁 주변 산책길을 자유롭게 거닐 수 있게 되었다. 그 결과 주·야간 통행량이 기존보다 약 29% 증가했고, 단절됐던 삼청동과 효자동이 연결돼 통행도 한결 수월해졌다.

1·21 사태 이후 통제됐던 인왕산과 북악산도 국민 품으로 돌아왔다. 대통령이 대선 후보 당시 밝힌 "북악산과 인왕산을 전면 개방하겠다"라는 국민과의 약속을 지킨 것이다. 2020년 북악산 북 측면을 둘레길로 조성했고, 2022년 상반기에는 북악산 남 측면까지 완전히 개방할 예정이다.

문재인정부는 50년 만에 청와대 앞길을 돌려드렸다. 이로써 국민의 차량 이동이 밤낮으로 완전히 보장되고, 경복궁 주변 산책이 자유로워졌다(2017. 6. 16.).

청와대 경호와 군사 목적 시설물로 인해 일반인 접근이 부분 통제됐던 인왕산은 불필요한 경계 시설을 철거하고 시민 편의 시설 확충, 성곽 붕괴 지역 복원, 인왕산 옛길 및 탐방로 복원 등 재정비를 거쳐 2018년 개방했다. 북악산은 2020년 11월에 1단계 구간(북악스카이웨이·한양도성 북측 숲)을 개방했고, 2022년 상반기 2단계 추가 개방(삼청공원·한양도성 남측 숲)을 앞두고 있다. 이로써 서대문구 안산에서 출발해 인왕산~북악산~북한산으로 이어지는 구간을 중단 없이 걸을 수 있게 됐고, 도심 녹지 공간이 크게 확대됐다.

대통령의 별장? 이제 국민의 것입니다

경상남도 거제시의 '저도'는 일제 강점기인 1920년대부터 군 기지로 활용되다가 1972년 대통령 별장으로 공식 지정됐다. 이 때문에 국민의 거주 또는 방문이 자유롭지 못했다. 저도를 국민에게 돌려드리기 위해 상생 협의체(국방부, 행정안전부, 경상남도, 해군, 거제시)를 구성하고, 2019년 9월부터 1년간 시범 개방했다. 이후 개방 시간·인원 등을 확대해 2020년 9월 본격적으로 전면 개방했는데, 하루 만에 2개월분 유람권 승선권 예매가 종료될 만큼 관심이 뜨거웠다. 참여정부 당시 대통령의 별장 중 하나였던 청남대를 개방했던 노무현 대통령에 이어 이번에는 저도를 국민께 돌려드리게 된 것이다.

일상의 민주주의

선거 연령을 만 19세에서 18세로 낮추는 일은 대통령의 공약이었다. 운전, 입대, 결혼, 공무원 시험 응시도 가능한 18세 청년이 유독 투표만 가능하지 않았다. 단적으로 병역의 의무는 지면서 투표권은 행

문재인 대통령은 47년 만에 개방된 공식 대통령 휴가지인 경남 거제시 저도를 방문해 전국 17개 시·도 국민 및 저도의 마지막 주민과 함께 둘러보았다(2019. 7. 30.).

사하지 못하는 것은 '의무만 있고 권리는 없는' 불합리한 기준이었다. 국제사회와 비교해봐도 OECD 회원국 중 선거 연령을 만 19세 이상으로 규정한 곳은 2019년 기준 대한민국이 유일했다. 제헌국회 때 '만 21세 이상'이었던 선거 연령을 2차례 낮춰 '만 19세 이상'으로 투표권을 넓혔지만 국제 기준에는 여전히 미치지 못하고 있었다.

2019년 12월 27일, 정부와 국회의 노력이 결실을 보았다. 국회 정치개혁특별위원회를 통해 선거 연령을 낮추는 공직선거법 개정안이 본회의를 통과했다. 그 결과 2020년 4월 15일 치러진 제21대 국회의원 선거에서 54만 8,986명의 만 18세 유권자들이 처음 투표권을 행사했다. 2020년 12월 31일에는 만 18세도 국회의원과 지방 선거 후보자로 참여할 수 있도록 하는 공직선거법 일부 개정안이 국회를 통과했다. 기존 25세에서 18세로 낮춘 것으로, 확대된 참정권을 통해 더 많은 미래 세대가 자신의 민주적 의사를 드러낼 수 있게 되었다.

'역대 최고' 국가 청렴도

국민이 신뢰할 만한 깨끗한 정부를 만드는 일도 더 큰 민주주의를 위한 주요 과제였다. 국제투명성기구가 발표한 2021년도 부패 인식 지수(CPI)에서 우리나라는 180개국 중 32위를 차지했다. 이는 정부 출범 이전 2016년의 52위에서 20계단 상승한 결과로, 발표가 시작된 이래 대한민국이 받은 최고 순위였다.

공공 재정 지급금을 부당 청구하면 부정 이익을 전액 환수하는 '공공 재정 환수법'을 제정하고, 200만 공직자의 부정한 사익 추구를 막는 '이해 충돌 방지법' 정부안은 제출 9년 만에 국회에서 통과됐다. 매년 권익위가 공공 기관 채용 실태 전수 점검을 통해 모두 613건의 채용 비리를 적발했다. 연루자를 엄정 제재하고 3,400명의 피해자에게 재응시의 기회를 부여했다. 공익 신고 대상 법률은 기존 284개에서 471개로 늘렸다. 양구군 민통선 내 토지 소유권 문제 등 집단 민원 244건을 해결해 10만 주민과 기업의 숙원을 해결하기도 했다.

언론 자유 지수 3년 연속 아시아권 1위

민주주의의 척도 중 하나로 불리는 언론 자유 지수(국경 없는 기자회)는 2016년 70위에서 2021년 42위로 뛰어올랐다. 3년 연속 아시아권 1위이다. 국경 없는 기자회는 한국을 '언론인의 자유로운 활동이 보장되는 국가'로 인정하며 뉴질랜드, 호주 등과 함께 아시아태평양 언론 자유의 모델로 평가했다.

■ 한국 언론 자유 지수 순위 추이

자료: 국경 없는 기자회

ILO 핵심 협약 비준, 확대된 기본권

우리나라는 1991년 ILO 가입 이후 세계 10위의 경제 대국으로 성장했으나, ILO 회원국 대부분의 나라가 비준한 핵심 협약 중 일부를 비준하지 못하고 있었다. 이에 정부는 2017년 ILO 핵심 협약 비준을 노동 존중 사회 실현을 위한 핵심 국정 과제로 선정하고, 사회적 대화와 전문가 및 관계 부처 검토를 진행해왔다.

이를 토대로 핵심 협약 비준을 위한 4개 법률(노조법, 공무원노조법, 교원노조법, 병역법)을 개정하였으며, 3개 ILO 핵심 협약(제29호 강제 노동 협약, 제87호 결사의 자유 및 단결권 보호 협약, 제98호 단결권 및 단체교섭 협약)을 2021년 4월 비준 완료했다. 이번 ILO 핵심 협약 비준 및 국내법·제도 개선으로 국제 수준에 부합하는 노동 기본권을 보장하고, 노사 양측의 자율성 및 책임성이 강화될 수 있는 기반이 마련되었다.

한편 정부는 소수자의 다양성을 인정하고 인권 선진국으로 한 걸음 나아가기 위해 2019년 12월 '대체역의 편입 및 복무 등에 관한 법률'을 제정하여 2020년 1월 1일부터 시행하고 있다. 그동안 600여 명이 병역 기피로 고발되었으나 제도 도입 이후 당당하게 국가와 사회에 기여하면서 자신의 양심을 보호할 수 있게 되었다.

공포와 억압의 장소에서 민주주의의 전당으로

옛 남영동 치안본부 대공분실은 1987년 박종철 열사가 물고문을 받다가 숨진 곳이다. 정부는 권위주의 시대에 인권 탄압으로 악명 높던 이 공간을 민주인권기념관으로 재탄생시켰다. 문재인 대통령은 옛

第33주년 6·10 민주항쟁 기념식(2020. 6. 10.)

남영동 대공분실에서 열린 第33주년 6·10 민주 항쟁 기념식에서 민주주의 발전 유공자 총 19명에게 정부 포상을 수여하기도 했다. 민주인권기념관은 6,657㎡ 규모로 2019년 설계 공모를 거쳐 2021년 상반기 착공했다. 옛 남영동 대공분실의 재정비와 증축 공사가 마무리되면 2023년 상반기 민주주의의 전당으로 새롭게 탄생할 예정이다.

"겸손한 권력, 강력한 나라"

2017년 5월, 문재인 대통령은 국회 로텐더홀에서 열린 취임 선서식에서 '국민께 드리는 말씀'으로 취임사를 대신했다. 탄핵 이후 치러진 대선이었던 탓에 통상의 취임식과는 다른 풍경이었다.

"깨끗한 대통령이 되겠습니다. 빈손으로 취임하고 빈손으로 퇴임하

문재인 대통령은 6·10 민주 항쟁 기념식에 참석해 고 이한열 열사의 어머니 배은심 여사에게 국민훈장 모란장을 수여했다(2020. 6. 15.).

는 대통령이 되겠습니다. 훗날 고향으로 돌아가 평범한 시민이 되어 이웃과 정을 나눌 수 있는 대통령이 되겠습니다. (…) 낮은 사람, 겸손한 권력이 돼 가장 강력한 나라를 만들겠습니다. 군림하고 통치하는 대통령이 아니라 대화하고 소통하는 대통령이 되겠습니다."

취임사의 한 글자 한 글자는 5년 내내 막중한 책임감이었다. 대통령이 말한 "겸손한 권력"은 무턱대고 국민께 숙이겠다는 것이 아니었다. 윤색은 금방 탄로가 난다. 몇 번 국민 앞에 그럴듯한 말과 행동을 보일 수는 있지만, 진심은 그 사이사이 행간과 맥락에 묻어나오게 되어 있다.

종종 민주주의는 불완전한 제도라고 비판받는다. 그럼에도 이 '소란한' 제도를 피땀 흘려 쟁취하고 견결히 가꿔가는 이유는 국민 다수의 의사가 소수 정치 집단의 의견보다 현명할 가능성이 압도적으로 높기 때문이다.

문재인정부의 5년은 그 민주주의의 존재 이유를 여실히 목격한 시간이었다. 집단 지성이라는 말이 손쉽게 쓰이는 시대이지만, 다양한 형태로 나타나는 국민의 집단적 의사는 늘 절묘한 균형과 혜안을 담고 있었다. 그 위대한 민심 앞에 울고 웃던 5년이었다.

> "한마디로 말해, 민주주의는 동료 시민에 대한 사랑, 바로 그것에 관한 것입니다. 민주주의란 스스로가 옳다고 확신하지 못하는 사람들을 위한 정치 체제입니다."
>
> 샤츠 슈나이더

마지막 순간까지 온 힘을 다해 국민께 복무하고자 했지만, 늘 옳았다고, 늘 완벽했다고 말할 수는 없다. 그럼에도 권력의 원천인 국민 앞에 한없이 겸허하고자 부단히 달려왔음을, 그 간곡한 마음을 꼭 기억해주시길 정중히 청해 올린다.

interview

'남한산성 김밥 할머니'의 특별한 나들이

박춘자(초록우산어린이재단 기부자)

"저는 가난했습니다. 일곱 살부터 경성역에서 순사의 눈을 피해 김밥을 팔았습니다. 그렇게 돈이 생겨 먹을 걸 사 먹었는데 너무나 행복했습니다. 그게 너무나 좋아서 남한테도 주고 싶었습니다."

박춘자 할머니에게 2021년 12월 청와대에서 열린 '기부·나눔 단체 초청 행사'는 생각만 해도 자꾸 눈물이 나는 날이다. 문재인 대통령과 김정숙 여사의 손을 잡고 청와대 복도를 지나는 순간, 홀로 자신을 키워낸 아버지 생각에, 두 살 때 세상을 떠난 어머니 생각에 하염없이 눈물이 났다. 아흔이 넘은 나눔의 성자에게 그날의 청와대는 부모의 품처럼 따뜻했다고 한다.

어찌 보면 너무도 당연한 일이었다. 한평생 나눔을 멈추지 않았던 위대한 주권자, 최고의 예우로 모시는 것은 곧 누가 대한민국의 주인인지를 분명히 하는 시간이었다. 지금 이 순간에도 삶의 위대함을 증명하고 있는 모든 '박춘자'들께 보내는 무한한 존경의 표현이기도 했다.

할머니를 성남의 한 복지 시설에서 다시 만났다. 아흔이 넘는 연세에도

청와대에서 열린 기부·나눔 단체 초청 행사에서 박춘자 할머니를 모시는 문재인 대통령 부부

목소리는 경쾌했고, 지난 세월에 대한 기억은 놀랍도록 또렷했다. 가진 걸 모두 나누고도 일말의 대가를 말하지 않는 삶은 그 자체로 빛났다.

김정숙 여사가 잡아준 '손'
"엄마 같더라고요"

▌ 청와대 가서 대통령 내외를 만나셨어요. 그때 이야기 좀 해주세요.

그날 내가 너무 울었어요. 영부인이 내 손을 잡아주는데, 그때부터 울기 시작했거든요. 영부인이 내 손을 잡는데 엄마 같더라고요. '우리 엄마가 살아 계셨으면 지금처럼 내 손을 잡고 걷지 않았을까' 생각을 하니까 계속 눈물이 나더라고요. 그치려고 해도 눈물이 나오고 아무리 안 울려고 해도 그냥 펑펑 눈물이 나요. 우리 아버지도 불쌍하고.

▌ 청와대라는 공간이 낯설거나 불편하진 않으셨고요?

그런 건 없었어요. 나는 이렇게 좋은 곳 왔는데 우리 아버지는 이런 것도 못 보고 고생만 하다 돌아가셨으니까. 그래서 눈물이 난 거예요. 우리 아버지 고생 많이 했거든요. 그래도 인심은 참 좋은 분이었어요.

"쭉 아버지와 둘이 살았어요"

▌ 아버지는 어떤 분이셨어요?

두 살 때 아버지한테 "엄마 어디 갔어요?" 하고 물으니까 "떡 사러 갔다." 그러시더라고요. 쭉 아버지랑 둘이 살았어요. 내가 어리니까 어디 맡길 데도 없잖아요. 나 돌보느라 아버지가 돈을 못 버니 사는 게 얼마나 곤란했겠어요.

인천에서 살 때인데 축대에서 떨어져서 다리를 크게 다쳤어요. 그때는 일본 병원밖에 없었는데 돈이 있어야 병원엘 가죠. 그래서 아버지가 상처에 된장을 발라준 거예요. 나는 아프다고 계속 울고 아버지는 그런 내가 불쌍해서 울고. 나중에 집 팔아서 내 다리 치료하는 데다 썼어요.

몇 년 후에 서울로 이사 가서 아버지가 과일 장사를 했어요. 가게가 있나, 그냥 땅바닥에 펼쳐놓고 파는 거지. 잠은 하숙집에서 자고 새벽 4시에 일어나서 남대문시장으로 가는 거예요. 나는 아버지 옆에서 놀다가 졸리면 리어카에서 자고 과일도 지키고 그랬어요.

경성역, 김밥 장사하던 일곱 살 꼬마

▌ 김밥 장사는 언제부터 시작하신 거예요?

일곱 살부터 했어요. 일본 사람들이 단무지를 많이 팔았으니까 그걸 사다 잘라서 넣고 김밥을 만들었어요. 경성역(현 서울역)에서 오전 11시 40분에 출발하는 호남선 기차가 있었는데, 열차가 들어오면 승객들한테 "김밥 사세요, 김밥 사세요." 속삭이면서 몰래 파는 거예요. 순사한테 들키면 안 되니까, 그래서 내 별명이 '김밥'이 된 거예요. 그때부터 50년 동안 김밥도 팔고, 남한산성에서는 소라도 삶아서 팔고, 홍합도 끓여서 팔고, 1년 내내 쉬지 않고 일했어요. 그렇게 일하니까 돈이 조금 벌리더라고요.

▌ 그렇게 힘들게 번 돈을 전부 기부하셨잖아요. 6억 원을 복지 시설에 기부하셨는데, 당시 어떤 마음이셨나요?

나도 그랬지만 돈이 없으면 사람이 고생하잖아요. 그래서 없는 사람들 다 줬어요. 동네에서 밥 굶는 사람 있다면 쌀 갖다 놓고 오고, 연탄도 사다가 몰래 두고 오고, 간장·된장 담그면 나눠 먹고 그랬죠. 내가

하도 못 먹고 고생을 해서 배고프다는 사람 있으면 다 나눠 줬어요. 주고 나니 기분 좋더라고요.

다리에 된장 바르던 시절 떠올라 3억 원 첫 기부

▌처음 기부는 어떤 계기로 시작하신 거예요?

남한산성에서 김밥 장사를 하면서 돈이 모이기에 집을 샀죠. 그렇게 성남에다가 작은 집을 세 채 샀는데, 어느 날 TV를 보는데 다리 아픈 아이 이야기가 나오는 거예요. 다리가 부러졌는데 돈이 없어서 못 고친다는 거야. 그걸 보고 있으니까 나 옛날에 다리 다쳤을 때 아버지가 된장 발라준 생각이 나서 바로 '초록우산어린이재단'에 전화했죠. 장사해서 번 돈이랑 집 한 채 판 돈이랑 합쳐서 3억 원을 기부했어요.

▌김밥 장사를 그만둔 뒤에는 지적 장애인 11명을 집으로 데려와서 돌보셨잖아요. 어떻게 된 일인가요?

성당에 갔더니 신부님이 지인 부탁을 받고 아이들을 11명 데려왔는데 이 아이들을 맡길 곳이 없다며 걱정하는 거예요. 그래서 "내가 데리고 가겠다" 했죠. 그때부터 지금껏 50년을 길렀네요.

'모두 부자 됐으면, 모두 잘 컸으면'

▌일제 식민지부터 분단, 전쟁까지. 할머니의 인생은 그대로 대한민국 역사입니다. 잘 성장한 대한민국을 보면 어떠세요?

내가 열여섯 살에 해방이 됐는데요. 그때랑 비교하면 우리나라가 참 잘 살죠. 더 잘됐으면 좋겠고요. 모두 부자가 됐으면 좋겠어요.

무엇보다 우리 아이들, 제 기부를 받고 조금이라도 힘을 냈을 그 애들이 잘 컸으면 좋겠어요. 나쁜 짓 안 하고, 속이거나 남의 것을 탐하지 않고, 좋은 행동 하면서 활발하게 컸으면 좋겠어요. 나처럼 어려운 사람도 도우면 좋고요.

인터뷰가 마무리되던 찰나, 어느덧 중년의 나이로 성장한 자녀들이 다가왔다. 50년간 함께한 장애인 11명 중 4명. 마치 오랜만에 만난 듯 "엄마" 하고 달려와 뽀뽀를 하고 껴안는다. 지난 이야기를 하며 눈물짓던 할머니의 표정이 거짓말처럼 환하게 바뀌던 순간이었다.

1929년생. 할머니의 삶이 곧 대한민국 근현대사이자 민중사였다. 돈이 없어 다친 다리에 약 대신 된장을 발랐던 가난의 기억은 할머니에게 억척을 남겼다. 손이 불도록 일했고 모이는 대로 나누었다. 가진 것을 나눌 때 단 한 번도 고매한 이유를 덧붙이지 않았다. 삶이란 으레 당연히 그래야 한다는 듯, 그의 나눔에는 늘 주저함이 없었다.

무언가를 '증명'하는 방법은 여러 가지다. 유려한 논리, 현란한 말솜씨는 가장 효율적인 방식이다. 그러나 때로 가장 비효율적이지만 깊이 있는 울림은 수십 년 '전 생애'로 증명할 때 나온다. 할머니가 그랬다. 할머니의 삶이 곧 메시지였다.

'국민이 주인인 정부'. 박춘자 할머니처럼 삶의 향기를 뿜는 국민이 당당하게 주인으로 살아가는 나라, 지난 5년간 문재인정부가 기필코 만들고자 했던 대한민국이었다.

interview

"미래를 향해 옷깃을 여미는 분입니다"

신동호(청와대 연설비서관)

기실 막중한 일이었다. 책임의 크기가 말의 무게를 결정했다. 국정 최고 책임자가 자주 쓴 단어와 그 횟수는 국정 방향의 가늠자가 되었고, 국민께 드리는 한마디 한마디는 촘촘히 해체되어 해석의 재료가 되었다. 태도는 말과 글로 전달된다. 대통령의 말 한마디, 글 한 문장이 곧 국민을 대하는 문재인정부의 태도 그 자체였다. 매 순간 부단히 듣고 읽고 익혀야 했다. 대통령과 한 몸처럼 느끼고 사고하기 위해 끊임없이 궤적을 좇았다. 대통령의 말과 글은 자주 화제가 되었다. 모두 화려한 미사여구보다 국민의 눈높이에서 건네는 소담한 문장들이었다. 대통령의 생각은 그렇게 담백한 말과 글이 되어 국민께 다가갔다.

정치인의 메시지를 담당하는 많은 이들이 입을 모아 말한다. 대상을 깊이 사랑하지 않고서는 할 수 없는 일이라고. 정부 출범 이후 줄곧 연설비서관으로서 일해온 이가 지켜본 '대통령 문재인', '인간 문재인'은 어떤 모습이었을까. 오랜 시간 한 몸이 되고자 애쓴 참모는 단어 하나하나를 조심스럽게 고르며 이야기를 이어갔다.

'통시적' 대통령
'미래를 향해 옷깃을 여미시는 분'

> 5년간 대통령의 말과 글을 담당하셨습니다. 가까이에서 본 문재인 대통령은 어떤 분이었습니까?

우리가 세계적으로 많은 지도자를 봐왔고, 또 우리나라에도 훌륭한 인물이 많지만, 역사를 바라보는 관점에서 구별되는 특성이 있습니다. 가령, '공시적'으로 세상을 바라보는 분과 '통시적'으로 보는 분으로 구분할 수 있을 것 같아요. 공시적으로 본다면 당장 눈앞에 놓인 과제를 앞세우고 국민과 호흡해가는 분이겠죠. 통시적 지도자는 많지 않은데 전체 흐름 속에서 지금, 무엇을 하느냐를 짚어내는 분이라 생각합니다. 노예 해방의 링컨 대통령 같은 분을 꼽을 수 있을 겁니다.

우리 대통령께서도 대한민국 전체 역사에서, 세계사의 흐름 속에서의 역할을 고민하는 분입니다. 통시적 지도자이신 거죠. 지금 무엇을 하느냐에 따라 미래의 흐름이 변할 텐데요, 대통령께서는 아직 태어나지도 않은 아이들의 삶까지 염두에 두고 있는 것입니다. 한마디로 '미래를 향해 옷깃을 여미는 분'이라 말씀드리고 싶습니다. 과거를 존중하고 지혜로 삼으면서 현재를 이끌고, 미래를 걱정하면서 현재를 설계하신다고 할까요.

'중용'에 '신독'이라는 말이 있습니다. '남들이 보지 않는 곳에서도 스스로를 삼간다'는 뜻인데요, 자주 대통령께서 신독하는 분이라는 느낌을 받았습니다. 미래를 두려워하지 않는다면 신독할 수 없다고 봅니다.

"평범한 사람들이 만든 민주공화국"
통합의 구심점은 '애국'과 '보훈'

'미래를 향해 옷깃을 여민' 대통령의 통시적 리더십은 어떤 형태로 국정 과정에 나타났나요?

대통령님의 글 중에 「평범함의 위대함」이라는 제목의 기고문이 있습니다. 독일의 《프랑크푸르터 알게마이네 차이퉁》에 내신 건데요. 평범한 사람들이 이룬 대한민국의 이야기이고, 그들이 이룬 성취야말로 가장 가치 있는 것이라 강조하고 계십니다.

대통령께서 역사 덕후라는 건 알음알음 잘 알려져 있는데요, 3·1 독립운동에 대한 인식은 민주공화국 대한민국의 지도자답다고 항상 생각하게 합니다. 대한 독립을 외친 나무꾼, 기생, 광부를 일일이 거명하시면서 이러한 평범한 사람들의 참여가 민주공화국을 선포한 임시정부의 수립으로 이어졌다고 말씀하십니다. 이후 전쟁을 이겨내고 경제 성장과 민주화를 이뤄낸 것 역시 평범한 사람들의 땀방울과 헌신이 바탕이 되었다는 것이고요.

그 평범함의 위대함이 역사를 전진시키기 위해 권력 기관 개혁이 뒤따랐다고 생각합니다. 평범함이 위대함을 지속해서 발휘하기 위해서는 반드시 반칙과 특권이 사라져야 하지 않겠습니까. 작은 기업의 연구실에서 이룬 발명품을 대기업에 빼앗기지 않고 제대로 가치를 인정받아야 하지 않겠습니까. 평범한 사람들이 서로 자기의 것을 조금씩 나눠 함께 살아왔던 경험을 확장시켜야 하지 않겠습니까. 모두 말씀드리기 벅차지만, 그 대표적인 것 가운데 하나가 '광주형 일자리'라고 생각합니다. 5·18 광주민주화운동과 6월 항쟁, 광장의 촛불에서

제101주년 3·1절 기념식(2020. 3. 1.)

우리는 나눔으로 이룬 힘을 보았고, 어떤 힘도 결코 작지 않다는 것을 알고 있습니다. '잘사는 것'에서 '함께 잘사는 것'을 선언한 포용국가 비전에도 이런 마음이 잘 담겨있다고 생각합니다.

애국도 마찬가지입니다. 어떤 특정한 사람이나 집단의 것이 아니라는 겁니다. 2017년 첫해 현충일 연설에서 대통령께서는 독립운동가, 참전 용사, 파독 광부와 간호사, 여기에 더해서 청계천에서 어린 시절을 보낸 여공들까지 애국자라 했습니다. 6·25 전쟁 70주년에는 한 달 전부터 저를 불러서 어떻게 준비하는지 물어보시더라고요. 국가가 만들어지는 과정에서 정말 평범한 사람들이 국가를 위해서 처음으로 희생함으로써 국가 정체성이 생겨났다는 것을 말하고 싶어 하셨습니다. 6·25 전쟁에 대한 대통령님의 생각은 그야말로 우리 역사를 직시하신 것입니다. 평범한 사람들의 애국·희생으로 지키고 만든 대한민국을 모두 인정한다면 서로 대립할 일도 적어지겠죠.

우리 정부에서 여성 독립운동가를 비롯해 이름 없이 사라질 뻔했던 많은 독립운동가를 발굴한 것, 현충일에 우리 주변의 의인들을 기리고 보훈을 강화한 것, 문재인케어와 장애인 정책 또한 통시적 리더십의 한 모습일 것입니다. 우리 모두는 소중하고 존중받아야 합니다. 대통령님은 그것을 이야기하고 있는 것입니다. 아직 우리가 진보, 보수로 마음을 합치지 못하고 있지만 평범함 속에서 역사의 위대함을 보았던 대통령님의 혜안이 언젠가 우리를 더 큰 힘으로 통합하게 할 것이라 확신합니다.

발상의 전환, "추격하는 나라에서 선도 국가로"

> 과거와 현재를 잇는 구심점으로 애국과 보훈이 매개였다면, 현재와 미래는 어떻게 대통령의 통시적 관점에서 연결되어 있나요?

지금도 대통령님의 마음을 불편하게 하는 건 주택 문제일 것입니다. 세월의 고독이 느껴집니다. 집은 투기의 대상이 아니라 온전히 삶을 영위하는 공간이 되어야 합니다. 쉽지 않은 일이지만, 그 일을 시작하신 것이라 생각합니다. 수도권을 벗어나 전국 각지 모두 살기 좋은 곳이라면 얼마나 좋겠습니까. 국가 균형 발전에 대한 열망도 결국 주택 문제와 연결되어 있을 겁니다. '광주형 일자리'로 대표되는 상생형 지역 일자리, 공공 기관 이전, 혁신 도시 모두 생각하기에 따라서는 주택 문제로 수렴됩니다. 우리가 살기 좋은 지역에서 집 걱정을 덜고, 좋은 일자리에 아이를 키울 수 있는 날을 무척이나 바라실 겁니다.

'선도 국가'라는 표현도 통시적 관점에서 나온 것이라 생각합니다. 우리는 우리가 생각하는 것보다 훨씬 더 발전해 있다고도 하십니다. 어느 날 대통령께서 "이제 우리는 추격하는 나라가 아니라 선도 국가가 되어야 합니다"라는 말을 연설문에 추가하셨을 때 굉장히 놀랐습니다. 이 말을 들은 국민의 마음과 태도가 얼마나 달라질까 생각하면 가슴이 벅차기까지 했습니다. 지금 우리의 자리를 정확하게 짚으신 것입니다. '탄소 중립' 역시 참모들이 모인 자리에서 직접 선언하겠다고 하셨습니다. 대한민국은 이미 많은 분야에서 세계를 선도하고 있고 앞으로 더 넓혀갈 것입니다. 그 반전의 지점을 알려주었고, 그것이 우리의 미래를 달라지게 할 것입니다.

'취재는 안 한다' 결심
앞서가는 메시지 만들려면 끊임없이 쫓아가야

> 메시지 담당자로서 대통령의 의중을 어떻게 파악하고 추적해왔는지 궁금합니다. '요즘 대통령의 생각은 이렇다'라고 보고서가 별도로 정리돼서 공유되는 것도 아니었을 텐데요.

모든 메시지 담당자의 숙명이겠지만, 자나 깨나 버스 타고 지하철 타고 다닐 때마다 '대통령이 무슨 생각하실까?' 그 생각만 했죠. 이게 참 재미있는 게 '취재'를 하면 실패합니다. 대통령님 만나서 "다다음 주에 뭐가 있는데 어떻게 생각하십니까?" 여쭙고 말씀하시는 거 적잖아요? 그런데 나중에 보면 대통령은 아직 그 문제를 고민하고 계신 단계가 아니었던 겁니다. 매일매일 현안에, 내일 것 모레 것 생각하셔야 할 게 얼마나 많겠어요. 그러니 가서 여쭤봐 봤자 그 순간에 생각난 것만 얘기하시는 게 당연하죠.

그런데 제 입장에서는 듣는 순간 거기에 얽매이게 되는 겁니다. 대통령 말씀이니까. 그래서 말씀하신 것 갖고 온갖 고민을 해서 적어 가면 그사이에 대통령의 생각은 벌써 저 앞에 가 있는 겁니다. 날이 가까워져서 드디어 보고서를 받고, 대통령님 고민이 시작되고, 생각의 폭이 저만치 앞으로 간 거죠. 그래서 취재를 하면 무조건 실패한다는 것을 경험 끝에 알게 되었습니다. '이제 취재는 안 한다.' (웃음) 결론을 내렸고요.

결국 늘 같이 쫓아가야죠. 어떤 생각을 할지를 계속. 대통령님은 모든 사안을 보시니 저도 모든 사안을 봐야 합니다. 사실 지도자의 고독함이라는 게 있는 거잖아요. 늘 앞서가야 하는. 있는 걸 정리해주는 건 지도자가 아니니까. 국민 정서보다 두 발짝은 안 되고, 한 발짝 혹은 반 발짝은 앞서서 나가야 하는 것입니다. '선도 국가'나 '탄소 중립' 처럼 아무도 말하기 힘든 것을 먼저 치고 나올 수 있어야 하거든요. 그러니 거기까지 고민을 해야 하는 거죠. '이번 국면에서 대통령이 어디까지 얘기하고 싶으실까?' 생각하면서 평소에 대통령이 말씀하신 것, 국정기록비서관실 기록을 꼼꼼하게 챙겨보고, 최근에 갖고 계신 생각의 자취를 읽으려고 노력했습니다.

역사에 남는 것이라 생각해 모든 메시지에 철저
참모에 대한 존중이 원동력

▌그래도 준비하는 과정에서 부담이 많으셨을 것 같아요.

말할 것도 없죠. 생각해보세요, 매일매일 대한민국에서 제일 높은 사람에게 숙제 검사를 받는 건데. (웃음) 실제 2019년에 한 번 세어봤는데 우리 비서관실에서 쓴 글이 650개가 넘더라고요. 거의 하루에 두 개씩 쓴 건데 그걸 모두 검토하시고, 고치시고, 새로 써넣으시고 했다고 생각하면 우리 고생은 대통령 고생의 반의반도 못 미칩니다. 그만큼 대통령이 국민과 소통을 많이 하신 거라고도 볼 수 있죠.

정권 말이 되어가는 지금도 마찬가지예요. 연설문은 말할 것도 없고 축사, SNS 글 할 것 없이 모두 철두철미하십니다. 국민에게 나가는 대통령의 말이면서 동시에 역사에 남는 기록이기 때문에 한 글자도 허투루 보지 않으십니다. 또한 어떤 글도 의례적이지 않게 하시려고 무척 신경 쓰십니다. 축사라면 그 단체에 맞게, 자긍심을 불러일으킴과 동시에 앞으로 나아갈 수 있도록 응원합니다.

무엇보다 사람에 대한, 참모에 대한 존중이 힘이 되었습니다. 긴장되고 부담도 많이 되지만 5년 동안 일할 수 있었던 원동력이었죠.

'약속의 어법'
문재인다운 어법

> 문재인 대통령의 문체, 화법 중에 특징지을 만한 것이 있다면 어떤 것이 있을까요?

'약속의 어법'이라고 제가 나름 이름 지어봤는데요. 아마 대통령님 본인은 일부러 그러시는 건 아닐 거예요, 몸에 밴 거겠죠. 이를테면 세종시에 가서 국가 균형 발전에 대해 연설하시면 내가 언제 여기 왔었고, 와서 이런 이야기를 했고, 그 약속은 이 정도까지 이행했고, 앞으로 이렇게 하겠다. 이 형식을 매우 중요시하세요. 제주 4·3 같은 경우도 그랬고요. 여러 번 이런 흐름이 있었습니다. 끊임없이 말과 글, 기록을 통시적으로 가늠하고 계신 거죠. 그렇게 늘 하시니 대통령이 연설문 고치느라 밤샌다 이런 소문도 나는 거예요. 단어 하나, 문장 하나가 지금 여기서 끝나는 게 아니라고 생각하는 사람과 여기서 끝난다고 생각하는 사람이 얼마나 큰 차이가 있겠습니까.

“많이 배웠습니다”

5년 임기를 함께하셨습니다. 마지막으로 개인적인 소회가 궁금합니다.

이 이야기를 꼭 드리고 싶습니다. 취임 1주기 때 대통령께서 쓰신 짧은 글이 있어요. 일본에 갔다 오는 비행기 안에서 쓰신 글입니다. 읽어보면 완전히 국민 눈높이에서 말씀하십니다. 저도 정치인의 메시지를 담당하는 사람이지만 그 국민 눈높이에서 얘기한다는 게 굉장히 어려운 일이거든요. 우리 직원들이 새로 오면 제가 프린트해서 꼭 일독을 권합니다.

제 첫 번째 소회는 대통령께 국민의 눈높이, 평범함에 대한 애정을 배웠다는 것입니다. 저도 개인적으로는 시인이지만, 제 개인의 글을 쓰는 데에도 큰 도움이 되었습니다. 대통령 글을 쓰다가 스트레스 받을 때 가끔 글쓰기로 글쓰기 스트레스를 풀기도 했는데요, 제가 봐도 제 글이 조금씩 좋아지고 있는 거예요. 뭐랄까 어깨에 힘이 빠졌다고 할까요. 덕분에 중간에 문학상도 받았습니다. (웃음) 말과 글은 그 사람의 인격을 그대로 보여줍니다. 대통령께서 갖고 계신 국민 눈높이는 삶에서 체득한 걸 겁니다. 그거 진짜 쉽지 않은 일이거든요. 대통령님한테 정확히 내재화되어 있는 걸 느꼈습니다.

‘아, 내가 지금까지 공부하고 읽은 것이 모두 문재인이란 사람을 모시려고 했던 건 가보다.’ 그런 생각도 했습니다. 저도 문학을 전공하니까 지금까지 책도 좋아하고 많은 글을 써오지 않았겠습니까? 제가 읽었던 독서를 활용해서 쓴 글이 운명처럼 맞아떨어질 때면 그런 생각이 들었습니다. 책을 손에서 놓지 않으시기로 유명하시지만, 문학에도 그리 독서 폭이 넓으신지는 저도 몰랐습니다. 물론 대한민국이 아플 때나 기쁠 때, 대통령님하고 똑같이 볼 수밖에 없었습니다. 그런 것을 같이 느끼면서 보고 배운 모든 것이 정말 많죠. 제 인생의 가장 뜨거운 시간이었습니다.

그는 등단한 시인이었다. 대통령의 메시지를 담당하게 된 건 대통령이 되기 전 당 대표 시절부터였다. 적지 않은 시간을 함께해온 참모이지만 그는 인터뷰 내내 객관적인 서술이 되고자 고민을 거듭했다. 최대한 있는 그대로를 전달하는 것이 국민에 대한 예의이자 곧 대통령을 빛내는 일이라고 했다.
"미래를 향해 옷깃을 여미는 분." 그는 대통령을 한 문장으로 정리했다. 한 문장을 뒷받침하는 사례가 쏟아졌고, 조각이 모이고 모여 '문재인'이라는 인물이 그려졌다. 그가 그린 '대통령 문재인'은 '남들이 보이지 않는 곳에서 스스로를 삼간다'는 '신독'이라는 명사 그 자체였다.
대통령에 대한 평가는 시대를 거쳐 변화를 거듭한다. 문재인 대통령도 그 예외는 아닐 것이다. 신동호 비서관에 따르면 대통령은 늘 역사의 엄중한 평가를 준비한 대통령이었다. 그 묵묵한 한 걸음 한 걸음이 역사 앞에 공정한 평가를 받을 수 있기를. 대한민국에는 더 많은 성공한 대통령이 필요하기 때문이다.

"지금 세상을 바꾸고 있는 것은 국민입니다. 정의로운 대한민국을 만들어 가고 있는 것도 국민입니다. 단지 저는 국민과 함께하고 있을 뿐입니다.
지난 1년, 과분한 사랑을 받았습니다. 국민이 문재인정부를 세웠다는 사실을 결코 잊지 않겠습니다. 광장의 소리를 기억하겠습니다. 임기를 마칠 때쯤이면 '음, 많이 달라졌어. 사는 것이 나아졌어'라는 말을 꼭 듣고 싶습니다. 평화가 일상이었으면 좋겠습니다.
일본에서 돌아오는 비행기 안에서, 1년 전 그날의 초심을 다시 가다듬습니다."

문재인 대통령(취임 1주년 메시지 중에서, 2018. 5. 10.)

interview

"가장 먼저 떠오르는 건 '자연'입니다. 자연 그 자체죠"

윤건영(전 청와대 국정상황실장)

복심. 배 '복(腹)' 자에 마음 '심(心)' 자. 언론에선 그를 '대통령의 복심'으로 불렀다. 참여정부 청와대 비서관부터 대통령이 국회의원이던 시절의 보좌관, 그리고 초대 청와대 국정상황실장이자 대북 특사까지. 소란스레 드러나지 않아도 대통령의 곁에는 늘 그가 있었다.

'흔치 않은' 복심이었다. 오랜 기간 국정 최고 책임자의 가까이서 일했지만 어떠한 설화에도 휘말린 적이 없었다. '지퍼'라는 별명이 생긴 이유이다. 그를 수식하는 표현에는 늘 '입이 무거운'이라는 말이 붙었다.

정부 출범 이후 청와대에서 일하면서도 그 모습은 달라지지 않았다. 여지없이 묵묵히 자신의 일에 매진했다. 그에 대한 대통령의 신뢰는 어쩌면 대통령 당신과 가장 닮아 있는 사람이었기 때문이었는지도 모른다.

문재인정부의 국정 성과를 정리하는 마지막 인터뷰이로서 윤건영 전 실장을 만났다. 5월 10일 당선 이튿날 새벽, 10여 명의 실무진과 청와대에 들어갔던 그였다. 어느덧 대통령 임기를 몇 달 앞두고 만난 최장수 국정상황실장은 여전히 낮은 자세로 말하는 것에 익숙해 있었다.

제19대 국회의원선거 당시 사상구 모라동 약수터에서
(2012. 2. 12.)

2년 7개월, 최장수 국정상황실장으로 일하셨습니다. 정부 임기가 마무리되는 소회가 남다르실 것 같습니다. 단도직입적으로, 문재인정부는 어떤 정부였습니까?

한마디로 말하면 '위기 극복 정부'였습니다. 지난 5년을 돌아보면, 많은 위기가 우리를 위협했죠. 2017년 취임할 때는 전임 대통령이 탄핵당한 국정 공백 위기 속에 출발했고, 취임 직후에는 한반도 평화가 심각한 위기 상태였습니다. 그 이후에도 일본의 수출 규제, 코로나19 등 끝없는 위기가 이어졌습니다. 그 위기들을 하나하나씩 극복해왔던 5년이었습니다.

본관에서 여민1관으로 달라진 집무실 위치가 만든 변화

대통령께서 국민 앞에 겸손한 대통령이 되겠다고 약속했습니다. 이전 정부와 비교해 특히 달랐던 점은 무엇이었나요?

가장 상징적인 장면으로 답을 대신하고 싶습니다. 바로 대통령 집무실입니다. 취임 직후 대통령님은 집무실을 청와대 본관에서 여민1관으로 옮겼습니다. 제가 노무현정부에서도 청와대 비서관을 했지만, 대통령 집무실의 위치 변화는 단순한 차이가 아니라 큰 차이를 만들었습니다.

대통령 집무실이 본관에 있을 때는 대통령 보고가 일종의 큰 이벤트였습니다. 사전에 차량도 불러야 하고, 출입 조치도 미리 해야 하고 절차가 많았습니다. 부속비서관은 각 비서관과 수석실의 보고 일정을 정리하는 것이 주된 일이었습니다. 박근혜정부에서 소위 '문고리'니 '십상시'니 하는 것들이 가능했던 이유입니다. 본관으로 가는 통로를 잡고 있으면 대통령 보고가 불가능하니까요.

문재인정부는 전혀 달랐습니다. 누구든 대통령 집무실이 있는 여민1관 3층으로 가면 되었습니다. 복잡한 절차들이 다 사라진 것입니다. 대통령께서 인터폰으로 찾으시면 누구든 5분 안에 갈 수 있게 되었습니다. 한 가지 단점이라면 참모들과의 소통이 훨씬 원활해진 만큼, 대통령의 업무 하중도 그만큼 심해졌다는 거죠. 그럼에도 일하는 정부, 겸손한 대통령이라는 가치에 부합하는 상징적인 장면이지 않았나 싶습니다.

중압감, 압박감 내려놓고 싶어 하실 때도…
특유의 책임감이 '일하는 대통령'의 원동력

소통이 원활해지고 겸손한 권력이 될수록 대통령의 업무 하중이 높아졌다는 대목이 인상적입니다. 문재인정부의 총리 중 한 분께서는 "권력의 냄새가 아니라 땀 냄새가 나는 청와대"라고 호평하시기도 했습니다.

원래 대통령님은 '일'을 빼면 설명하기 어렵습니다. 6시 넘어 관저로 퇴근하시지만, 항상 서류를 갖고 가세요. 퇴근하셨지만 업무는 끝난 것이 아닌 거죠. 변호사 시절부터의 습관이신 것 같습니다. 국회의원 시절에도 마찬가지였고요.

참모들에게는 연차 휴가를 꼭 쓰라고 공개적으로, 내부 회의로도 여러 번 말씀하셨지만, 정작 본인은 제대로 휴가를 쓰신 날이 거의 없었습니다. 억지로 억지로 일정을 비워도 막상 당일이 되면 휴가를 취소하기도 하셨거든요.

사실 일에 대한 중압감이나 압박감을 내려놓고 싶어 하실 때가 없지는 않았습니다. 그런데 천성적으로 그게 잘 안 되는 분입니다. 워낙 책임감이 강하고, 당신이 살아오신 삶에서 비롯된 습관도 있으셨겠지요. 너무 일정이 많다고 하소연 아닌 하소연을 하실 때도 있었지만, 전쟁 직후 태어난 세대, 그것도 한 집안의 첫째로 살면서 몸에 밴 부지런함이나 책임감에서 잘 벗어나지 못하셨던 것 같습니다.

10명이 들어가 하루 하나씩 체계 만들어
2017년 취임 직후는 대통령께서 '원 맨 플레이'했던 시기

인수위 없이 시작한 정부였습니다. 당시 어떤 심정으로 청와대에 들어오셨는지 궁금합니다.

2017년 5월 10일, 선거 다음 날 새벽 6시에 10여 명의 실무진과 함께 청와대에 들어갔습니다. 바로 대통령 임기가 시작되었으니 그 준비를 해야 하는 거죠. 박근혜정부 때 청와대에서 일하던 분들이 여전히 출근하고 계셨고, 비어 있는 구석의 사무실 한 칸에서 일을 시작했습니다. 누구는 기자들을 담당하고, 누구는 대통령 일정을 준비하고, 누구는 청와대 회의 체계를 만들 준비를 하고, 또 누구는 같이 일할 실무진을 알아보고 하면서 하루하루 하나씩 체계를 만들어갔습니다.

그때는 최선을 다했습니다만, 이제 와 생각해보면 아쉬운 부분이 있습니다. 만약 시간을 돌이킬 수 있다면, 만약 가능하다면, 한 달 정도는 일종의 '홀딩' 시간을 잡아 두고 대통령 권한대행과 상의 하에 정부를 인수받는, 일종의 인수위 기간을 가졌으면 어땠을까…. 법적으로는 당연히 불가능한 얘기입니다만, 정부를 그렇게 구성했던 것이 대단히 아쉬울 때가 있습니다. 청와대 초기 인수인계 작업을 10여 명이 시작했다는 것이 사실 말이 안 되지 않습니까.

그나마 큰 사고 없이 정부 초기를 잘해낼 수 있었던 것은 3가지 요인의 힘이었는데요, 첫 번째는 대통령 자신의 경험과 능력입니다. 노무현정부에서 민정수석, 시민사회수석, 비서실장까지 지낸 경험이 있는 분이잖아요. 청와대 수석 처음 해보는 분들보다 더 청와대 시스템을 잘 아시니 어디가 막혀 있고, 어떻게 뚫어야 하는지를 본인이 가장 잘 아셨던 거죠. 그래서 사실 2017년 취임 직후에는 대통령께서 사실상 '원 맨 플레이'를 하셨다고 봐도 무방합니다. 참모진의 지원, 보좌가 충분하지 않았지만 여러 고비를 넘어갈 수 있었던 강력한 원동력이었죠.

두 번째 요인은 사전 준비였습니다. 선거 과정에서 이미 집권 후 100일 동안의 프로그램을 담은 '100일 프로젝트'를 준비해놓았기 때문입니다.

세 번째 원동력은 단합된 마음입니다. 위로는 탄핵이라는 위기를 함께 극복해보자고 마음을 내어준 국민, 아래로는 청와대 행정관 개개인들까지 제대로 잘해보자는 모두의 열정이 모였습니다. 새벽에 나와 새벽에 들어가던 행정관들, 재선 의원까지 하신 분이 흔쾌히 비서관을 하는 등 통상적 기준과 관계없이 모두가 헌신했습니다.

국민 안전이 최우선
현장에 바로 가는 대통령, "이전 정부에서는 상상 못 하던 일"

> 국정상황실장으로 일하면서 재난·재해, 외교 안보, 경제 위기 등 국정 전반의 위기관리도 담당하셨습니다. 위기의 고비마다 대통령과 참모들이 가장 중요시했던 원칙은 무엇이었습니까?

국민 안전이죠. 대통령께서 얼마나 안전을 중요하게 생각하셨는지를 보여주는 상징적 장면이 아주 많습니다. 강원도 산불 때를 보면 자정이 넘는 시간에 곧바로 NSC 회의 소집을 지시하셨어요. 새벽 1시 즈음에 대통령 주재 회의라니 대단히 이례적인 일이었습니다. 그 회의의 결과로 다음 날 전국의 모든 소방차가 강원도로 달려갑니다. 신속한 대통령의 업무 점검과 지시가 없었다면 불가능했을 장면입니다.

또 유독 정부 초기에 화재 사고가 많았는데 제천 사우나, 밀양 노인병원 화재 등 사고가 날 때마다 대통령께서 현장을 찾으셨습니다. 이전까지 보면 대통령의 현장 방문은 어느 정도 상황이 수습된 이후에나 이뤄지는 것이 관례였는데, 그런 말씀을 드려도, 화재 진압에 폐만 안 되면 바로 가자고 하셨습니다. 직접 눈으로 보고 여러 상황을 점검하고 조치가 필요한 것들을 하나하나 챙기셨죠. 이런 것들은 이전 정부에서는 상상도 못 하던 일이었습니다.

그만큼 국민 안전을 중요시했던 것이기도 하고 관례나 전례에 얽매이지 않고 상상력을 발휘해서 정책을 집행했던 사례이기도 합니다. 코로나19 초기 많은 나라가 국경을 걸어 잠글 때, 귀국하고 싶어 하는 국민을 위해 전세기를 띄운 것도 마찬가지입니다. 예전과 달라진 국력이 뒷받침돼서 가능했던 일이기도 하지만 이전 정부에서는 한 번도 찾아보지 못한 장면입니다.

최근 화재 현장에서 돌아가신 소방관 영결식에 대통령께서 아무 연락도 없이 참석하신 것도 마찬가지 맥락에 있을 겁니다. 듣기로는, 참모들이 건의한 것이 아니라 대통령께서 가겠다고 하셨다 합니다. 국민 안전에 대한 대통령의 각별한 마음을 알 수 있는 장면이겠지요.

'평양 시민과 인사'에서 '능라도 연설'까지 담대한 협상이 만든 역사적 순간

> 문재인정부 5년을 돌아보면 가장 기억에 남는 순간은 언제입니까. 대통령께서는 언론 인터뷰에서 평양 능라도 경기장 연설을 꼽으셨습니다.

저도 그 순간입니다. 연설은 북한이 자랑하는 '빛나는 조국'이라는 집체극 관람 전에 진행하는 연설이었습니다. 사실 그 일정 자체에 대해서 고민이 좀 많았습니다. 북한이 체제 선전의 장으로 만드는 공연이고, 국내적으로는 민감할 수 있는 대목도 있을 수 있기 때문입니다. 그런데 오히려 대통령께서 담대하게 나가자고 하셨어요. '우리가 훨씬 더 우월하고, 자신감이 있는데 너무 수세적으로 접근할 필요가 있겠냐'는 취지였습니다. 그렇게 협상에 나서니 북한 쪽에서 먼저 민감할 수 있는 내용을 다 수정하겠다고 했고, 우여곡절 끝에 일정이 확정될 수 있었습니다.

연설 형식도 처음에는 경기장에 온 평양 시민들 앞에서 간단히 인사 말씀만 하시라는 것이 북한의 취지였는데, 저희가 생방송도 태우고 정식으로 하자고 역제안을 했습니다. 이번에는 오히려 북한이 약간 당황하는 듯했습니다. 결국 아시다시피 10분 가까운 연설이 진행되었죠. 평양 인구가 대략 250만 명 수준인데, 그 경기장에 15만 명이 왔습니다. 대략 5%의 평양 시민이 와서 대한민국 대통령의 연설을 직접 들은 것입니다. 그 효과가 어떻게 나타날까요. 짐작하기도 힘든, 역사적 순간이었다고 봅니다.

시나리오 아닌, 몸이 먼저 반응하는 것
폭우 쏟아지던 날 길 위에서 함께 밤을 새우는 리더십

두 분의 대통령과 청와대에서 일하셨습니다. 문재인 대통령의 리더십은 어떻게 요약될 수 있을까요?

몇 가지 장면으로 설명할 수 있을 듯합니다. 취임하고 얼마 안 되어 가셨던 광주 5·18 광주민주화운동 기념식에서 울고 있는 유가족을 안아주셨던 모습, 독립 유공자들 초청 행사 때 무릎을 굽혀 눈을 맞추고 인사하시던 모습을 기억하실 겁니다. 이런 장면들은 참모들이 권하거나, 시나리오에 미리 준비해서 나올 수 있는 것이 아닙니다. 그냥 몸이 먼저 반응하시는 것이지요.

야인 시절에도 비슷한 일이 있었습니다. 세월호 사고 직후에 정치인들이 팽목항을 찾아가는 것조차 조심스러워하던 시기가 있었습니다. 가족들이 그만큼 힘든 시간을 보내고 있었으니까요. 참모들은 이왕이면 그런 일을 당하시지 않게 해드리고 싶은 게 마음인데, 대통령님은 "그냥 가자"고 하셨습니다. 가족들이 하고 싶은 말을 다 할 때까지, 욕을 하면 욕을 하는 대로 그저 기다리고 듣고 계셨습니다.

안산에서부터 광화문까지 유가족들과 시민들이 세월호 진상 규명을 요구하면서 도보 행진을 한 적이 있었습니다. 박근혜 대통령에게 서한을 전달한다고 청와대 앞까지 행진으로 가는데, 경복궁 옆에서 경찰들이 더 이상 행진은 안 된다고 막아섰죠. 폭우가 쏟아지던 날이었는데 그 비를 맞고 길 위에 앉아서 그 밤을 온전히 새우시더라고요. 대선 후보도 했던 분인데 바닥에 앉아서 움직이지를 않으셨습니다. 이런 장면들이 '문재인 리더십'을 보여주는 장면들이라고 봅니다.

"자연 그 자체…
평화로운 평점심 안에 대단한 격정 있어"

오랜 시간 가까이 함께 일했던 참모로서, '자연인 문재인'은 어떤 사람인 것 같습니까?

딱히 한 단어가 떠오르지는 않습니다. 그만큼 지금은 '자연인 문재인'은 사라지고, 온전히 대통령으로, 책임과 역할 속에서 살고 계시는 것 같습니다.

대통령 이전을 떠올리면 생각나는 것은 '자연'입니다. 자연 그 자체죠. 나무, 산, 공기, 물, 계곡, 바다 같은 것들…. 다소 추상적이지만,

그만큼 순수함 그 자체입니다. 다들 아시겠지만, 대통령께서 워낙 나무를 좋아하십니다. 국회의원 시절에도 식사하고 보좌진들과 산책을 자주 하셨습니다. 그때마다 나무 하나하나 소개해주시고, 설명해주시고. 수백 번은 그랬을 텐데, 정작 저는 지금 봐도 이름도 잘 기억이 안 납니다. (웃음)

제가 '자연' 같은 분이라고 했지만 그렇다고 고요하기만 하고 격정이 없는 것은 아닙니다. 평화로운 평정심 안에 대단한 격정이 있는 분이십니다. 합리적 이성으로 그 격정을 잘 제어하실 뿐입니다. 본인에게는 누가 어떤 말을 하셔도 잘 참으십니다. 사실 저도 십수 년 동안 화를 내시는 모습을 몇 번 보지 못했습니다. 제대로 화를 내실 때가 한 번 있었는데, 어떤 분이 옆 사람을 괴롭히는 것을 보시더니 발끈하시는 것을 보고 저도 놀랐습니다.

두 대통령 모신 것은 최고의 명예
국민의 겸허한 평가 기다릴 뿐

▌ 마지막으로 문재인정부 5년이 개인에게는 어떤 의미였나요?

사실 노무현정부 5년을 온전히 청와대에서 일한 후에 광화문 방향은 쳐다도 안 보겠다고 다짐했었습니다. 여러 회한이 많았습니다. 특히 노무현 대통령을 그렇게 보낸 이후에는 정치 자체를 하고 싶지 않았습니다.

그러다 문재인 대통령이 정치에 직접 뛰어드시게 되면서부터 또 그 옆에 있어왔습니다. 두 분 대통령을 모신 것으로 저는 정치하는 사람으로 할 수 있는 최고의 명예를 누렸다고 생각합니다.

다만 지난 5년에 대한 평가는 국민께서 하실 몫이지요. 저는 청와대에서 일한 2년 7개월간 온 힘을 다했고, 대통령께서도 지금껏 최선을 다하고 계시지만 국민의 평가는 겸허히 기다릴 뿐입니다. 개인적으로는 대통령께서 퇴임하신 이후에 평온한 전직 대통령으로 남으셨으면 하는 마지막 바람이 있습니다.

'에피소드 부자'였다. 말을 아끼는 것으로 유명했던 복심은 값진 일화들을 쏟아냈다. 역사적인 능라도 연설을 만들어낸 협상의 전후 과정은 처음 공개되는 이야기이기도 했다.
사실 그는 인터뷰 내내 '자연인 문재인', '대통령 문재인'에 대해 말하길 '수줍어'했다. 참모로서 대통령을 평가하는 것으로 비칠까 송구하다고도 했다. '가까이서 본 자연인 문재인은 어떤 사람인가'라는 질문에 대한 답은 몇 번의 손사래 이후 긴 침묵 끝에 나온 답이었다. 구태여 긴 말로 설명하지 않아도 존중하고 사랑하는 마음, 가히 '브로맨스'에 가까운 무언가였다.
그는 '대통령 문재인'에 대해 이야기했지만, 그 모든 서술과 표현은 곧 문재인정부가 이루고자 했던 정부의 모습이었다. 정부의 국정 성과를 총정리하며 문재인 대통령에 대한 인터뷰를 빼놓을 수 없었던 이유이다. 권위주의를 넘어 '일'이 중심이 되는 것, 국민의 생명과 안전을 최우선시하는 태도, 말이 아닌 실천으로 국민과 겸허히 발맞춰가고자 하는 자세. 모두 대통령 문재인으로부터 시작해 대통령 문재인을 통해 구현하고자 했던 정부의 모습이었다.

나가며

때로 국민의 눈과 귀를 막았던 시대도 있었습니다. 진실을 은폐하고 조작된 정보로 여론을 호도했던 국가 권력의 역사가 멀리 있지 않습니다. 이제 그런 시대는 옛일이 되었습니다. 국민이 주인인 민주공화국의 시대에는 주권자가 실시간으로 정보를 파악하고 여론을 형성합니다. 더는 과거와 같이 국민을 두려워하지 않는 정부는 존립할 수 없습니다.

정치의 시계는 점점 빨라졌고 책임의 무게는 더 무거워졌습니다. 흔히 현대 정치에서 대통령의 이름을 정부 앞에 붙여 호명하는 이유도 마찬가지일 것입니다. '문재인정부'라는 다섯 글자에는 대통령에게 부여된 막중한 권한과 책임의 무게가 동시에 담겨 있습니다.

이제 5년의 임기를 마치며 그 엄중한 평가 앞에 직면할 때가 되었습니다. 국민의 넉넉한 평가도 뼈아픈 회초리도 모두 주권자의 마땅한 권리이자 민주주의의 과정일 것입니다.

권력을 위임받은 대리인에게 변명은 가당치 않습니다. 국민과 함께

걸었던 꽃길도, 가지 않을 수 없던 험준한 길도 모두 꼼짝없이 문재인 정부 그 자체였습니다. 역사의 엄밀한 평가를 기다리며, 지난 5년간 함께 울고 웃었던 위대한 국민에 대한 감사의 마음, 그 단출한 마음 하나로 영광스러운 공복의 책임을 마치고자 합니다.

다시 한번 정중히 인사 올립니다. 위대한 국민과 함께할 수 있어 영광이었습니다. 일군의 공직자들이 국민 없이 만들어낼 수 있는 것, 아무것도 없었습니다. 모두 국민이 이룬 성과였습니다. 그 위대한 저력으로 대한민국은 앞으로도 당당히 전진할 것입니다.

한없는 존경을 국민 여러분께 바칩니다. 참으로 감사했습니다.

2022년 4월

문재인 대통령 비서실 올림

위대한 국민의 나라

문재인정부 5년의 기록

1판 1쇄 인쇄 | 2022년 4월 6일
1판 1쇄 발행 | 2022년 4월 13일

지은이 문재인 대통령 비서실
집필팀 이석현, 조태근, 윤재관
펴낸이 김기옥

경제경영팀장 모민원 기획 편집 변호이, 박지선
커뮤니케이션 플래너 박진모
경영지원 고광현, 임민진
제작 김형식

디자인 제이알컴
인쇄·제본 민언프린텍

펴낸곳 한스미디어(한즈미디어(주))
주소 04037 서울특별시 마포구 양화로 11길 13(서교동, 강원빌딩 5층)
전화 02-707-0337 | 팩스 02-707-0198 | 홈페이지 www.hansmedia.com
출판신고번호 제 313-2003-227호 | 신고일자 2003년 6월 25일

ISBN 979-11-6007-794-0 03340

책값은 뒤표지에 있습니다.
잘못 만들어진 책은 구입하신 서점에서 교환해 드립니다.